P9-DWK-881

DOCAT

¿Qué hacer?

DOCAT

¿Qué hacer?

La Doctrina Social
de la Iglesia

Con prólogo
del papa Francisco

DOCAT. ¿Qué hacer? La Doctrina Social de la Iglesia
Con prólogo del Papa Francisco

1.ª edición, 2017; 2.ª reimpresión, 2018

Edición original
Título original:
DOCAT. Was tun? Die Soziallehre der Kirche
Mit einem Vorwort von Papst Franziskus.

El original alemán de esta obra fue editado por la Conferencia Episcopal de Austria, con la aprobación del Pontificio Consejo para la Promoción de la Nueva Evangelización, concedida el 7 de abril de 2016.

La obra fue elaborada por Arnd Küppers y Peter Schallenberg con la colaboración de Stefan Ahrens, Nils Baer, Thomas Berenz, Christoph Böhr, Marco Bonacker, Andreas Büsch, Luisa Fischer, Julia Horstmann, Joachim Hupkes, Christoph Krauß, Markus Krienke, Gerhard Kruip, Hermann von Laer, Weihbischof Anton Losinger, Bertram Meier, Bernhard Meuser, Elmar Nass, Ursula Nothelle-Wildfeuer, Martin Schlag, Walter Schweidler, Christian Stoll, Cornelius Sturm, Markus Vogt, Anno Zilkens y Elisabeth Zschiedrich.

Dirección edición: Bernhard Meuser
Asistente: Clara Steber
Diseño, maquetación e ilustraciones: Alexander von Lengerke, Colonia (Alemania)

Edición Latinoamérica

Imprimátur: cardenal Óscar Andrés Rodríguez Maradiaga (Arzobispo de Tegucigalpa), julio de 2017.

Para esta edición, se ha empleado la traducción del texto bíblico de *La Biblia. Libro del Pueblo de Dios*, obra de los presbíteros Armando J. Levoratti y Alfredo B. Trusso, aprobada por la Conferencia Episcopal Argentina.

Dirección de esta edición: Guillermo Santamaría de Pando y Adam Peter Grondziel Richter
Coordinación editorial de esta edición: Regino Etxabe Díaz
Revisión y supervisión de esta edición: María Puy Ruiz de Larramendi
Traducción al español de los textos complementarios: José Pérez Escobar
Adaptación de contenidos complementarios al ámbito latinoamericano: Allancastro Silva Vieira
Revisión de los documentos eclesiales: Óscar González Bejarano

Diagramación: NovaText, Mutilva (Navarra, España)
Impresión y encuadernación: Finidr s.r.o., Český Těšín
Impreso en la República Checa

Depósito legal: NA 1.708-2017
ISBN: 978-84-9073-336-3

Sobre este libro

DOCAT es una traducción de divulgación de la Doctrina Social de la Iglesia católica, que ha ido desarrollándose en documentos importantes desde el pontificado de León XIII. DOCAT se dirige especialmente a los jóvenes para motivarlos a que lean los grandes documentos de la Iglesia en sus textos originales y a que actúen según los principios de la verdad, la justicia y el amor. El papa Francisco exhorta insistentemente a los cristianos a comprometerse en la construcción de un mundo más justo: «El cristiano que no sea revolucionario en la actualidad no es cristiano».

Los símbolos y su significado

Cita de un pasaje de la Biblia que te ayuda a entender más profundamente lo que estás leyendo.

Se trata de una cita que subraya el significado del texto o le sirve de contrapunto. Siempre ahonda en la verdad realmente viva de lo dicho en el texto.

Las citas que aparecen con la imagen de la Basílica de San Pedro recogen las enseñanzas actuales del Papa y también otras importantes declaraciones realizadas por sus predecesores.

Se explican algunos conceptos.

Los números al final de cada texto van acompañados de flechas que remiten a pasajes temáticamente similares de los siguientes textos:

Compendio de la Doctrina Social de la Iglesia

Catecismo de la Iglesia Católica

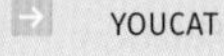
YOUCAT

Índice

4

Bien común, persona, solidaridad, subsidiaridad: los principios de la doctrina social

Preguntas 84–111

Con la colaboración de Christoph Krauß y Joachim Hupkes

Por qué se habla de cuatro grandes principios de la doctrina social, cómo se fundamentan moralmente y cómo se aplican en la práctica. Y por qué son especialmente muy adecuados para analizar las realidades sociales y mejorarlas. **PÁGINA 90**

Documentos más importantes de la Iglesia. **PÁGINA 110**

5

El fundamento de la sociedad: la familia

Preguntas 112–133

Con la colaboración de Ursula Nothelle-Wildfeuer y Elisabeth Zschiedrich

Por qué la familia es la célula primordial de la sociedad, qué servicios aporta a la sociedad, qué tipo de familia (no solo en nuestros días) está en peligro y por qué debe por eso ser protegida. **PÁGINA 114**

Documentos más importantes de la Iglesia. **PÁGINA 132**

6

Profesión y vocación: el trabajo humano

Preguntas 134–157

Con la colaboración de Arnd Küppers

Por qué el trabajo no es una maldición, sino que es expresión de la autorrealización del ser humano. Por qué el trabajo nos hace colaboradores de Dios. Por qué está hecho el trabajo para los seres humanos, y no estos para el trabajo. **PÁGINA 134**

Documentos más importantes de la Iglesia. **PÁGINA 152**

Bienestar y justicia para todos: la economía

PREGUNTAS 158–194

Con la colaboración de Hermann von Laer y Martin Schlag

Por qué la economía tiene sus propias leyes. Por qué la actividad económica solo se convierte en algo humanamente justo cuando todas las partes se benefician de ella. Por qué el mercado tiene también unos límites y cómo podemos reaccionar ante la globalización.

Poder y moral: la comunidad política

PREGUNTAS 195–228

Con la colaboración de Markus Krienke y Christoph Böhr

Por qué necesita la política un fundamento, una legitimación y un marco ético para ser útil al desarrollo del ser humano. Por qué los cristianos no pueden mantenerse fuera de la política. Por qué abogan los cristianos por la libertad y la justicia de todos. Y por qué tienen un gran interés en ser buenos ciudadanos.

Un mundo, una humanidad: la comunidad internacional

PREGUNTAS 229–255

Con la colaboración de Gerhard Kruip, Julia Horstmann y Luisa Fischer

Por qué los cristianos deben reaccionar con nuevos instrumentos a un mundo que cambia radicalmente. Por qué la Iglesia hace una opción preferencial por los pobres y cómo puede organizarse la solidaridad y la cooperación global.

Prólogo

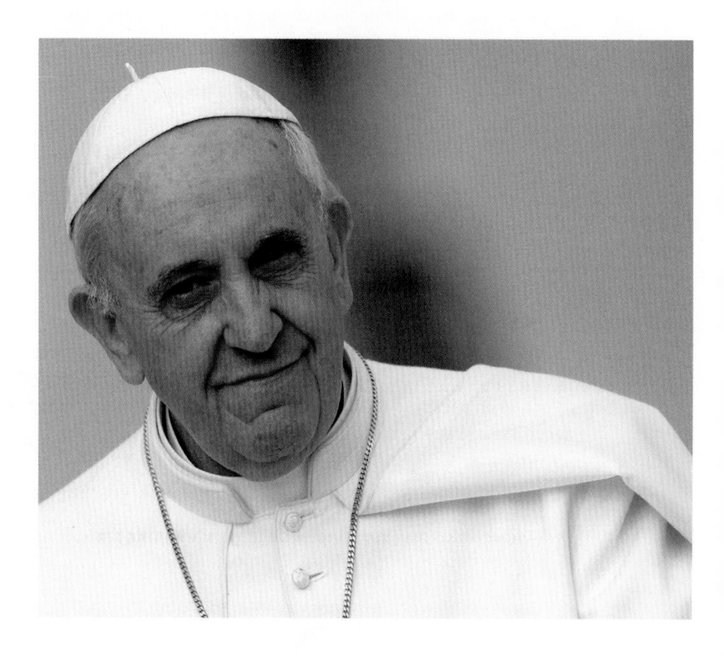

¡Queridos jóvenes!

Mi predecesor, el papa Benedicto XVI, puso en manos de ustedes un Catecismo para Jóvenes, el YOUCAT. Yo quisiera hacerles hoy entrega de un nuevo Catecismo, el DOCAT, que recoge la Doctrina Social de la Iglesia.

En el título se encuentra la palabra inglesa «to do», hacer. El DOCAT quisiera responder a la pregunta «¿qué hacer?». Por eso está diseñado como un manual de instrucciones que, poniendo en práctica el Evangelio, nos ayuda a transformarnos primero a nosotros mismos, después nuestro entorno más cercano, y, finalmente, todo el mundo. Pues con la fuerza del Evangelio podemos transformar de verdad el mundo.

Jesús dice: «Les aseguro que todo lo que hayan hecho en favor del más pequeño de mis hermanos a mí me lo han hecho». Son muchos los santos que han quedado profundamente marcados por este pasaje de la Biblia. Por él san Francisco de Asís cambió toda su vida. Por esta palabra se convirtió la Madre Teresa. Y Carlos de Foucauld declara: «No hay en el Evangelio ninguna palabra que me haya influido tanto y haya transformado tan profundamente mi vida que esta: “Todo lo que hayan hecho en favor del más pequeño de mis hermanos, a mí me lo han hecho”. Cuando pienso que estas palabras salieron de la boca de Jesús, la Palabra eterna de Dios, de la boca que dice: “Esto es mi cuerpo... esta es mi sangre”, con qué fuerza me siento llamado a buscar y amar a Jesús en estos pequeños, en estos últimos».

¡Queridos jóvenes amigos! Solo la conversión del corazón puede hacer más humana nuestra Tierra, tan llena de terror y de violencia. Y esto implica paciencia, justicia, prudencia, diálogo, integridad, solidaridad con las víctimas, con los pobres y con los más pobres, entrega sin límites, amor a los demás incluso hasta dando la vida por ellos. Cuando ustedes hayan entendido esto en toda su profundidad, entonces podrán transformar el mundo como cristianas y cristianos comprometidos. El mundo, con todo lo que está pasando, no puede seguir así. ¡El cristiano que en este momento no vea la necesidad de los más pobres de los pobres, no es realmente cristiano!

¿No podemos hacer algo más para que esta Revolución del amor y de la justicia se haga realidad en muchas partes de este maltratado planeta? ¡La Doctrina Social de la Iglesia puede ayudar a muchas personas! Bajo la acreditada orientación de los cardenales Christoph Schönborn y Reinhard Marx, un equipo ha llevado a cabo su trabajo para acercar a todos los jóvenes del mundo el mensaje liberador de la Doctrina Social Católica. En él han colaborado prestigiosos especialistas y también jóvenes. Jóvenes católicos de todo el mundo han enviado sus mejores fotografías. Otros han aconsejado a la hora de redactar el texto y han contribuido con sus preguntas y sugerencias a hacerlo más comprensible. La Doctrina Social llama a esto «participación»: ¡colaboración! De esta manera, el equipo ha aplicado ya un importante principio de la Doctrina Social. Por eso el DOCAT se ha convertido en un excelente manual para actuar de forma cristiana.

Lo que hoy llamamos Doctrina Social Católica surgió en el siglo XIX. Con la industrialización se propagó un capitalis-

mo brutal: una forma de economía destructiva para el ser humano. Las grandes industrias sin conciencia lograron que la población rural empobrecida trabajara por un sueldo de miseria en las minas o en las fábricas cubiertas de hollín. Los niños dejaron de ver la luz del día. Fueron enviados bajo tierra como esclavos para sacar los carros cargados de carbón. Los cristianos ayudaron mucho en esta situación de necesidad, pero se dieron cuenta de que no era suficiente. Por eso desarrollaron ideas sociales y políticas para proceder contra la injusticia. El verdadero documento constitucional de la Doctrina Social Católica es la encíclica *Rerum novarum*, que, sobre los nuevos problemas sociales, promulgó el papa León XIII en 1891. El Papa escribió con claridad y contundencia: «Y defraudar a alguien en el salario debido es un crimen, que llama a voces las iras vengadoras del cielo». La Iglesia recurrió a toda su autoridad para luchar por los derechos de los trabajadores.

A medida que las necesidades de los tiempos lo iban requiriendo, la Doctrina Social Católica se ha ido enriqueciendo y perfeccionando con el paso de los años. Mucho se ha discutido sobre comunidad, justicia, paz y bien común. Se han descubierto los principios de la persona, de la solidaridad y de la subsidiaridad, que también explica el DOCAT. Pero en verdad la Doctrina Social no procede de este o de aquel Papa, de este o de aquel experto, sino del corazón del Evangelio. Procede de Jesús mismo. Jesús es la doctrina social de Dios.

«Esa economía mata», he dicho en mi exhortación apostólica *Evangelii gaudium*, pues también hoy existe «la economía de la exclusión y la inequidad». Hay países en los que el cuarenta o el cincuenta por ciento de los jóvenes no tienen trabajo. En muchas sociedades se desecha a los ancianos porque al parecer no tienen ningún «valor» y no son ya «productivos». Se despueblan regiones enteras, porque los pobres de la tierra huyen hacia los barrios de chabolas de las metrópolis con la esperanza de encontrar algo allí para sobrevivir. La lógica productiva de una economía globalizada ha destruido las sencillas estructuras económicas y agrarias de sus regiones de origen. Mientras tanto, aproximadamente un 1% de la población mundial posee el 40% de la riqueza mundial, y el 10% posee el 85%. Por otra parte, a la mitad de la población mundial solo le pertenece ya el 1% de este mundo. Actualmente, 1 400 millones de personas viven con menos de un euro al día.

Cuando los invito a todos a conocer de verdad la Doctrina Social de la Iglesia, no sueño solo con grupos que se sientan bajo los árboles para discutir sobre ella. No está mal. Háganlo. Pero mi sueño es más ambicioso: deseo un millón de jóvenes cristianos, o, mejor, toda una generación que sea para sus contemporáneos «la Doctrina Social con pies». Solamente transformarán el mundo quienes con Jesús se entreguen a él, los que con él vayan a las periferias y se adentren en la sociedad. Comprométanse en política y luchen por la justicia y la dignidad humana, y sobre todo por los más pobres. Todos ustedes son la Iglesia. Preocúpense por la conversión de la Iglesia, para que esté viva, para que se deje desafiar por los gritos de las personas privadas de sus derechos, por las súplicas de quienes pasan necesidad y de aquellos a quienes nadie cuida.

Pónganse en movimiento. Si muchos hacen esto mismo, el mundo será mejor y los seres humanos experimentarán que el Espíritu de Dios actúa mediante ustedes. Y así quizá ustedes serán como antorchas que iluminarán a los seres humanos en el camino hacia Dios.

Hoy les entrego este pequeño y gran libro para que encienda en ustedes un fuego.

Yo rezo todos los días por ustedes. ¡Recen ustedes también por mí!

Franciscus

Papa Francisco

PREGUNTAS
1–21

El plan maestro de Dios

EL AMOR

El mundo ha sido creado para la gloria de Dios.

CONCILIO VATICANO I

Estoy llamado a ser o a hacer algo para lo que no está llamado nadie más. Ocupo un lugar en el plan de Dios sobre la tierra que no ocupa ningún otro. Ya sea rico o pobre, despreciado o alabado por los hombres, Dios me conoce y me llama por mi nombre.

BEATO JOHN HENRY NEWMAN (1801-1890), cardenal y filósofo inglés

1 *¿Tenía Dios un plan cuando nos creó a nosotros y al mundo?*

Efectivamente. Dios creó el mundo entero según su concepción y su plan. Al igual que un hombre puede idear un juego, por ejemplo, el tres en raya o el ajedrez, y crear las reglas que lo rigen, de igual modo creó Dios el mundo y concibió a los seres humanos. El hilo conductor en la creación de Dios es el amor. Así pues, el plan de Dios es que el ser humano ame y responda al amor de Dios, y que piense, hable y actúe en conformidad con el amor.

→ 20 → 2062 → 1, 2

Venimos ciertamente de nuestros padres y somos sus hijos, pero también venimos de Dios, que nos ha creado a su imagen y nos ha llamado a ser sus hijos. Por eso, en el origen de todo ser humano no existe el azar o la casualidad, sino un proyecto del amor de Dios.

PAPA BENEDICTO XVI, 9 de julio de 2006

2 *¿Quién es realmente Dios?*

Podemos decir que Dios es el origen de todo lo que existe. Él es el fundamento último y la causa última de todo, y también su soporte. Desde el punto de vista de la ciencia actual, diríamos que es aquel que precede al *big bang* y al origen de todas las leyes de la naturaleza. Sin él, todo cuanto existe acabaría desmoronándose. Él es también la finalidad de todo lo existente.

→ 34, 279ss → 33

3 ¿Qué relevancia tiene Dios para nuestro comportamiento?

Si Dios es el creador de todo el universo, entonces es también la medida de todo lo que debe ser. Todo comportamiento se mide en conformidad con él y con su plan. Con él llegamos a saber qué es comportarse bien. Dicho brevemente: Dios ha escrito el ADN de nuestra vida. Lo que Dios quiere para nosotros y con nosotros constituye la norma y la regla de una vida buena y justa. Los cristianos se comportan solidariamente porque antes Dios los ha amado plenamente.

Porque has creado todas las cosas: ellas existen y fueron creadas por tu voluntad.

AP 4,11

¡Qué variadas son tus obras, Señor! ¡Todo lo hiciste con sabiduría!

SAL 104,24

→ 20, 25, 26 → 1694

Lo que no se encontraba en mi plan estaba en el plan de Dios. Y cada vez que me encuentro con algo así, mi convencimiento se aviva más y más en la creencia de que no hay, visto desde la perspectiva de Dios, ninguna coincidencia.

SANTA EDITH STEIN (1891-1942), filósofa judeoalemana, víctima de los campos de concentración, *Ser infinito y eterno* (1935-1936)

Tres cosas necesita el hombre para su salvación: saber en qué cree, saber a qué aspira y saber qué debe hacer.

SANTO TOMÁS DE AQUINO (1225-1274), uno de los grandes teólogos cristianos de la Edad Media, *Sobre los dos mandamientos del amor y los diez mandamientos de Dios* (Proemio)

4 ¿Se puede tener experiencia de Dios?

Al reflexionar sobre ti mismo, enseguida te das cuenta de que tú no te has creado a ti mismo. Nadie te ha preguntado si querías existir realmente o si hubieras preferido no existir. Inesperadamente, te encuentras existiendo. Posteriormente llegas a saber que eres un

Decir «te amo»
significa decir
«tú no morirás nunca».
GABRIEL MARCEL (1889-1973), filósofo francés

> Todas las cosas creadas atestiguan la bondad y la generosidad del Creador: El sol irradia su luz, el fuego su calor; el árbol extiende sus ramas y nos ofrece el fruto que produce; el agua y el aire y la naturaleza entera propagan la bondad del Creador, y nosotros, su imagen personal, no lo representamos, sino que lo negamos con nuestra insensibilidad a la hora de actuar, cuando al mismo tiempo lo confesamos de boca.
>
> **SAN FELIPE NERI** (1515-1595)

ser finito. Hoy, mañana o pasado mañana, tu vida terminará. También llegará el momento en el que dejará de existir todo cuanto te rodea. No obstante, puedes concebir lo infinito, es decir, algo que existe y no desaparece. Aun cuando estás únicamente rodeado por cosas efímeras, anhelas, sin embargo, lo eterno, lo que no es efímero. Deseas que permanezca algo de ti. Qué triste sería también que el mundo hermoso en el que vivimos resplandeciera sin sentido un instante en el tiempo para deshacerse en la nada. Solo si Dios existe de verdad, perdurarás con él, como también toda la creación. El anhelo y la nostalgia de Dios forman parte esencial de la vida humana. El anhelo de lo infinito y de lo absoluto se encuentra en todos los pueblos, las culturas y las religiones del mundo.

→ 20 → 1147 → 20

5 *¿Por qué ha creado Dios al ser humano y al mundo?*

Dios ha creado el mundo por un amor desbordante. Él desea que lo amemos como él nos ama. Él quiere reunirnos en la gran familia de su Iglesia.

→ 49, 68, 142 → 2

Tú amas todo lo que existe y no aborreces nada de lo que has hecho, porque si hubieras odiado algo, no lo habrías creado.

SAB 11,24

6 *Si Dios ha creado el mundo por amor, ¿por qué está tan lleno de injusticia, opresión y sufrimiento?*

Dios creó el mundo como algo bueno en sí mismo, pero este se apartó de Dios, optó por oponerse a su amor. La Biblia nos cuenta esto en el relato del pecado original cometido por Adán y Eva. Los seres humanos –véase el relato de la torre de Babel (Gn 11)– qui-

Yo he visto la opresión de mi pueblo, que está en Egipto, y he oído los gritos de dolor, provocados por sus capataces. Sí, conozco muy bien sus sufrimientos. Por eso he bajado a librarlo del poder de los egipcios.

EX 3,7-8

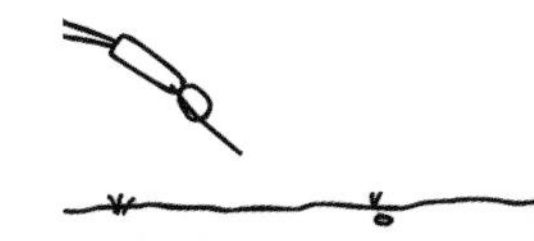

sieron ser como Dios. Desde entonces hay un fallo de tejido en el mundo, un principio de destrucción. Y a partir de aquí ya nada fue como Dios había planeado. También con nuestras decisiones actuales provocamos injusticia y sufrimiento a nuestro mundo. Muchas decisiones erróneas aumentan a menudo las estructuras del mal y del pecado. De hecho, el individuo actúa en un sistema que, en su conjunto, es malo e injusto, y no le resulta nada fácil salirse de él, como cuando, por ejemplo, un soldado es obligado a participar en una guerra criminal.

→ 27 → 365ss, 415 → 66, 68

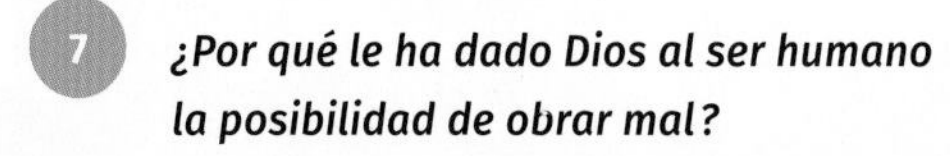

7 ¿Por qué le ha dado Dios al ser humano la posibilidad de obrar mal?

Dios creó a los seres humanos para amar. Pero el amor no puede imponerse. El ser humano debe ser libre para poder amar de verdad. Si existe la libertad auténtica, también existe la posibilidad de tomar decisiones totalmente erróneas. Los seres humanos pueden incluso destruir su libertad.

→ 311ss → 286

8 ¿Deja Dios al ser humano solo después de que este se haya apartado de él?

En modo alguno. El amor de Dios «no pasará jamás» (1 Cor 13,8). Él nos sigue los pasos, nos busca en nuestros huecos y recovecos, quiere contactar con nosotros. Desea mostrarnos quién es realmente.

→ 27, 773

9 ¿Cómo se deja Dios encontrar?

Dios no solo se deja encontrar, sino que, es más, se nos *manifiesta* o (por decirlo con otras palabras) se nos *revela*. Por naturaleza tenemos una cierta idea de Dios y podemos conocer también mediante la razón *que* exis-

> El pecado es la cárcel en la que todos nacemos.
>
> **SAN IGNACIO DE LOYOLA** (1491-1556), fundador de la Compañía de Jesús

> Y ni siquiera entiendo lo que hago, porque no hago lo que quiero sino lo que aborrezco.
>
> El apóstol Pablo en **ROM 7,15**

> Especialícense en el arte de descubrir en todas y cada una de las personas el lado bueno con que cuentan; no hay nadie que solo sea maldad.
>
> **DOM HÉLDER CÂMARA** (1909-1999), obispo brasileño

> Hay quienes dicen: «hice demasiado mal, el Buen Dios no puede perdonarme». Se trata de una gran blasfemia. Equivale a poner un límite a la misericordia de Dios, que no tiene: es infinita. Y nada hay que pueda ofender más a nuestro querido Dios que dudar de su misericordia.
>
> **SAN JUAN MARÍA VIANNEY** (1786-1859), cura de Ars

te. Pero *cómo* es precisamente, cuáles son sus pensamientos y sus planes, es algo que no logramos explicar con nuestro intelecto. Por eso es Dios mismo quien tiene que comunicarnos cómo es. Y no lo hace enviándonos una idea, un libro o un sistema político, sino haciéndose un ser humano. En Jesucristo, Dios se ha revelado plenamente y definitivamente: Dios se hace hombre para que el hombre entienda quién es Dios. Jesús es el lenguaje de Dios.

→ 20, 21 → 36–38 → 7–10

Porque los pensamientos de ustedes no son los míos, ni los caminos de ustedes son mis caminos –oráculo del Señor–. Como el cielo se alza por encima de la tierra, así sobrepasan mis caminos y mis pensamientos a los caminos y a los pensamientos de ustedes.

IS 55,8-9

10 *¿Cómo se reveló Dios antes de Jesús?*

La existencia de Dios nunca ha estado fuera del alcance del conocimiento racional de los seres humanos. En la historia de fe de Israel abrió Dios su intimidad y habló con Abrahán, Isaac y Jacob. A Moisés le encomendó liberar a su pueblo de la esclavitud de Egipto. Llamó una y otra vez a los profetas para que hablaran en su nombre.

→ 54ss → 7–8

Israel es, por tanto, el pueblo de la predilección divina [...]. Israel es el pueblo de Dios no por sus cualidades humanas, sino solo por la iniciativa de Dios.

PAPA JUAN PABLO II (1920-2005), audiencia general, 30 de octubre de 1991

11 *¿Cómo responde el pueblo de Israel a la propia comunicación de Dios?*

Una vez que se conoce a Dios, nada puede seguir como antes. El pueblo de Israel lo expresa claramente mediante la alianza que Dios hace con él. Los signos de esta alianza son los diez mandamientos, que Dios entrega a Moisés en el monte Sinaí (Ex 19–24). Correspondemos al amor de Dios cuando nos orientamos por los mandamientos e intentamos así comportarnos de forma justa. Por consiguiente, tenemos la posibilidad de cooperar en el plan maestro de Dios para el mundo y la historia.

→ 22 → 34

PLAN MAESTRO 1

En todas las culturas se dan singulares y múltiples convergencias éticas, expresiones de una misma naturaleza humana, querida por el Creador, y que la sabiduría ética de la humanidad llama ley natural.

PAPA BENEDICTO XVI, Encíclica *Caritas in Veritate* (CiV) 59

ENCICLÍCA Escrito doctrinal del Papa.

12 *¿Qué importancia tienen los diez mandamientos para nuestra vida en común?*

Dios nos entrega en los diez mandamientos los principios imperecederos de la vida buena. Con ellos podemos orientarnos de modo que surja el mundo que Dios tenía en su mente. Aprendemos además cuáles son nuestros deberes –por ejemplo, no podemos robar a nadie– y también nuestros derechos, a saber, nadie puede robarnos. El contenido de los diez mandamientos se parece al derecho natural, es decir, a lo que cada ser humano tiene inscrito en su corazón sobre qué es una acción buena. Son modos de actuar universales que vinculan a todos los hombres y todas las culturas. De aquí que los diez mandamientos constituyan la regla fundamental para la convivencia social.

→ 22 → 434 → 335, 348ss

> De lo que no dejo de asombrarme es de que en el mundo haya más de treinta millones de leyes para cumplir los Diez Mandamientos.

ALBERT SCHWEITZER (1875-1965), médico misionero y Premio Nobel de la Paz

13 *¿Cómo se revela Dios en Jesús de Nazaret?*

Jesús es para mí mi Dios, mi vida, mi único amor; Jesús es mi todo, Jesús es todo cuanto tengo. Jesús, yo te amo con todo el corazón y con todo mi ser.

MADRE TERESA DE CALCUTA (1910-1997), Premio Nobel de la Paz

La propia revelación de Dios llega a su punto culminante en Jesucristo. En su persona, como ser humano y divino, se manifiesta el amor de Dios de una forma absoluta e insuperable. Como nos dice el prólogo del evangelio de Juan, en él la Palabra de Dios se hace carne. En Jesucristo se hace visible, e incluso corporalmente tangible, la identidad de Dios y cómo él se encuentra con las personas. Por eso puede decir Jesús: «El que me ha visto, ha visto al Padre» (Jn 14,9).

Cristo fue en todo semejante a nosotros, menos en el pecado. Por eso es Jesús el ser humano ejemplar, el ser humano modelado según el plan maestro de Dios. Jesús vivió lo que quiere Dios: el amor. Ser cristiano significa intimar lo más posible con Jesús. Mediante los sacramentos nos unimos profundamente con Jesús; nos convertimos en «Cuerpo de Cristo».

> La debilidad de las posibilidades humanas es la fuente de la fuerza. Jesús es el maestro de lo imposible.
>
> **BEATO CARLOS DE FOUCAULD** (1858-1916), sacerdote, monje y eremita francés

> La única ley de la autoridad es el amor.
>
> **JOSÉ MARTÍ** (1853-1895), político cubano

→ 28–29 → 456ss → 9–10

14 *¿Cuál es el nuevo mandamiento del amor en el Nuevo Testamento?*

La regla de oro («Trata a los demás como quieres que te traten a ti») es conocida en muchas culturas como norma de una vida buena. El mandamiento del amor en el Antiguo Testamento se resalta con más fuerza: «Amarás a tu prójimo como a ti mismo» (Lv 19,18). Jesús intensifica y concreta el mandamiento del amor recíproco, fundamentándolo en sí mismo y en la entrega de su vida: «Así como yo los he amado, ámense también ustedes los unos a los otros» (Jn 13,34). Este amor se dirige de igual manera a la *comunidad* como a la *persona*, pues cada uno cuenta como una persona única e inconfundible que es amada por Dios, y, a su vez, es remitida a vivir este amor con los demás. El amor divino es el comienzo de una «civilización del amor» (papa Pablo VI y Juan Pablo II), a la que pueden contribuir todos los seres humanos.

→ 54 → 2055 → 322

PLAN MAESTRO 2

> El amor comienza hoy. Hoy sufre alguien. Hoy está tirado alguien en la calle. Hoy alguien pasa hambre. Hoy debemos comprometernos. El ayer es pasado. El mañana aún no existe. Solo hoy podemos dar a conocer a Dios, amando, sirviendo, dando de comer a los hambrientos, vistiendo a los desnudos, proporcionando un techo a los pobres. ¡No esperes a mañana! Mañana llegarán a estar muertos si no les damos nada hoy.
>
> **MADRE TERESA DE CALCUTA**

15 *¿Está llamado el ser humano a amar?*

Efectivamente, amar y ser amado pertenecen a lo más profundo de la esencia humana. Dios mismo nos sirve de modelo. Jesús nos mostró que Dios no es en sí mismo nada más que amor. Entre el Padre, el Hijo y el Espíritu Santo acontece un intercambio eterno de amor. El ser humano que ama también participa en esta comunión de amor. Solo podemos realizar plenamente nuestra vida si no nos cerramos a esta corriente del amor divino y nos abrimos a ella. El amor nos permite estar abiertos a las necesidades del prójimo y nos capacita para entregarnos. Jesucristo, que por amor a los seres humanos se sacrificó libremente en la cruz, realizó con la entrega de su vida humana el máximo acto de amor.

→ 34–37 → 1, 260 → 309

16 *¿Se puede uno educar en el amor al prójimo?*

VIRTUD (del latín *virtus* = fuerza) es una actitud práctica que ayuda al ser humano a realizar más fácilmente el bien.

Sí. Además, es muy importante. El amor no es solo un sentimiento. El amor es también una → VIRTUD, una fuerza, que puede entrenarse. Ser más valientes, más osados, más justos y más afectuosos, constituye un verdadero desafío para todo cristiano. Debemos formarnos para mirar el mundo desde la perspectiva del otro. Aquellos que son tratados con benevolencia sincera se sienten valorados como personas y pueden realizarse. Si practicamos el amor en los gestos más sencillos, con la ayuda de Dios estaremos en mejor posición para amar también allí donde se hace daño y donde no seamos «recíprocamente amados». Tal es el caso cuando nos ocupamos de los más pobres y aún más cuando tenemos que recurrir a un modo de tratar a nuestros enemigos, renunciando a la venganza, la represalia y la violencia.

> Viva de tal manera que, cuando sus hijos piensen en justicia, cariño e integridad, piensen en usted.
>
> **H. JACKSON BROWN** (1940), autor americano

→ 105, 160, 184, 193 → 2052, 2055, 2069, 2443–2446 → 321, 328

¿Existe sentido y progreso en la historia?

La salvación (= realización personal definitiva, felicidad perfecta), que nos ha sido dada en Jesucristo, no está solo al alcance de unas pocas personas. Dios quiere la salvación para todos. Esta salvación libera a las personas en todas sus dimensiones: como cuerpo y espíritu, personal y socialmente, en su historia terrenal y para siempre en el cielo. En la historia, por consiguiente, en el tiempo, se realiza ya esta salvación, pero solo se completará en la eternidad. Por eso debemos criticar todas las ideologías políticas que prometen la salvación en la tierra. El hecho de que solo encontremos el paraíso en el cielo no implica un rechazo ni un menosprecio del mundo. Más bien, gracias a la esperanza en la vida eterna, desarrollamos con justicia y amor nuestra vida aquí y ahora. Nada de cuanto hagamos en la tierra se perderá, sino que será asumido en la perfección de la eternidad.

→ **40–58** → **450** → **110**

> Opino que no se puede hacer nada bueno si uno se busca a sí mismo.
>
> **SANTA TERESA DE LISIEUX** (1873-1897), carmelita y Doctora de la Iglesia

¿Cómo logramos transformar la sociedad?

El mensaje bíblico, la autorrevelación de Dios, nos cambia en todos los sentidos. Recibimos otra mirada sobre el mundo y nuestra sociedad. El comienzo del cambio se inicia en el corazón humano: solo cuando el ser humano cambia interiormente pensando y viviendo el mensaje de Dios, puede también actuar exteriormente. La conversión del corazón, a la que constantemente debe aspirarse, constituye el inicio verdadero de un mundo mejor. Solo así entendemos

> Cada uno de nosotros está hecho para la bondad, el amor y la compasión. Nuestras vidas se transforman tanto como el mundo cuando vivimos con estas verdades.
>
> **DESMOND TUTU** (1931), Premio Nobel de la Paz

> Cuando somos capaces de superar el individualismo, realmente se puede desarrollar un estilo de vida alternativo y se vuelve posible un cambio importante en la sociedad.
>
> **PAPA FRANCISCO,** *Laudato si'* (LS) 208

> Una utopía en un joven crece bien si está acompañada de memoria y de discernimiento. La utopía mira al futuro, la memoria mira al pasado, y el presente se discierne. El joven tiene que recibir la memoria y plantar, arraigar su utopía en esa memoria. Discernir en el presente su utopía, los signos de los tiempos, y ahí sí la utopía va adelante pero muy arraigada en la memoria, en la historia que ha recibido.
>
> **PAPA FRANCISCO,** a los miembros de la Pontificia Comisión para América Latina, 28 de febrero de 2014

> Comienza a manifestarse la madurez cuando sentimos que nuestra preocupación es mayor por los demás que por nosotros.
>
> **ALBERT EINSTEIN** (1879-1955), científico alemán, Premio Nobel de Física

> A quienes aman a Dios, él les convierte todo en bien, también sus caminos equivocados y sus errores permite Dios que se conviertan en bien.
>
> **SAN AGUSTÍN**

> No tomar decisiones es peor que cometer errores.
>
> **CARLOS FUENTES** (1928-2012), ensayista mexicano

cómo deben cambiarse y mejorarse las instituciones y los sistemas.

→ 42 → 1889

19 *¿Por qué en el fondo de todo pecado se encuentra la alienación del ser humano con respecto a sí mismo?*

El ser humano que solo se centra en sí mismo de forma egoísta, acaba atrofiándose. No estamos hechos para ser autosuficientes; necesitamos la comunidad humana, necesitamos la liberadora orientación hacia el sentido y el origen de nuestro ser, en definitiva, hacia Dios. Debemos salir de nosotros mismos, pues hemos sido creados para amar. Amando a los demás y a Dios nos trascendemos a nosotros mismos. Centrarse y encerrarse en uno mismo equivale a pecar. Quien no ama (o no puede amar), vive autoalienado. Lo mismo cabe decir de todas las sociedades. Donde el primer plano es ocupado solamente por el consumo, la producción y la tecnología, se produce un déficit de solidaridad y auténtica humanidad. Esta sociedad, así estructurada, ya no está al servicio del ser humano, sino que, al contrario, el ser humano está sometido a ella.

→ 47–48 → 400 → 315

> El amor que sirve es una fuerza inmensa. Es la fuerza mayor de todas. Nada puede compararse a él.
>
> **FIÓDOR DOSTOYEVSKI** (1821-1881), novelista ruso

20 *¿Cuál es la tarea de la Iglesia en el plan maestro de Dios?*

El plan maestro del amor de Dios es la salvación y la liberación de todos los seres humanos mediante su Hijo Jesucristo. La Iglesia existe porque Jesús nos ha invitado a formar con él una comunidad profundamente salvífica. Esta comunidad, el «Cuerpo de Cristo», es la Iglesia. Mediante el bautismo y los demás sacramentos llegamos a ser parte de Cristo, recibiendo, gracias a él, una vida nueva y eterna. Obedecemos su voluntad al escuchar la Palabra de Dios. La Iglesia es el lugar en el que los seres humanos pueden desarrollarse en el amor de Dios. La Iglesia no es un fin en sí misma. Es responsable del ser humano y de la sociedad, y con su actividad debe contribuir a la salvación, a la paz y al desarrollo de la familia humana.

→ 49–51 → 122, 123

21 *¿Es visible ya el Reino de Dios en la Iglesia?*

La Iglesia existe para «que en el mundo haya un espacio para Dios, para que en él pueda habitar, y de este modo el mundo se convierta en su "Reino"» (Joseph Ratzinger). El Reino de Dios ha llegado realmente al mundo con Jesucristo. En todo lugar donde se administren los sacramentos, es vencido y transformado de raíz el antiguo mundo del pecado y de la muerte. Acontece una nueva creación; el Reino de Dios se hace visible. Sin embargo, los sacramentos son signos vacíos cuando los cristianos no traducen en acción auténtica la vida nueva que han recibido. No se puede recibir la comunión y negar al mismo tiempo el pan a los demás. Los sacramentos exigen un amor que esté dispuesto «a salir de sí mismo y a dirigirse a las periferias. No solo a las periferias geográficas, sino también a las fronteras de la existencia humana: las del misterio del pecado, del dolor, de la injusticia, de la ignorancia, de la praxis religiosa deficiente, del pensamiento y de cualquier tipo de miseria» (Discurso del cardenal Bergoglio en las sesiones previas al Cónclave de 2013).

→ 49–51 → 123, 124

La esencia de la Iglesia está en su misión de servicio al mundo, en su misión de salvarlo en totalidad, y de salvarlo en la historia, aquí y ahora.

BEATO ÓSCAR ROMERO
(1917-1980), arzobispo de San Salvador

Si tenemos fe, podremos ver aquello que es «imposible» hecho una verdadera realidad.

PEDRO PANTOJA SANTIAGO,
escritor puertorriqueño

Le presentaron el libro del profeta Isaías y, abriéndolo, encontró el pasaje donde estaba escrito: El Espíritu del Señor está sobre mí, porque me ha consagrado por la unción. Él me envió a llevar la Buena Noticia a los pobres, a anunciar la liberación a los cautivos y la vista a los ciegos, a dar la libertad a los oprimidos y proclamar un año de gracia del Señor. Jesús cerró el Libro, lo devolvió al ayudante y se sentó. Todos en la sinagoga tenían los ojos fijos en él. Entonces comenzó a decirles: «Hoy se ha cumplido este pasaje de la Escritura que acaban de oír».

LC 4,17-21

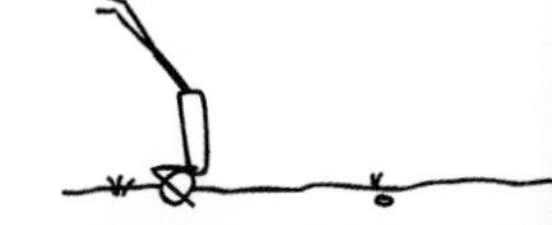

Documentos más importantes de la Iglesia

EL AMOR

Mater et Magistra

El amor cristiano

Hay que añadir a esto que, cuando se está animado de la caridad de Cristo, se siente uno vinculado a los demás, experimentando como propias las necesidades, los sufrimientos y las alegrías extrañas, y la conducta personal en cualquier sitio es firme, alegre, humanitaria, e incluso cuidadosa del interés ajeno, «El amor es paciente, es servicial; el amor no es envidioso, no hace alarde, no se envanece, no procede con bajeza, no busca su propio interés, no se irrita, no tiene en cuenta el mal recibido, no se alegra de la injusticia, sino que se regocija con la verdad. El amor todo lo disculpa, todo lo cree, todo lo espera, todo lo soporta» (1 Cor 13,4-7).

Papa Juan XXIII, Encíclica *Mater et Magistra* (1961), 257

Redemptor Hominis

El amor tiene un nombre

Con esta revelación del Padre y con la efusión del Espíritu Santo, que marcan un sello imborrable en el misterio de la Redención, se explica el sentido de la cruz y de la muerte de Cristo. El Dios de la creación se revela como Dios de la redención, como Dios que es fiel a sí mismo, fiel a su amor al hombre y al mundo, ya revelado el día de la creación. El suyo es amor que no retrocede ante nada de lo que en él mismo exige la justicia. Y por esto al Hijo «a quien no conoció el pecado le hizo pecado por nosotros para que en Él fuéramos justicia de Dios». Si «trató como pecado» a Aquel que estaba absolutamente sin pecado alguno, lo hizo para revelar el amor que es siempre más grande que todo lo creado, el amor que es Él mismo, porque «Dios es amor». Y sobre todo el amor es más grande que el pecado, que la debilidad, que la «vanidad de la creación», más fuerte que la muerte; es amor siempre dispuesto a aliviar y a perdonar, siempre dispuesto a ir al encuentro con el hijo pródigo, siempre a la búsqueda de la «manifestación de los hijos de Dios», que están llamados a la gloria. Esta revelación del amor es definida también misericordia, y tal revelación del amor y de la misericordia tiene en la historia del hombre una forma y un nombre: se llama Jesucristo.

Papa Juan Pablo II, Encíclica *Redemptor Hominis* (1979), 9

Redemptor Hominis

El hombre no puede vivir sin amor

Él permanece para sí mismo un ser incomprensible, su vida está privada de sentido si no se le revela el amor, si no se encuentra con el amor, si no lo experimenta y lo hace propio, si no participa en él vivamente. Por esto precisamente, Cristo Redentor, como se ha dicho anteriormente, revela plenamente el hombre al mismo hombre. Tal es –si se puede expresar así– la dimensión humana del misterio de la Redención. En esta dimensión el hombre vuelve a encontrar la grandeza, la dignidad y el valor propios de su humanidad. En el misterio de la Redención el hombre es «confirmado» y en cierto modo es nuevamente creado. ¡Él es creado de nuevo! «Ya no es judío ni griego: ya no es esclavo ni libre; no es ni hombre ni mujer, porque todos ustedes son uno en Cristo Jesús». El hombre que quiere comprenderse hasta el fondo a sí mismo –no solamente según criterios y medidas del propio ser inmediatos, parciales, a veces superficiales e incluso aparentes– debe, con su inquietud, incertidumbre e incluso con su debilidad y pecaminosidad, con su vida y con su muerte, acercarse a Cristo. Debe, por decirlo así, entrar en Él con todo su ser, debe «apropiarse» y asimilar toda la realidad de la Encarnación y de la Redención para encontrarse a sí mismo. Si se actúa en él este hondo proceso, entonces él da frutos no solo de adoración a Dios, sino también de profunda maravilla de sí mismo. ¡Qué valor debe tener el hombre a los ojos del Creador, si ha «merecido tener tan grande Redentor»!

Papa Juan Pablo II, Encíclica *Redemptor Hominis* (1979), 10

Evangelium Vitae

El sentido de Dios y el sentido del hombre

Perdiendo el sentido de Dios, se tiende a perder también el sentido del hombre, de su dignidad y de su vida. A su vez, la violación sistemática de la ley moral, especialmente en el grave campo del respeto de la vida humana y su dignidad, produce una especie de progresiva ofuscación de la capacidad de percibir la presencia vivificante y salvadora de Dios.

Papa Juan Pablo II, Encíclica *Evangelium Vitae* (1995), 21

Deus Caritas est

La base de ser cristiano

No se comienza a ser cristiano por una decisión ética o una gran idea, sino por el encuentro con un acontecimiento, con una Persona, que da un nuevo horizonte a la vida y, con ello, una orientación decisiva. En su Evangelio, Juan había expresado este acontecimiento con las siguientes palabras: «Tanto amó Dios al mundo, que entregó a su Hijo único, para que todos los que creen en él tengan vida eterna» (cf. 3,16).

Papa Benedicto XVI, Encíclica *Deus Caritas est* (2005), 1

Deus Caritas est

Amor perpetuo

El desarrollo del amor hacia sus más altas cotas y su más íntima pureza conlleva el que ahora aspire a lo definitivo, y esto en un doble sentido: en cuanto implica exclusividad –solo esta persona–, y en el sentido del «para siempre». El amor engloba la existencia entera y en todas sus dimensiones, incluido también el tiempo. No podría ser de otra manera, puesto que su promesa apunta a lo definitivo: el amor tiende a la eternidad.

Papa Benedicto XVI, Encíclica *Deus Caritas est* (2005), 6

Deus Caritas est

Amor como servicio de la Iglesia

Toda la actividad de la Iglesia es una expresión de un amor que busca el bien integral del ser humano: busca su evangelización mediante la Palabra y los Sacramentos, empresa tantas veces heroica en su realización histórica; y busca su promoción en los diversos ámbitos de la actividad humana. Por tanto, el amor es el servicio que presta la Iglesia para atender constantemente los sufrimientos y las necesidades, incluso materiales, de los hombres.

Papa Benedicto XVI, Encíclica *Deus Caritas est* (2005), 28b

Deus Caritas est

¿Una sociedad sin amor?

El amor –*caritas*– siempre será necesario, incluso en la sociedad más justa. No hay orden estatal, por justo que sea, que haga superfluo el servicio del amor. Quien intenta desentenderse del amor se dispone a desentenderse del hombre en cuanto hombre. Siempre habrá sufrimiento que necesite consuelo y ayuda. Siempre habrá soledad. Siempre se darán también situaciones de necesidad material en las que es indispensable una ayuda que muestre un amor concreto al prójimo. El Estado que quiere proveer a todo, que absorbe todo en sí mismo, se convierte en definitiva en una instancia burocrática que no puede asegurar lo más esencial que el hombre afligido –cualquier ser humano– necesita: una entrañable atención personal.

Papa Benedicto XVI, Encíclica *Deus Caritas est* (2005), 28

Caritas in Veritate

Amor: el valor central

La caridad es la vía maestra de la doctrina social de la Iglesia. Todas las responsabilidades y compromisos trazados por esta doctrina provienen de la caridad que, según la enseñanza de Jesús, es la síntesis de toda la Ley (cf. Mt 22,36-40). Ella da verdadera sustancia a la relación personal con Dios y con el prójimo; no es solo el principio de las micro-relaciones, como en las amistades, la familia, el pequeño grupo, sino también de las macro-relaciones, como las relaciones sociales, económicas y políticas. Para la Iglesia –aleccionada por el Evangelio–, la caridad es todo porque, como enseña San Juan (cf. 1 Jn 4,8.16) y como he recordado en mi primera Carta encíclica «Dios es caridad» *(Deus Caritas est)*: todo proviene de la caridad de Dios, todo adquiere forma por ella, y a ella tiende todo. La caridad es el don más grande que Dios ha dado a los hombres, es su promesa y nuestra esperanza.

Papa Benedicto XVI, Encíclica *Caritas in Veritate* (2009), 2

Evangelii Gaudium

Amor que redime y libera

Solo gracias a ese encuentro –o reencuentro– con el amor de Dios, que se convierte en feliz amistad, somos rescatados de nuestra conciencia aislada y de la autorreferencialidad. Llegamos a ser plenamente humanos cuando somos más que humanos, cuando le permitimos a Dios que nos lleve más allá de nosotros mismos para alcanzar nuestro ser más verdadero. Allí está el manantial de la acción evangelizadora. Porque, si alguien ha acogido ese amor que le devuelve el sentido de la vida, ¿cómo puede contener el deseo de comunicarlo a otros?

Papa Francisco, Exhortación apostólica *Evangelii Gaudium* (2013), 8

Evangelii Gaudium

El gran plan del amor

Ser Iglesia es ser Pueblo de Dios, de acuerdo con el gran proyecto de amor del Padre. Esto implica ser el fermento de Dios en medio de la humanidad. Quiere decir anunciar y llevar la salvación de Dios en este mundo nuestro, que a menudo se pierde, necesitado de tener respuestas que alienten, que den esperanza, que den nuevo vigor en el camino. La Iglesia tiene que ser el lugar de la misericordia gratuita, donde todo el mundo pueda sentirse acogido, amado, perdonado y alentado a vivir según la vida buena del Evangelio.

Papa Francisco, Exhortación apostólica *Evangelii Gaudium* (2013), 114

Evangelii Gaudium

La última síntesis

Es evidente que cuando los autores del Nuevo Testamento quieren reducir a una última síntesis, a lo más esencial, el mensaje moral cristiano, nos presentan la exigencia ineludible del amor al prójimo: «Quien ama al prójimo ya ha cumplido la ley [...] De modo que amar es cumplir la ley entera» (Rom 13,8.10). Así san Pablo, para quien el precepto del amor no solo resume la ley sino que constituye su corazón y razón de ser: «Toda la ley alcanza su plenitud en este solo precepto: Amarás a tu prójimo como a ti mismo» (Gal 5,14). Y presenta a sus comunidades la vida cristiana como un camino de crecimiento en el amor: «Que el Señor les haga progresar y sobreabundar en el amor de unos con otros, y en el amor para con todos» (1 Tes 3,12). También Santiago exhorta a los cristianos a cumplir «la ley real según la Escritura: Amarás a tu prójimo como a ti mismo» (2,8), para no fallar en ningún precepto.

Papa Francisco, Exhortación apostólica *Evangelii Gaudium* (2013), 161

Laudato si’

El amor nunca da marcha atrás

El desafío urgente de proteger nuestra casa común incluye la preocupación de unir a toda la familia humana en la búsqueda de un desarrollo sostenible e integral, pues sabemos que las cosas pueden cambiar. El Creador no nos abandona, nunca hizo marcha atrás en su proyecto de amor, no se arrepiente de habernos creado. La humanidad aún posee la capacidad de colaborar para construir nuestra casa común.

Papa Francisco, Encíclica *Laudato si’* (2015), 13

PREGUNTAS
22–46

La unión hace la fuerza

LA MISIÓN SOCIAL DE LA IGLESIA

> **”**
>
> Haz todo el bien que puedas, con todos los medios y las maneras, en todo lugar y tiempo, a todos los hombres, mientras puedas.
>
> **JOHN WESLEY** (1703-1791), conocida como «La Regla de John Wesley»

LO SOCIAL (del latín *socialis* = social): la convivencia (regulada) de los seres humanos en un Estado y en la sociedad; se refiere a la sociedad humana, con la que está relacionada.

Todos los cristianos, también los Pastores, están llamados a preocuparse por la construcción de un mundo mejor. [...] El pensamiento social de la Iglesia es ante todo positivo y propositivo, orienta una acción transformadora, y en ese sentido no deja de ser un signo de esperanza que brota del corazón amante de Jesucristo.

PAPA FRANCISCO, EG 183

22 ¿Por qué tiene la Iglesia una doctrina social?

El ser humano es un ser esencialmente → SOCIAL. En el cielo como en la tierra está orientado hacia la comunidad. Ya en el Antiguo Testamento entrega Dios a su pueblo un ordenamiento y unos mandamientos con los que puede vivir una vida buena y justa. La razón humana puede distinguir entre relaciones justas e injustas, que es fundamental para construir un orden justo. Ahora bien, la justicia solo llega a su plenitud en el amor, tal como vemos en Jesús. Nuestras ideas actuales sobre la solidaridad se inspiran en el mandamiento cristiano del amor al prójimo.

→ **62ss** → **2419–2420, 2422–2423** → **45, 438**

¿Cuáles son las tareas de la doctrina social?

La doctrina social tiene dos tareas:

1. Poner de relieve los compromisos de la acción social y justa, tal como se manifiestan en el Evangelio.

2. Denunciar en nombre de la justicia las estructuras sociales, económicas y políticas que están en contra del Evangelio.

La fe cristiana tiene una idea clara de la dignidad del ser humano y extrae de ella determinados principios, normas y valores, que hacen posible un orden social libre y justo. Aun cuando los principios de la doctrina social son claros, deben, no obstante, adaptarse continuamente a las nuevas cuestiones sociales. En la aplicación de su doctrina social, la Iglesia se convierte en abogada de todos aquellos seres humanos que, por circunstancias diferentes, no pueden levantar su voz y que no raramente están sometidos fuertemente por estructuras injustas.

→ **81, 82** → **2423**

Este Magisterio, evidentemente, no está sobre la palabra de Dios, sino que la sirve, enseñando solamente lo que le ha sido confiado, por mandato divino y con la asistencia del Espíritu Santo la oye con piedad, la guarda con exactitud y la expone con fidelidad, y de este único depósito de la fe saca todo lo que propone como verdad revelada por Dios que se ha de creer.

BEATO PABLO VI (1897-1978), *Dei Verbum* 10

24 *¿Quién determina en realidad el contenido de la doctrina social de la Iglesia?*

En el origen de la doctrina social participan todos los miembros de la Iglesia, según sus ministerios y sus carismas. Los principios de la doctrina social se han formulado detalladamente en importantes documentos de la Iglesia. La doctrina social es «doctrina» oficial de la Iglesia. El Magisterio de la Iglesia, es decir, el Papa y los obispos en comunión con él, enseña a la Iglesia y a la humanidad cómo deben crearse sociedades con sentido social, justas y pacíficas.

→ **70, 90** → **344**

Los ciegos ven y los paralíticos caminan; los leprosos son purificados y los sordos oyen; los muertos resucitan y la Buena Noticia es anunciada a los pobres.

MT 11,5

La caridad es la vía maestra de la doctrina social de la Iglesia.

PAPA BENEDICTO XVI, CiV 2

No puede ser que no sea noticia que muere de frío un anciano en situación de calle y que sí lo sea una caída de dos puntos en la bolsa. Eso es exclusión. No se puede tolerar más que se tire comida cuando hay gente que pasa hambre. Eso es inequidad.

PAPA FRANCISCO, EG 53

Por eso la Iglesia nos ha dado el Compendio de Doctrina Social de la Iglesia, no como un libro más, sino como una asignatura pendiente en todos los bautizados, que debemos interiorizar para poner en práctica.

ÓSCAR ANDRÉS RODRÍGUEZ MARADIAGA (1942), cardenal hondureño

Y el Señor preguntó a Caín: «¿Dónde está tu hermano Abel?». «No lo sé», respondió Caín. «¿Acaso soy yo el guardián de mi hermano?»

GN 4,9

Ya no se puede decir que la religión debe recluirse en el ámbito privado y que está solo para preparar las almas para el cielo.

PAPA FRANCISCO, EG 182

25 *¿Cómo surgió la Doctrina Social de la Iglesia?*

Nadie puede escuchar el Evangelio sin sentirse desafiado por lo social. No obstante, la expresión «doctrina social» remite a aquellas declaraciones sobre temas sociales que el Magisterio de la Iglesia ha hecho desde la encíclica *Rerum novarum* de León XIII. Con la industrialización en el siglo XIX surgió una «cuestión social» completamente nueva. La mayoría de la población dejó la agricultura para trabajar en las fábricas. Se carecía de seguridad laboral, de seguro de enfermedad, de vacaciones, y estaba extendido el trabajo infantil. Surgieron sindicatos para defender las exigencias de los trabajadores. El papa León XIII tenía claro que debía reaccionar con una medida excepcional. En su encíclica esboza el perfil de un orden social justo. Desde entonces, los papas han reaccionado siempre novedosamente a los «signos de los tiempos», y, siguiendo la tradición de la *Rerum novarum*, han abordado cuestiones sociales especialmente urgentes. Llamamos Doctrina Social a las declaraciones que se han ido acumulando a lo largo del tiempo. A las opiniones universales de la Iglesia, es decir, los textos magisteriales de los papas, los concilios o de organismos de la Curia Romana, se suman también las declaraciones realizadas a nivel regional, por ejemplo, las realizadas al respecto por una Conferencia Episcopal.

→ **87, 88, 104** → **2422**

26 **¿Por qué no se interesa la Iglesia solamente por los individuos?**

Tiempos atrás se reprochó a la Iglesia su interés por salvar únicamente las almas de los individuos. Es verdad que ante Dios cuenta cada persona individualmente. Todos somos únicos e irrepetibles. Sin embargo, desde el seno materno estamos llamados a convivir con otras personas. Solo podemos ser felices si tenemos buenas relaciones con los demás. Ya en el relato de la creación se dice al respecto: «Después dijo el Se-

ñor Dios: “No conviene que el hombre esté solo. Voy a hacerle una ayuda adecuada”» (Gn 2,18). Dios está interesado en el bien global de todos, y por eso en desarrollar también aquello en lo que los seres humanos participan de múltiples modos: la comunidad.

→ 61 → 210, 321

> ¿Se olvida
> una madre
> de su criatura,
> no se compadece del hijo
> de sus entrañas?
> ¡Pero aunque ella se olvide,
> yo no te olvidaré!
>
> **IS 49,15**

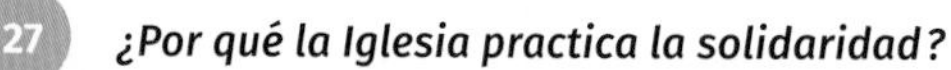

27 *¿Por qué la Iglesia practica la solidaridad?*

Una Iglesia que no fuera solidaria sería una contradicción en sí misma. La Iglesia es el lugar en el que acontece la solidaridad permanente de Dios con el ser humano. El amor de Dios debe encontrar en la Iglesia su continuidad humana, y, finalmente, llegar a todos los seres humanos. La Iglesia es el lugar en el que Dios quiere reunir a todas las personas: «la morada de Dios entre los hombres» (Ap 21,3). La Iglesia es «signo e instrumento» de la unión de los hombres con Dios y entre ellos. Mediante una Iglesia que, a ejemplo de su Señor, es solidaria con los agobiados, las víctimas y los pobres de su tiempo, Dios intenta llegar a las personas de todos los pueblos y culturas para darles su apoyo. Dios está de parte de quienes quieren construir un mundo realmente humano. La Iglesia es, por tanto, solidaria con todos los que quieren dar un rostro a la salvación de Dios en el mundo.

→ 60 → 122

> [...] deberá procurarse que la fe desarrolle una personalización creciente y una solidaridad liberadora. [...] que sea fuente de alegría popular y motivo de fiesta aun en situaciones de sufrimiento.
>
> **PUEBLA**, 466

> El Amor y la Verdad
> se encontrarán,
> la Justicia y la Paz
> se abrazarán;
> la Verdad brotará
> de la tierra
> y la Justicia mirará
> desde el cielo.
>
> **SAL 85,11-12**

Hitos en la Doctrina Social

Año	Nombre	Temas y afirmaciones esenciales
1891	León XIII: Encíclica RERUM NOVARUM (RN)	Primera encíclica sobre cuestiones sociales: derecho a propiedad, rechazo de la lucha de clases, derechos de los débiles y dignidad de los pobres, derecho de los trabajadores a fundar sindicatos.
1931	Pío XI: Encíclica QUADRAGESIMO ANNO (QA)	Encíclica promulgada con ocasión del 40º Aniversario de la *Rerum Novarum*: exigencia de un salario con el que se pueda mantener a la familia, rechazo de una libre competencia sin límites, desarrollo del principio de subsidiaridad.
1961	Juan XXIII: Encíclica MATER ET MAGISTRA (MM)	El objetivo de la doctrina social es crear una verdadera comunidad, en la que no solo se satisfagan las necesidades, sino en la que también se fomente la dignidad de cada persona.
1963	Juan XXIII: Encíclica PACEM IN TERRIS (PT)	Propagación de la paz y difusión de los derechos humanos como tareas fundamentales de la Iglesia.
1965	Constitución pastoral GAUDIUM ET SPES (GS) del Concilio Vaticano II	Comienza un diálogo completo con la cultura, la economía y la sociedad de la modernidad; la sociedad y sus estructuras deben estar subordinadas al «desarrollo de la persona humana» (GS 25).
1965	Declaración DIGNITATIS HUMANAE (DH) del Concilio Vaticano II	La Iglesia reconoce el derecho de libertad religiosa como un derecho que se fundamenta en la dignidad de la persona; el objetivo es insertar la libertad religiosa en las Constituciones de los Estados.

1967	Pablo VI: Encíclica POPULORUM PROGRESSIO (PP)	Reflexiones sobre un esfuerzo común mundial para favorecer el desarrollo de todos los pueblos y la paz internacional.
1971	Pablo VI: Carta Apostólica OCTOGESIMA ADVENIENS (OA)	Con ocasión del 80º Aniversario de la RERUM NOVARUM. Aborda una serie de problemas especiales, como, por ejemplo, el paro, los problemas medioambientales y el crecimiento demográfico.
1981	Juan Pablo II: Encíclica LABOREM EXERCENS (LE)	El trabajo humano no solo sirve para ganar dinero, sino que posee en sí mismo una particular dignidad. Forma parte de la dignidad de la persona y de su vocación cristiana.
1987	Juan Pablo II: Encíclica SOLLICITUDO REI SOCIALIS (SRS)	Con ocasión del 20º Aniversario de la POPULORUM PROGRESSIO, aborda de forma nueva el desarrollo del llamado Tercer Mundo; el desarrollo no puede entenderse solamente como desarrollo económico, sino también integral, es decir, moral.
1991	Juan Pablo II: Encíclica CENTESIMUS ANNUS (CA)	Con ocasión del primer centenario de la RERUM NOVARUM, y una reflexión, después de la caída del comunismo, sobre el valor de las democracias y de la economía de mercado; el mercado, no obstante, debe mantenerse en un marco de solidaridad.
2009	Benedicto XVI: Encíclica CARITAS IN VERITATE (CIV)	Con referencia a la POPULORUM PROGRESSIO, realiza un detallado análisis de los diversos aspectos de la globalización.
2015	Francisco: Encíclica LAUDATO SI' (LS)	La segunda encíclica del papa Francisco aborda las cuestiones de la protección del medio ambiente en el amplio horizonte del derecho de todos los seres humanos a la vida y a un desarrollo integral digno del ser humano.

Debemos estar claros desde el principio de que la fe cristiana y la actuación de la Iglesia siempre han tenido repercusiones socio-políticas.

BEATO ÓSCAR ROMERO

Quien se cree cristiano porque frecuenta la iglesia, se equivoca. También una persona que no tenga coche puede encontrarse en un garaje.

ALBERT SCHWEITZER

28 *¿Cómo se relacionan la doctrina social y la fe?*

No todo el que se compromete social o políticamente es ya un cristiano. Pero difícilmente puede llamarse cristiano aquel que no se compromete socialmente. El Evangelio insiste fuertemente en que el ser humano debe abogar por el amor, la justicia, la libertad y la paz. Cuando proclama el comienzo del Reino de Dios, no solo cura y salva a los individuos, sino que, más bien, comienza una forma de comunidad, un Reino de paz y de justicia. Solo Dios puede realizar definitivamente este Reino. Pero los cristianos deben aspirar a una sociedad mejor. Deben construir una ciudad a medida del hombre, «más humana porque es más conforme al Reino de Dios» (*Compendio de la Doctrina Social de la Iglesia* 63). Cuando Jesús compara el Reino de Dios con la levadura, que fermenta poco a poco toda la harina de una artesa (Mt 13,33), conoce perfectamente bien el modo en el que los cristianos deben actuar en la sociedad.

→ **63** → **123**

¿Puede ser lo social el fin último de la Iglesia?

No. La Iglesia no cumpliría todos sus objetivos aun cuando existiera la sociedad justa. La salvación que ella proclama comienza en la tierra; salva a los individuos, transforma las relaciones humanas, cura las heridas de la comunidad. La liberación comienza como signo de esperanza aquí en la tierra cuando se crean estructuras sociales justas. Sin embargo, la «nueva ciudad» no es el resultado de las luchas y los esfuerzos humanos. Aun cuando hayamos hecho todo cuanto podamos, la «Ciudad santa, la nueva Jerusalén» (Ap 21,2) baja del cielo para instalarse en nuestras relaciones. La paz verdadera es un don de Dios.

→ **64, 65, 67** → **769**

La aceptación del primer anuncio, que invita a dejarse amar por Dios y a amarlo con el amor que Él mismo nos comunica, provoca en la vida de la persona y en sus acciones una primera y fundamental reacción: desear, buscar y cuidar el bien de los demás.

PAPA FRANCISCO, EG 178

¿Significa la evangelización lo mismo que la ayuda al desarrollo?

La ayuda al desarrollo y la proclamación del Evangelio deben ir de la mano. Además de la liturgia y de la proclamación, la tercera función fundamental de la Iglesia es la caridad, es decir, el amor activo al prójimo. Si la Iglesia solamente proclamara la fe pero hiciera caso omiso al sufrimiento de los seres humanos, estaría traicionando a Jesús, que acogió y salvó a los seres humanos en cuerpo y en alma, en su singularidad personal y en sus necesidades sociales. Pero si la Iglesia fomentara solamente el desarrollo social del ser humano, traicionaría el destino de los individuos, que están llamados a la comunión eterna con Dios, y no les haría justicia como miembros del Cuerpo de Cristo. Sería un reduccionismo del Evangelio separar su mensaje social de su mensaje de fe.

→ 66

¿Cómo era la vida en la Iglesia primitiva? ¿En qué reconocían los demás a los verdaderos cristianos? Los reconocían al ver el amor que se tenían unos a otros.

MADRE TERESA

Solo Dios es la redención del hombre.
Y la historia del siglo pasado nos muestra
cómo en los Estados donde se suprimió a Dios,
no solo se destruyó la economía,
sino que se destruyeron sobre todo las almas.

PAPA BENEDICTO XVI, 5 de febrero de 2006

Solo Dios es la redención del hombre. Y la historia del siglo pasado nos muestra cómo en los Estados donde se suprimió a Dios, no solo se destruyó la economía, sino que se destruyeron sobre todo las almas.

PAPA BENEDICTO XVI, 5 de febrero de 2006

¿Cómo proclamar el mandamiento nuevo sin promover, mediante la justicia y la paz, el verdadero, el auténtico crecimiento del hombre?

BEATO PABLO VI (1897-1978), *Evangelii Nuntiandi* 31

> Toda auténtica misión unifica la preocupación por la dimensión trascendente del ser humano y por todas las necesidades concretas, para que todos alcancen la plenitud que Jesucristo ofrece.
>
> **APARECIDA,** 176

> Los gozos y las esperanzas, las tristezas y las angustias de los hombres de nuestro tiempo, sobre todo de los pobres y de cuantos sufren, son a la vez gozos y esperanzas, tristezas y angustias de los discípulos de Cristo.
>
> **CONCILIO VATICANO II,** GS 1

> Es igualmente necesario afrontar juntos la cuestión migratoria. No se puede tolerar que el mar Mediterráneo se convierta en un gran cementerio. En las barcazas que llegan cotidianamente a las costas europeas hay hombres y mujeres que necesitan acogida y ayuda.
>
> **PAPA FRANCISCO,** *Discurso al Parlamento europeo*, 25 de noviembre de 2014

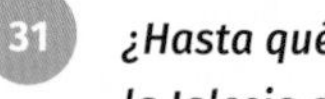

31 *¿Hasta qué punto puede implicarse la Iglesia en las cuestiones sociales?*

No es tarea de la Iglesia sustituir al Estado y la política. Por eso no propone ninguna solución técnica a cada problema social. Ella no hace política, sino que inspira a esta partiendo del Evangelio. En las encíclicas sociales los papas han desarrollado ideas importantes sobre determinados temas sociales, como el salario, la propie-

dad y la sindicación, que pueden ayudar a construir una sociedad justa. Pero la concreción de estas ideas en la política debe ser realizada por los cristianos laicos que están comprometidos en este campo. Muchos cristianos participan además con su acción y con su pensamiento, de inspiración cristiana, en asociaciones, grupos y organizaciones que dan su apoyo especialmente en determinados problemas sociales, como, por ejemplo, la ayuda a los refugiados y la protección de los trabajadores.

 68 → 440

32 ¿Tiene preferencia la Iglesia por un modelo social y político determinado?

Sí, la Iglesia aboga por un ordenamiento libre y democrático, porque es la mejor garantía para la participación de todos los ciudadanos, y defiende los de-

> Cuando los nazis vinieron a llevarse a los comunistas, guardé silencio, porque yo no era comunista.
> Cuando encarcelaron a los socialdemócratas, guardé silencio, porque yo no era socialdemócrata.
> Cuando vinieron a buscar a los sindicalistas, no protesté, porque yo no era sindicalista.
> Cuando vinieron a llevarse a los judíos, no protesté, porque yo no era judío.
> Cuando vinieron a buscarme, no había nadie más que pudiera protestar.
>
> **MARTIN NIEMÖLLER**
> (1892-1984), teólogo evangélico alemán y militante en la resistencia contra el nacionalsocialismo

«Señor, ¿cuándo te vimos hambriento o sediento, de paso o desnudo, enfermo o preso, y no te hemos socorrido?». Y él les responderá: «Les aseguro que cada vez que no lo hicieron con el más pequeño de mis hermanos, tampoco lo hicieron conmigo».

MT 25,44-45

Si logro ayudar a una sola persona a vivir mejor, eso ya justifica la entrega de mi vida. Es lindo ser pueblo fiel de Dios. ¡Y alcanzamos plenitud cuando rompemos las paredes y el corazón se nos llena de rostros y de nombres!

PAPA FRANCISCO, EG 274

POLÍTICA

ECONOMÍA

NATURALEZA

TÉCNICA

SOCIEDAD

rechos humanos. El papa Juan Pablo II escribió al respecto: «La Iglesia aprecia el sistema de la democracia, en la medida en que asegura la participación de los ciudadanos en las opciones políticas y garantiza a los gobernados la posibilidad de elegir y controlar a sus propios gobernantes, o bien la de sustituirlos oportunamente de manera pacífica. Por esto mismo, no puede favorecer la formación de grupos dirigentes restringidos que, por intereses particulares o por motivos ideológicos, usurpan el poder del Estado. Una auténtica democracia es posible solamente en un Estado de derecho y sobre la base de una recta concepción de la persona humana» (Juan Pablo II, CA 46).

→ 72, 73

33 *¿No se excede la Iglesia en su competencia cuando se pronuncia sobre cuestiones sociales?*

Cuando la Iglesia se pronuncia sobre cuestiones sociales no se está entrometiendo en asuntos «ajenos». El individuo no pertenece al Estado, como tampoco la familia en cuanto célula primordial de la sociedad. Inspirada por el Evangelio, la Iglesia se hace defensora de los derechos propios de los seres humanos y de las comunidades humanas. La Iglesia no quiere obtener con ello poder o influencia alguna. Es su derecho y su deber pronunciarse donde la vida en común es amenazada por la injusticia.

→ 69–71 → 1913–1917 → 322, 328

34 *¿Es la doctrina social un sistema cerrado?*

No, la doctrina social no es una doctrina teológica cerrada y definitiva con la que puedan juzgarse desde fuera las complejas relaciones sociales, económicas y políticas. Por eso da un gran valor a un diálogo permanente con las ciencias políticas, económicas, naturales, técnicas y sociales. De este modo, la doctrina social puede entender, reflexionar e interpretar mejor todo lo relativo al hombre y a las relaciones de la convivencia humana.

→ 76, 77, 78

35 ¿Está destinada la doctrina social de la Iglesia exclusivamente a los cristianos?

La doctrina social de la Iglesia no contiene nada que no pueda comprenderse con la razón común. No obstante, los papas han resaltado que tiene una particular relevancia para la propia comunidad eclesial. Puesto que ha recibido sus impulsos esenciales de la fe en un Dios que ama y es justo, todo acto de amor y de justicia debe ponerse bajo la luz de Dios y de su promesa. Esto obliga a los cristianos a hacer más profundamente y realmente el bien. Pero también se dirige a *todos los hombres de buena voluntad*.

→ 75, 83, 84 → 328

36 ¿Se concluirá alguna vez la doctrina social?

La convivencia social ha estado y sigue estando caracterizada por un desarrollo permanente y un dinamismo increíble en todos los niveles. Por eso no puede considerarse la doctrina social como una doctrina acabada y encerrada en sí misma. Bien es cierto que tiene un firme fundamento en el Evangelio, con principios y conceptos sólidos, pero a partir de ellos debe dar siempre nuevas respuestas a las cuestiones y los desafíos sociales.

→ 85, 86

Para los creyentes, el mundo no es fruto de la casualidad ni de la necesidad, sino de un proyecto de Dios. De ahí nace el deber de los creyentes de aunar sus esfuerzos con todos los hombres y mujeres de buena voluntad de otras religiones, o no creyentes, para que nuestro mundo responda efectivamente al proyecto divino: vivir como una familia, bajo la mirada del Creador.

PAPA BENEDICTO XVI, CiV 57

El amor es querer el bien; el bien es el único fundamento del amor. Amar significa, por consiguiente, querer hacer el bien al otro.

SANTO TOMÁS DE AQUINO, *Summa Theologiae* II-II, q. 26, a. 6,3

La mayor parte de los habitantes del planeta se declaran creyentes, y esto debería provocar a las religiones a entrar en un diálogo entre ellas orientado al cuidado de la naturaleza, a la defensa de los pobres, a la construcción de redes de respeto y de fraternidad.

PAPA FRANCISCO, LS 201

EXCURSO

NUEVOS MEDIOS DE COMUNICACIÓN

> Si ustedes no están prevenidos ante los medios de comunicación, los harán amar al opresor y odiar al oprimido.
>
> **MALCOLM X,** ministro religioso estadounidense

> La web es más un invento social que técnico.
>
> **TIM BERNERS-LEE** (1955), inventor del HTML y fundador de internet

37 *¿Para qué existen los medios de comunicación?*

Cuando no es posible la comunicación directa, necesitamos medios de comunicación como intermediarios *indirectos* de información y como plataformas de intercambio y de discusión. Los medios de comunicación sirven para formar, informar y entretener, si bien este último aspecto prevalece a menudo sobre los demás. Sin medios de comunicación no podríamos organizar nuestra vida privada ni la complejidad de nuestras sociedades modernas. Los medios de comunicación son algo así como el engrudo de comunicación que mantiene unida a la sociedad. De hecho, cuanto más grande y más compleja sea la sociedad, más necesitamos los medios de comunicación. En particular, una democracia no puede funcionar sin un intercambio libre de opinión e información y sin participación.

→ 414, 415 → 2993, 2994

38 *¿Cómo ve la Iglesia los medios de comunicación?*

Los medios de comunicación son elementos esenciales e imprescindibles de las sociedades modernas. No son un fin en sí mismos; como *medios de comunicación social* sirven realmente a las personas y a su entendimiento mutuo. Los medios de comunicación, y quienes los crean y difunden, están sometidos a la exigencia ética. Deben aspirar a conseguir el *entendimiento recíproco*: ¿Qué sirve a este entendimiento y qué lo obstaculiza? ¿Cómo pueden promover a las personas y sus relaciones sociales? ¿Qué avances aportan al bien común, por ejemplo, al libre intercambio de opiniones e informaciones? El Pontificio Consejo para las Comunicaciones Sociales, que fue fundado ya en 1948, se ocupa intensamente de estudiar, por un lado, cómo puede proclamarse la fe de un modo adecuado en los medios de comunicación, y, por otro, cómo pueden utilizarse de un modo «correcto».

→ **166, 414, 415** → **2494, 2495** → **459**

39 *¿Cuál es la actitud de la Iglesia con respecto a las redes sociales?*

Internet, y sobre todo las redes sociales, son vistos como una importante ampliación de las posibilidades de comunicación. El papa Benedicto XVI ha hablado frecuentemente del tema; así afirma: «Las nuevas tecnologías permiten a las personas encontrarse más allá de las fronteras del espacio y de las propias culturas, inaugurando así un mundo nuevo de amistades potenciales. Esta es una gran oportunidad, pero supone también prestar una mayor atención y una toma de conciencia sobre los posibles riesgos» (Benedicto XVI, *Mensaje para la XLV Jornada Mundial de las Comunicaciones Sociales*, 2011). Pero, como todos los medios de comunica-

” El ser humano no puede dejar de comunicarse.

PAUL WATZLAWICK (1921-2007), especialista en comunicación

” Para mí, el derecho a la vida privada incluye el derecho de no ser espiado y de que no se impida o se me bloquee el acceso. También es importante el acceso a las plazas comerciales. Se debería acceder libremente a las páginas políticas –también a las que estamos convencidos de que contienen contenidos ilegales y terribles–. Y, además, hay que contar, naturalmente, con el derecho al acceso: aún solo puede beneficiarse de la web la mitad de la población mundial.

TIM BERNERS-LEE, respuesta a la pregunta sobre si debería implantarse una Carta Magna de Internet.

” Los nuevos medios son realmente un mundo abierto y libre «a un mismo nivel»; no reconocen ni privilegian automáticamente las contribuciones realizadas por las autoridades o las instituciones establecidas. En este entorno, la autoridad no tiene ningún derecho, sino que debe ganárselo.

CLAUDIO MARIA CELLI (1941), expresidente del Pontificio Consejo para las Comunicaciones Sociales

No se puede aceptar que el ejercicio de la libertad de comunicación dependa de la fortuna, de la educación o del poder político. El derecho a la comunicación pertenece a todos.

PONTIFICIO CONSEJO PARA LAS COMUNICACIONES SOCIALES, Instrucción pastoral *Aetatis novae* sobre las Comunicaciones Sociales en el vigésimo aniversario de *Communio et progressio*, 15

ción, las redes sociales deben estar al servicio del bien común y del desarrollo de las personas. El mismo papa Benedicto decía también en el mensaje mencionado que los nuevos medios «exigen con creciente urgencia una seria reflexión sobre el sentido de la comunicación en la era digital». La comunicación eminentemente dialogal en las redes sociales proporciona a la Iglesia una gran oportunidad para realizarse como *communio* (comunidad). El papa Francisco tiene una cuenta de Twitter (@pontifex), que fue abierta por Benedicto XVI. A comienzos de 2016 tenía 26 millones de seguidores.

→ **415** → **2494, 2496**

Las redes sociales, además de instrumento de evangelización, pueden ser un factor de desarrollo humano.

PAPA BENEDICTO XVI, Mensaje para la LXVII Jornada Mundial de las Comunicaciones Sociales, 2013

40 ¿En qué consiste la brecha digital?

Despertaremos una mañana y nos daremos cuenta de que ya no sabemos escribir con la mano, de que los sobres de papel han desaparecido de nuestro escritorio y de que se ha secado la tinta de la pluma. Abriremos la boca y no saldrá ningún sonido. Nos habremos olvidado de cómo mover las manos o reírnos en voz alta. Ciertamente, seguiremos comunicándonos, todos con el mismo estilo uniforme. La única diferencia entre nuestros mensajes será su contenido.

CLIFFORD STOLL (1950), astrofísico americano y pionero en la tecnología de ordenadores en 1995

La *participación de todos en la configuración de comunidad* es el objetivo principal de todos los medios de comunicación. Ahora bien, de internet y de las redes sociales quedan excluidas de antemano las personas que no tienen acceso a internet por motivos estructurales, económicos o personales, o no saben usarlo de forma competente. Para que no se produzca la exclusión de individuos o de grupos *(brecha digital)*, la Iglesia exige continuamente el libre acceso a los medios de comunicación social, y, al mismo tiempo, prohíbe su monopolio y su control ideológico. Cuando la exclusión afecta a las personas mayores, a los parados y a quienes tienen una escasa formación, es más correcto decir que se trata de una *brecha social*, que debe superarse absolutamente. No se trata solamente de los procesos de comunicación, sino también de superar las estructuras injustas que excluyen a los individuos o los grupos de la información, y, por tanto, de la formación y del desarrollo.

→ **414, 416, 557, 561** → **2495, 2498, 2499**

41 *¿Cómo he de usar correctamente los medios de comunicación?*

El uso sensato de los medios de comunicación constituye un desafío para todos. Ya con los medios clásicos (periódico, radio, televisión) hay que *decidir* con qué ocuparse. El consumo meramente pasivo produce a menudo un «usuario» que se siente triste y espiritualmente vacío. En esta perspectiva, los padres, los maestros y los líderes juveniles tienen una particular responsabilidad: deben dar un buen ejemplo a los niños y a los jóvenes con su modo de tratar con los medios, y confiar en aquellos que los enriquececen. Con los medios digitales llegamos a un nuevo nivel de responsabilidad, sobre todo porque en las redes sociales ya no se es más el destinatario *pasivo*, que absorbe lo que otros han producido, impreso o emitido. En cualquier momento el sujeto puede convertirse en *productor*, puede darle al «me gusta», comentar o poner en línea un post, una contribución a un blog, un video o una foto. De este modo se tiene una responsabilidad comparable a la de cualquier otro productor mediático.

→ 376, 560, 563 → 2496

> Tenía 1 000 amigos en Facebook, pero no tenía ni un solo amigo.
>
> **ANÓNIMO**

> Internet es un lugar de caza, de copia, de investigación. En el peor de los casos es un lugar de ejecuciones, de abuso sexual, un lugar para buscadores y protectores de datos. En el caso más inofensivo, una vía de escape para cotillear a nivel mundial.
>
> **BRUCE WILLIS** (1955), actor norteamericano, 2007

> Los medios digitales te hacen engordar, te convierten en un necio, te hacen agresivo, te aíslan, te enferman y no te hacen feliz.
>
> **MANFRED SPITZER** (1958), psiquiatra y psicólogo alemán, acuño el concepto de «demencia digital»

> Transmitir información en el mundo digital significa cada vez más introducirla en una red social, en la que el conocimiento se comparte en el ámbito de intercambios personales. Se relativiza la distinción entre el productor y el consumidor de información, y la comunicación ya no se reduce a un intercambio de datos, sino que se desea compartir.
>
> **PAPA BENEDICTO XVI**, Mensaje para la XLV Jornada Mundial de las Comunicaciones Sociales, 2011

42 *¿Qué responsabilidad tengo en el uso de los medios de comunicación?*

Los medios de comunicación pueden conducir a la unión de las personas o al aislamiento. Pueden enriquecerlas, hacerlas más inteligentes e inspiradas, pero también pueden inducir al mal. Lo que hagamos o no con los medios de comunicación y las redes sociales debe servir al objetivo de toda comunicación humana: superar la confusión de las lenguas de Babel (Gn 11,4-8) y llegar a entendernos unos a otros mediante el Espíritu de Dios (Hch 2,5-11). El concepto ético central en este campo es la «responsabilidad»: responsabilidad ante Dios, que quiere que fomentemos el éxito de la verdad y nos busquemos en el amor; responsabilidad ante el prójimo, que debe ser integrado activamente y enriquecido a través de los medios; y responsabilidad ante uno mismo, que debo llegar mediante los medios de comunicación a una verdadera comunión con los demás, en lugar de aislarme egocéntricamente de ellos y desentenderme de sus auténticas necesidades.

→ 198, 416, 562 → 2494, 2495, 2497 → 459, 460

43 ¿Cómo es la comunicación ideal en internet?

Por mucho que sea deseable que los cristianos conquisten el «continente digital» y lo llenen con la luz del Evangelio, de igual modo lo es que con su estilo se alejen de los patrones habituales. Es útil que los cristianos se dediquen a subir un post o un blog en el que tratan de temas cristianos. Pero cuando en ellos introducen denuncias, calumnias, críticas demoledoras y condenas contra otras personas, cuando provocan y fomentan las divisiones, entonces están haciendo lo contrario a lo que exige el papa Francisco en *Evangelii gaudium*: «La alegría del Evangelio es para todo el pueblo, no puede excluir a nadie». Lo que también se aplica a la presencia de los cristianos en los medios de comunicación social: «... que hoy la Iglesia salga a anunciar el Evangelio a todos, en todos los lugares, en todas las ocasiones, sin demoras, sin asco y sin miedo» (EG 23).

→ 415 → 2468 → 455

44 ¿Hay medios de comunicación buenos y malos?

Los medios de comunicación en sí mismos no son ni buenos ni malos; algunos son más útiles, otros menos. Siempre depende de la finalidad para la que se emplean y cómo se utilizan. Hay medios que comienzan

> Este derecho a ser informado adecuadamente, se relaciona con la misma libertad de comunicación. La vida social se apoya de hecho en el intercambio y diálogo constantes de los individuos y de los grupos entre sí.
>
> Instrucción Pastoral *Communio et Progressio* 44

> Favorezcan plenamente todo lo que destaque la virtud, la ciencia y el arte y eviten, en cambio, lo que pueda ser causa u ocasión de daño espiritual, lo que pueda poner en peligro a otros por su mal ejemplo, o lo que dificulte las informaciones buenas y promueva las malas; esto sucede muchas veces cuando se colabora con empresarios que manejan estos medios con móviles exclusivamente económicos.
>
> Concilio Vaticano II, *Inter Mirifica* 9

> Desinformación es decir la mitad de las cosas, las que son más convenientes para mí, y no decir la otra mitad. Y así, el que ve la televisión o el que oye la radio, no puede formarse un juicio perfecto, porque no tiene los elementos y no se los dan. De estos tres pecados, por favor, huyan. Desinformación, calumnia y difamación.
>
> **PAPA FRANCISCO** a los periodistas, 22 de marzo de 2014

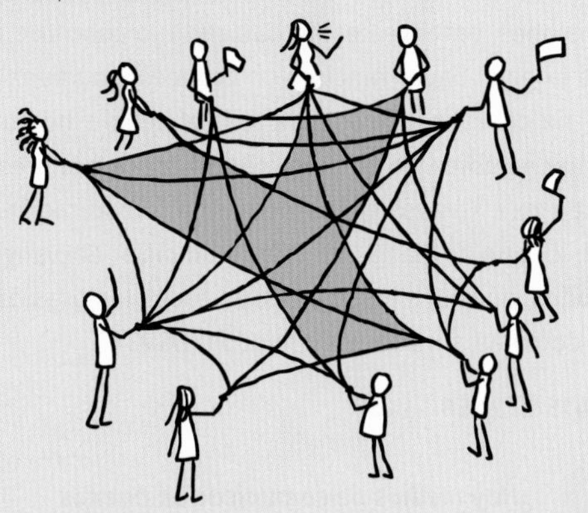

> Google no es ningún medio, solo es un negocio.
>
> **FRANK A. MEYER** (1944), publicista suizo

> Las dinámicas de los medios del mundo digital [...] no favorecen el desarrollo de una capacidad de vivir sabiamente, de pensar en profundidad, de amar con generosidad. [...] La verdadera sabiduría, producto de la reflexión, del diálogo y del encuentro generoso entre las personas, no se consigue con una mera acumulación de datos que termina saturando y obnubilando, en una especie de contaminación mental.
>
> **PAPA FRANCISCO,** LS 47

siendo valiosos y terminan ofreciendo un entretenimiento sin sentido y una información inútil, y además pueden separar a las personas de la vida real. Los propietarios de los medios de comunicación pueden lucrarse con ellos, provocando deliberadamente en los usuarios comportamientos adictivos. Los medios de comunicación están sometidos a una comercialización cada vez más fuerte. A menudo degeneran en baratos estimulantes que difunden la mentira en un mundo triste, sin esperanza. Con frecuencia se recurre a internet para buscar contenidos en los que se exalta la violencia y aún más los relacionados con la pornografía. Los proveedores desarrollan constantemente nuevos formatos mediáticos (como los juegos de ordenador) y estrategias de venta para crear un «usuario» dependiente (e incluso a menudo adicto). Todo esto constituye un abuso mediático. Los cristianos deben, en consecuencia, rechazar determinados contenidos, y con amor y franqueza ayudar a liberarse a las personas (especialmente a los jóvenes) de la dependencia de internet.

→ 2498–2499

> Las palabras frías hielan a las personas, las coléricas les hieren. Las amargas les amargan, y las iracundas las convierten en iracundas. Las palabras amables reproducen su impronta en el alma de las personas. Alegran, calman y consuelan.
>
> **BLAISE PASCAL** (1623-1662), matemático y filósofo francés

45 *¿Cómo podemos protegernos del uso incorrecto de los medios de comunicación?*

Hay que proceder con determinación contra el uso incorrecto de los medios de comunicación. Con todo el respeto a la necesaria libertad, necesitamos mercados que también tengan objetivos morales. A los proveedores de conexiones, servicios y plataformas se les exige hoy más que nunca que se sometan al principio ético del bien común y del desarrollo de la humanidad. La degradación de la sexualidad humana, sobre todo mediante la divulgación de pornografía infantil, es una injusticia lo suficientemente grave como para que los responsables puedan seguir mirando hacia otro lado. Asimismo, no son nada aceptables todas las formas de *ciberacoso* y de acoso, que, debido a la posibilidad de usar internet de forma anónima, se están propagando cada vez más. En vista del peligro que supone el mal uso de los datos por multinacionales como Google (o incluso por los gobiernos), es importante que nadie revele todo sobre sí mismo y no use su teléfono para hacerse fotos *(selfies)* íntimas.

→ 235, 349 → 459

> La capacidad de utilizar los nuevos lenguajes es necesaria no tanto para estar al paso con los tiempos, sino precisamente para permitir que la infinita riqueza del Evangelio encuentre formas de expresión que puedan alcanzar las mentes y los corazones de todos.
>
> **PAPA BENEDICTO XVI**, Mensaje para la LXVII Jornada Mundial de las Comunicaciones Sociales, 2013

46 *¿Debe apuntarse la Iglesia a cualquier desarrollo tecnológico?*

La ciencia y la técnica son «un gran resultado de la creatividad que Dios nos ha donado». No obstante, el progreso no es un fin en sí mismo, y porque algo sea nuevo no tiene que ser inmediatamente bueno. Cada desarrollo debe someterse a la prueba que verifique si sirve a los seres humanos (y por tanto al bien común), o si, por el contrario, desprecia la dignidad humana, porque la considera privada de valor y/o provoca dependencia.

→ 457, 458 → 2493, 2294

> No tengan miedo de convertirse en ciudadanos del mundo digital que nos rodea.
>
> **PAPA FRANCISCO,** 23 de enero de 2014

Documentos más importantes de la Iglesia

LA IGLESIA Y LO SOCIAL

Rerum Novarum

La misión social de la Iglesia

Los adelantos de la industria y de las artes, que caminan por nuevos derroteros; el cambio operado en las relaciones mutuas entre patronos y obreros; la acumulación de las riquezas en manos de unos pocos y la pobreza de la inmensa mayoría; la mayor confianza de los obreros en sí mismos y la más estrecha cohesión entre ellos, juntamente con la relajación de la moral, han determinado el planteamiento de la contienda.

Papa León XIII, Encíclica *Rerum Novarum* (1891), 1

Rerum Novarum

El hombre necesita la comunidad social

La reconocida cortedad de las fuerzas humanas aconseja e impele al hombre a buscarse el apoyo de los demás. [...] En virtud de esta propensión natural, el hombre, igual que es llevado a constituir la sociedad civil, busca la formación de otras sociedades entre ciudadanos, pequeñas e imperfectas, es verdad, pero de todos modos sociedades.

Papa León XIII, Encíclica *Rerum Novarum* (1891), 35

Gaudium et Spes

La igualdad de todas las personas y la justicia social

La igualdad fundamental entre todos los hombres exige un reconocimiento cada vez mayor. Porque todos ellos, dotados de alma racional y creados a imagen de Dios, tienen la misma naturaleza y el mismo origen. Y porque, redimidos por Cristo, disfrutan de la misma vocación y de idéntico destino. Es evidente que no todos los hombres son iguales en lo que toca a la capacidad física y a las cualidades intelectuales y morales. Sin embargo, toda forma de discriminación en los derechos fundamentales de la persona, ya sea social o cultural, por motivos de sexo, raza, color, condición social, lengua o religión, debe ser vencida y eliminada por ser contraria al plan divino. En verdad, es lamentable que los derechos fundamentales de la persona no estén todavía protegidos en la forma debida por todas partes. Es lo que sucede cuando se niega a la mujer el derecho de escoger libremente esposo y de abrazar el estado de vida que prefiera o se le impide tener acceso a una educación y a una cultura iguales a las que se conceden al hombre. Más aún, aunque existen desigualdades justas entre los hombres, sin embargo, la igual dignidad de la persona exige que se llegue a una situación social más humana y más justa. Resulta escandaloso el hecho de las excesivas desigualdades económicas y sociales que se dan entre los miembros y los pueblos de una misma familia humana. Son contrarias a la justicia social, a la equidad, a la dignidad de la persona humana y a la paz social e internacional. Las instituciones humanas, privadas o públicas, esfuércense por ponerse al servicio de la dignidad y del fin del hombre. Luchen con energía contra cualquier esclavitud social o política y respeten, bajo cualquier régimen político, los derechos fundamentales del hombre. Más aún, estas instituciones deben ir respondiendo cada vez más a las realidades espirituales, que son las más profundas de todas, aunque es necesario todavía largo plazo de tiempo para llegar al final deseado.

Concilio Vaticano II, Constitución pastoral *Gaudium et Spes* (1965), 29

Centesimus Annus

Las raíces del conflicto social

Para la Iglesia el mensaje social del Evangelio no debe considerarse como una teoría, sino, por encima de todo, un fundamento y un estímulo para la acción. Impulsados por este mensaje, algunos de los primeros cristianos distribuían sus bienes a los pobres, dando testimonio de que, no obstante las diversas proveniencias sociales, era posible una convivencia pacífica y solidaria. Con la fuerza del Evangelio, en el curso de los siglos, los monjes cultivaron las tierras; los religiosos y las religiosas fundaron hospitales y asilos para los pobres; las cofradías, así como hombres y mujeres de todas las clases sociales, se comprometieron en favor de los necesitados y marginados, convencidos de que las palabras de Cristo: «Cuantas veces hagan estas cosas a uno de mis hermanos más pequeños, me lo han hecho a mí» (Mt 25,40) no deben quedarse en un piadoso deseo, sino convertirse en compromiso concreto de vida.

Papa Juan Pablo II, Encíclica *Centesimus Annus* (1991), 57

Caritas in Veritate

El nuevo significado de los medios de comunicación social

Para bien o para mal, [los medios de comunicación social] se han introducido de tal manera en la vida del mundo, que parece realmente absurda la postura de quienes defienden su neutralidad y, consiguientemente, reivindican su autonomía con respecto a la moral de las personas. Muchas veces, tendencias de este tipo, que enfatizan la naturaleza estrictamente técnica de estos medios, favorecen de hecho su subordinación a los intereses económicos, al dominio de los mercados, sin olvidar el deseo de imponer parámetros culturales en función de proyectos de carácter ideológico y político. Dada la importancia fundamental de los medios de comunicación en determinar los cambios en el modo de percibir y de conocer la realidad y la persona humana misma, se hace necesaria una seria reflexión sobre su influjo, especialmente sobre la dimensión ético-cultural de la globalización y el desarrollo solidario de los pueblos. [...] Esto quiere decir que pueden ser ocasión de humanización no solo cuando, gracias al desarrollo tecnológico, ofrecen mayores posibilidades para la comunicación y la información, sino sobre todo cuando se organizan y se orientan bajo la luz de una imagen de la persona y el bien común que refleje sus valores universales. El mero hecho de que los medios de comunicación social multipliquen las posibilidades de interconexión y de circulación de ideas, no favorece la libertad ni globaliza el desarrollo y la democracia para todos. Para alcanzar estos objetivos se necesita que los medios de comunicación estén centrados en la promoción de la dignidad de las personas y de los pueblos, que estén expresamente animados por la caridad y se pongan al servicio de la verdad, del bien y de la fraternidad natural y sobrenatural. En efecto, la libertad humana está intrínsecamente ligada a estos valores superiores. Los medios pueden ofrecer una valiosa ayuda al aumento de la comunión en la familia humana y al *ethos* de la sociedad, cuando se convierten en instrumentos que promueven la participación universal en la búsqueda común de lo que es justo.

Papa Benedicto XVI, Encíclica *Caritas in Veritate* (2009), 73

Las leyes de los nuevos medios

La nueva evangelización nos pide que prestemos atención a la «novedad» del contexto cultural en el cual estamos llamados a anunciar la Buena Nueva, pero también a la «novedad» de los métodos que hay que utilizar. Los nuevos medios de comunicación están cambiando radicalmente la cultura en la que vivimos y ofrecen unos nuevos recorridos para compartir el mensaje del Evangelio. Las nuevas tecnologías no solo han cambiado el modo de comunicar, sino que también han transformado la propia comunicación, creando una nueva infraestructura cultural que está influyendo en el ambiente de la comunicación y no podemos hacer lo que siempre hemos hecho, incluso con las nuevas tecnologías. El campo digital no es un espacio «virtual» menos importante que el mundo «real», y si la Buena Nueva no se proclama también «digitalmente», corremos el riesgo de abandonar a muchas personas, para las cuales este es el mundo en el que «viven». La Iglesia ya está presente en el espacio digital, pero el próximo reto es cambiar nuestro estilo de comunicación para hacer dicha presencia más eficaz, ocupándonos sobre todo de las cuestiones del lenguaje. En el foro digital el discurso es espontáneo, interactivo y participativo; en la Iglesia, estamos acostumbrados a utilizar los textos escritos como método normal de comunicación. No sé si esta forma puede hablar a los jóvenes, habituados a un lenguaje basado en la convergencia de la palabra, el sonido y las imágenes. Estamos llamados a comunicar con nuestro testimonio, compartiendo, en las relaciones personales, la esperanza que habita en nosotros. No podemos diluir los contenidos de nuestra fe, sino que debemos encontrar nuevos modos de expresarla en su plenitud. Estamos obligados a expresarnos para hacer partícipes a los demás que, a su vez, comparten nuestras ideas con sus amigos y seguidores. Necesitamos valorizar las «voces» de la gran cantidad de católicos presentes en los blogs, para que puedan evangelizar, presentar la enseñanza de la Iglesia y responder a las preguntas de los demás. Pienso en la Iglesia que está llamada a instaurar un diálogo respetuoso con todos y a comunicar a todos la esperanza que lleva en el corazón.

Claudio Maria Celli, Arzobispo titular de Civitanova, expresidente del Pontificio Consejo para las Comunicaciones Sociales (Ciudad del Vaticano) en la XIII Asamblea General Ordinaria del Sínodo de los Obispos, 18 de octubre de 2012

Evangelii Gaudium

Las grandes posibilidades de la comunicación

Hoy, que las redes y los instrumentos de la comunicación humana han alcanzado desarrollos inauditos, sentimos el desafío de descubrir y transmitir la mística de vivir juntos, de mezclarnos, de encontrarnos, de tomarnos de los brazos, de apoyarnos, de participar de esa marea algo caótica que puede convertirse en una verdadera experiencia de fraternidad, en una caravana solidaria, en una santa peregrinación. De este modo, las mayores posibilidades de comunicación se traducirán en más posibilidades de encuentro y de solidaridad entre todos. Si pudiéramos seguir ese camino, ¡sería algo tan bueno, tan sanador, tan liberador, tan esperanzador! Salir de sí mismo para unirse a otros hace bien. Encerrarse en sí mismo es probar el amargo veneno de la inmanencia, y la humanidad saldrá perdiendo con cada opción egoísta que hagamos.

Papa Francisco, Exhortación apostólica *Evangelii Gaudium* (2013), 87

Lo positivo de la comunicación

En este mundo, los medios de comunicación pueden ayudar a que nos sintamos más cercanos los unos de los otros, a que percibamos un renovado sentido de unidad de la familia humana que nos impulse a la solidaridad y al compromiso serio por una vida más digna para todos. Comunicar bien nos ayuda a conocernos mejor entre nosotros, a estar más unidos. Los muros que nos dividen solamente se pueden superar si estamos dispuestos a escuchar y a aprender los unos de los otros. Necesitamos resolver las diferencias mediante formas de diálogo que nos permitan crecer en la comprensión y el respeto. La cultura del encuentro requiere que estemos dispuestos no solo a dar, sino también a recibir de los otros. Los medios de comunicación pueden ayudarnos en esta tarea, especialmente hoy, cuando las redes de la comunicación humana han alcanzado niveles de desarrollo inauditos. En particular, Internet puede ofrecer mayores posibilidades de encuentro y de solidaridad entre todos; y esto es algo bueno, es un don de Dios [...]. Gracias también a las redes, el mensaje cristiano puede viajar «hasta los confines de la tierra» (Hch 1,8). Abrir las puertas de las iglesias significa abrirlas asimismo en el mundo digital, tanto para que la gente entre, en cualquier condición de vida en la que se encuentre, como para que el Evangelio pueda cruzar el umbral del templo y salir al encuentro de todos. Estamos llamados a dar testimonio de una Iglesia que sea la casa de todos. ¿Somos capaces de comunicar este rostro de la Iglesia? La comunicación contribuye a dar forma a la vocación misionera de toda la Iglesia; y las redes sociales son hoy uno de los lugares donde vivir esta vocación redescubriendo la belleza de la fe, la belleza del encuentro con Cristo. También en el contexto de la comunicación sirve una Iglesia que logre llevar calor y encender los corazones.

Papa Francisco, Mensaje para la XLVIII Jornada Mundial de las Comunicaciones Sociales, 24 de enero de 2014

YOUCAT
Orações

PREGUNTAS
47–83

Única e infinitamente valiosa

LA PERSONA HUMANA

Dios dijo: «Hagamos al hombre
a nuestra imagen,
según nuestra semejanza...».
Y Dios creó al ser humano
a su imagen; lo creó a imagen de Dios,
los creó varón y mujer.

GN 1,26-27

IMAGO DEI (latín = imagen de Dios): La doctrina que, fundamentada bíblicamente (Gn 1,26-27), describe la posición sobresaliente de los seres humanos entre todos los seres creados, porque solo ellos pueden comunicarse con Dios.

El hombre es, en efecto, por su íntima naturaleza, un ser social.

CONCILIO VATICANO II, GS 12

El ser humano se desarrolla cuando crece espiritualmente, cuando su alma se conoce a sí misma y la verdad que Dios ha impreso germinalmente en ella, cuando dialoga consigo mismo y con su Creador. Lejos de Dios, el hombre está inquieto y se hace frágil.

PAPA BENEDICTO XVI, CiV 76

47 *¿Qué queremos decir cuando hablamos de la persona?*

Con la palabra «persona» queremos decir que cada ser humano posee una dignidad inviolable. El ser humano fue creado a imagen de Dios (→ IMAGO DEI) (Gn 1,27). Así pues, es aquella criatura de Dios que representa al Creador en la creación. El ser humano es «la única criatura terrestre a la que Dios ha amado por sí misma» (GS 24). Como criatura de Dios no es *algo*, sino *alguien*, y por eso posee un valor incomparable. El ser humano como persona es capaz de reconocerse a sí mismo y de pensar sobre sí, sobre la libertad de su decisión, sobre la comunión con los otros. Y es también llamado a responder a Dios con la fe. De aquí que la semejanza con Dios signifique también que el ser humano se mantiene siempre relacionado con Dios y solo en él puede obtener la plenitud de sus posibilidades como persona.

→ **108, 109** → **356–361, 1702, 1704**  **56, 58, 63**

48 ¿Por qué es cada persona un ser social?

La persona humana solo puede sobrevivir y desarrollarse con la ayuda de otras personas. El ser humano está llamado no solo a vivir una buena relación con Dios, sino que también debe tratar de vivir en buena armonía con los demás. Esto comienza con la familia, se prolonga en el círculo de amistades y desemboca en la sociedad. Es esencial para entender la *dimensión social de la persona humana* comprender que hemos sido creados como hombre y como mujer (Gn 2,23). Desde el mismo principio poseen el hombre y la mujer la misma dignidad. Realizan su vida ayudándose y complementándose recíprocamente. Dios hace posible que la unión amorosa del hombre y de la mujer fructifique en un hijo. Por eso la familia es la célula primordial de toda sociedad.

> La libertad, la justicia y la paz en el mundo tienen por base el reconocimiento de la dignidad intrínseca y de los derechos iguales e inalienables de todos los miembros de la familia humana.
>
> Declaración Universal de los Derechos Humanos (1948), Preámbulo

→ 110, 111 → 360–361 → 61, 64

49 *¿Qué significa vivir en sociedad?*

En la célula primordial de la familia se vive y se experimenta inicialmente la vida social: la familia marcha bien cuando dialoga, cuando desarrolla una cultura del respeto mutuo y cuando se subordinan constantemente los intereses individuales a la comunidad y al bien de todos. La familia no solo es creadora, como Dios, porque da vida a los hijos, sino que los seres humanos participamos en la fuerza creadora de Dios al ser seres sociales y relacionarnos con los demás. De ahí que seamos responsables de la creación y de toda vida personal. Cada vida es *sagrada* e *inviolable*, siempre y en todo lugar. Nuestra responsabilidad social se relaciona también con los animales, a los que debemos tratar con cariño, y con la naturaleza, que no debe ser ex-

> En el reino de los fines tiene todo un precio o un valor. Lo que tiene un precio permite poner en su lugar otra cosa como equivalente; en cambio, lo que está por encima de todo precio, y, por consiguiente, no tiene ningún equivalente, es lo que posee un valor.
>
> **IMMANUEL KANT** (1724-1804), filósofo alemán, *Fundamentación de la metafísica de las costumbres* II (1785)

plotada, sino utilizada de forma sostenible y responsable. En el centro de la doctrina social católica, no obstante, se encuentra la persona humana. Ella constituye el verdadero fundamento de la sociedad, y por eso goza de prioridad en toda acción social.

105–107, 110–114 1877–1885 321–323

> Debemos amar a nuestro prójimo, bien porque sea bueno o para que sea bueno.
>
> **SAN AGUSTÍN**

50 *¿Qué impide la realización de la persona?*

La persona humana y su dignidad están expuestas a numerosas heridas y amenazas. Al momento determinante de la alteración y de la destrucción lo llamamos pecado. Adán, que se rebeló contra Dios en el «pecado original», es, en cierto sentido, el prototipo del ser humano que no sabe hacer otra cosa que pecar y herir. Puesto que todos somos humanos, también somos pecadores. Herimos a los demás con nuestro modo pecaminoso de vivir. Dada esta situación, la tierra ya no puede ser un paraíso. En todo momento podríamos negarnos a pecar, pero el poder del pecado nos agarra hasta lo más profundo de nuestro interior, hasta el lugar donde habita la libertad. Y así hacemos intencionadamente el mal, es decir, nos oponemos libremente a la voluntad de Dios y nos separamos de la fuente de la vida, es decir, de Dios.

117, 120, 576, 578 390, 396–406, 415
66–70, 287–288, 315

> Si decimos que no tenemos pecado, nos engañamos a nosotros mismos y la verdad no está en nosotros.
>
> **1 JN 1,8**

> Les arrancaban de los pechos los hijos a sus madres, los cogían por las piernas y golpeaban primero sus cabezas contra las rocas o los agarraban por los brazos y los tiraban al río, y, mientras caían al agua, les gritaban: «Coceos ahí, engendros del infierno».
>
> **BARTOLOMÉ DE LAS CASAS** (1848-1566), dominico y «Apóstol de los indios», en su denuncia contra los colonizadores, 1552

51 *¿Tiene el pecado también una dimensión social?*

El pecado es siempre un acto libre y consciente de la persona, pero también repercute en el ámbito de las relaciones, afectando a la sociedad en su totalidad. Por eso cada pecado posee al mismo tiempo una dimensión personal y social: los pecados son malos para el mismo pecador, pero, simultáneamente, hieren a la comunidad y perjudican a los demás, «y así se refuerzan y se expanden convirtiéndose en causa

> Reconocer a Dios en cada hombre y cada hombre en Dios es la condición de un auténtico desarrollo humano.
>
> **PONTIFICIO CONSEJO «JUSTICIA Y PAZ»**

de nuevos pecados e influyendo negativamente en el comportamiento» (Juan Pablo II, SRS 36). Pensemos por ejemplo en los sistemas políticos que ejercen ilegítimamente la violencia o no protegen a las minorías. El pecado no es nunca un destino inevitable, y también las estructuras de pecado pueden transformarse. El primer paso para liberarnos del pecado es reconocerlo y llamarlo por su nombre. Jesucristo vino para sacarnos de la cárcel del pecado. La creación, cautiva del pecado, es liberada por Cristo para vivir en el amor y la justicia. La «civilización del amor» comienza

Víctimas de la pobreza

Al analizar más a fondo tal situación [inhumana pobreza en que viven millones de latinoamericanos], descubrimos que esta pobreza no es una etapa casual, sino el producto de situaciones y estructuras económicas, sociales y políticas, aunque haya también otras causas de la miseria [...]. La situación de extrema pobreza generalizada adquiere en la vida real rostros muy concretos en los que deberíamos reconocer los rasgos sufrientes de Cristo, el Señor, que nos cuestiona e interpela:

→ Rostros de niños, golpeados por la pobreza desde antes de nacer [...]
→ Rostros de jóvenes, desorientados por no encontrar su lugar en la sociedad [...]
→ Rostros de indígenas y con frecuencia de afroamericanos [...]
→ Rostros de obreros frecuentemente mal retribuidos [...]
→ Rostros de marginados y hacinados urbanos [...]

Documento de Puebla III para la evangelización en el presente y en el futuro de América Latina, 1979, 30-39

con la conversión del individuo y su reconciliación con Dios.

115–119, 193, 566
1868–1869 **320**

52 *¿En qué consiste la unidad de la persona humana?*

El ser humano posee cuerpo y alma, pero no son realidades separadas. La persona es siempre una *unidad de cuerpo y de alma*. El *materialismo* hace del alma una mera función de la materia y del cuerpo; el *espiritualismo*, por el contrario, desprecia el cuerpo en favor del alma. La Iglesia rechaza ambas doctrinas. El cuerpo no es la cárcel del alma, y esta pertenece esencialmente al hombre vivo. El ser humano está unido con la tierra mediante su cuerpo, formando una parte de la naturaleza. En su alma espiritual encuentra el ser humano no solo su identidad personal (su «yo»), sino que también mediante ella contempla a Dios y es contemplada siempre por él. Por eso el alma es inmortal. Pero el cuerpo no puede despreciarse nunca, pues ha sido creado como bueno por Dios y está destinado a resucitar en el día del juicio final. El ser humano es al mismo tiempo un ser *material* y *espiritual*.

127–129 **355–357, 380** **58**

> No desatiendas tu alma: si la desatiendes no podrás dar tampoco a los demás lo que deberías darles. Por eso debes dedicarte tiempo a ti mismo, a tu alma.
>
> **SAN CARLOS BORROMEO** (1538-1584), arzobispo cardenal de Milán

> En Hollywood te pagan 1 000 dólares por un beso y 50 centavos por tu alma.
>
> **MARILYN MONROE** (1926-1962), actriz

TRASCENDENCIA (latín *transcendere* = sobrepasar): Solo el ser humano sabe ir más allá de sí mismo mediante su existencia y no se entiende sin relacionarse con Dios.

¿Por qué el ser humano al pensar se trasciende a sí mismo?

De toda la creación solo el ser humano está abierto a lo infinito y tiene hambre de preguntas últimas. La filosofía dice al respecto: el ser humano está abierto a la → TRASCENDENCIA, es decir, puede ir más allá de sí mismo. Solo llega a ser completamente él mismo cuando reconoce y comprende que existe alguien diferente que es más grande e importante que él: Dios, el origen de toda vida. Debido a esta apertura a Dios, el ser humano puede también abrirse a los demás y mostrarles su aprecio. La comunidad, el diálogo y el reconocimiento de los demás lo conducen a realizarse a sí mismo.

→ 130 → 27–30, 1718–1719, 1725, 2548–2250, 2257
→ 3–4, 281, 468, 470

> Cuando sueñas solo, solo es un sueño; cuando sueñas con otros, es el comienzo de la realidad.
>
> **DOM HÉLDER CÂMARA** (1909-1999), arzobispo brasileño y defensor de los pobres

> Ser humano es no permitir nunca que un semejante sea sacrificado a un fin.
>
> **ALBERT SCHWEITZER**

> No somos el producto casual y sin sentido de la evolución. Cada uno de nosotros es el fruto de un pensamiento de Dios. Cada uno de nosotros es querido, cada uno es amado, cada uno es necesario.
>
> **PAPA BENEDICTO XVI,** homilía en el solemne inicio del Ministerio Petrino el 24 de abril de 2005

¿A qué se debe que cada ser humano sea único?

Cada ser humano es único porque Dios lo ha querido como una persona irrepetible, lo ha creado por amor y lo ha salvado con un amor más grande. Esto nos muestra qué dignidad tiene el ser humano y cómo debemos tomar en serio a cada persona y cómo debe ser tratada con máxima estima. Esta exigencia es válida también para los sistemas y las instituciones políticas, que no solo deben respetar la libertad y la dignidad de la persona humana, sino también contribuir a su desarrollo integral. Una comunidad no puede excluir del desarrollo a determinados individuos o a grupos enteros.

→ 131 → 2419–2420, 2422–2423 → 438

> La hora más importante siempre es el presente. El hombre más importante siempre es aquel al que defiendes. La acción más importante siempre es el amor.
>
> **MAESTRO ECKHART** (1260-1328), místico alemán

55 *¿Qué le debe la sociedad a cada persona?*

Una sociedad justa debe cuidar y exigir la dignidad de la persona humana. El ordenamiento social está al servicio de las personas y debe procurarles lo necesario para vivir dignamente. Esto excluye toda forma de explotación y de instrumentalización para fines económicos, políticos o sociales. El ser humano no es nunca un medio para conseguir cualquier objetivo, sino que es un fin en sí mismo.

> **LA LIBERTAD PUEDE SIGNIFICAR**
> **SER LIBRE DE...** = tener libertad exterior, liberarse de algo
> **SER LIBRE CON RESPECTO A...** = tener libertad para poder elegir
> **SER LIBRE PARA...** = tener libertad interior para poder hacer algo

→ **132–133** → **1886–1887** → **324**

 *¿Cuánta libertad necesita el ser humano?*

La libertad es un valor fundamental. Ser libre y actuar libremente es un derecho primario del ser humano. Solo si decido libremente soy plenamente responsables de mis actos. Solo una persona libre puede relacionarse amorosamente con Dios y responderle. Solo en la libertad pueden configurar los seres humanos la vida social y personal. La libertad del hombre se ve cada vez más restringida por circunstancias políticas, sociales, financieras, jurídicas y también culturales. Quitarle a una persona la libertad o reducírsela injustamente constituye una gran injusticia; vulnera su dignidad y le impide desarrollarse como persona.

→ **135–137** → **1705–1706, 1733** → **286–287**

"El orden real debe someterse al orden personal.

CONCILIO VATICANO II, GS 26

"La libertad no necesita alas, lo que necesita es echar raíces.

OCTAVIO PAZ (1914-1998), poeta mexicano

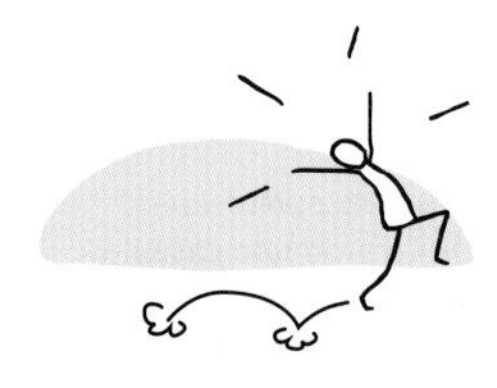

"La libertad significa responsabilidad; esta es la razón por la que la mayoría de los hombres le tienen miedo.

GEORGE BERNARD SHAW (1856-1950), escritor irlandés

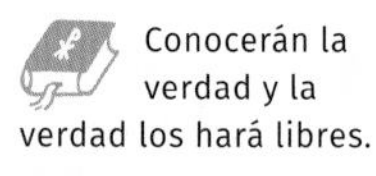

Conocerán la verdad y la verdad los hará libres.

JN 8,32

"La conciencia sin Dios es algo espantoso.

FIÓDOR DOSTOYEVSKI

No hay mayor libertad que la de dejarse llevar por el Espíritu, renunciar a →

57 ¿En qué medida es libre el ser humano?

El ser humano es libre, pero la libertad tiene una finalidad. La libertad es fundamentalmente valiosa para que nosotros, con nuestra razón y nuestra voluntad, hagamos lo que es realmente bueno. Por eso la libertad debe regirse por la ley natural y el orden de la creación (= la manera en la que Dios ha organizado el mundo dándole un sentido). La verdad sobre el bien y el mal podemos conocerla mediante la conciencia, que es como la voz de la verdad en el ser humano, la ley natural que está inscrita en el corazón de todos los seres humanos (Rom 2,15). Con nuestra razón percibimos en la conciencia los valores que son buenos para todos los tiempos. Nunca puede ser justo mentir, robar y matar. No obstante, la conciencia puede errar. La libertad no siempre tiende a obrar realmente el bien, sino que se comporta a menudo de forma egoísta, buscando el bien solo aparentemente. Por eso hay

> Todos los animales son iguales, pero algunos son más iguales que otros.
>
> **GEORGE ORWELL,** *Rebelión en la granja*

que educar a la conciencia e instruirla sobre los valores auténticos. También la libertad necesita la redención de Cristo, para poder llevar a cabo el bien verdadero.

→ 16, 138–143 → 1705–1706, 1730–1733, 1738, 1740–1744 → 288–289

→ calcularlo y controlarlo todo, y permitir que Él nos ilumine, nos guíe, nos oriente, nos impulse hacia donde Él quiera.

PAPA FRANCISCO, EG 280

El descuido en el empeño de cultivar y mantener una relación adecuada con el vecino, hacia el cual tengo el deber del cuidado y de la custodia, destruye mi relación interior conmigo mismo, con los demás, con Dios y con la tierra. Cuando todas estas relaciones son descuidadas, cuando la justicia ya no habita en la tierra, la Biblia nos dice que toda la vida está en peligro. Esto es lo que nos enseña la narración sobre Noé, [...] que todo está relacionado, y que el auténtico cuidado de nuestra propia vida y de nuestras relaciones con la naturaleza es inseparable de la fraternidad, la justicia y la fidelidad a los demás.

PAPA FRANCISCO, LS 70

> Amar a una persona significa verla con los ojos de Dios.
>
> **FIÓDOR DOSTOYEVSKI**

58

¿Existen diferencias fundamentales entre los seres humanos?

No. Dios ha creado a todas las personas a su imagen, por lo que todas están provistas de la misma e inalienable dignidad, independientemente del género, del origen, de la religión y del color de la piel. Por eso deben superarse las injusticias entre los grupos, entre géneros o entre pueblos enteros, para defender el desarrollo personal, la igualdad de oportunidades, y, así, la dignidad de todo el género humano.

→ **144–145** → **1934–1935** → **330–331**

59

¿En qué son iguales y en qué se diferencian el hombre y la mujer?

El hombre y la mujer son iguales en *dignidad* ante Dios. Pero Dios no creó a los seres humanos como abstracciones, sino como hombre y como mujer, con una propia identidad de género. Y así lo hizo para que los dos se relacionaran de un modo fundamental y se necesitaran recíprocamente, sin que un género dominara o marginara a otro (machismo y feminismo radical). Ser hombre y ser mujer significa, por consiguiente, algo más que adoptar un rol determinado. Desde la perspectiva cristiana, el hombre y la mujer reflejan en una relación de amor la plena y fiel imagen de Dios.

→ **146–147** → **2331–2336** → **330–331**

> La Iglesia reconoce el indispensable aporte de la mujer en la sociedad, con una sensibilidad, una intuición y unas capacidades peculiares que suelen ser más propias de las mujeres que de los varones. [...] Pero todavía es necesario ampliar los espacios para una presencia femenina más incisiva en la Iglesia. [...] El sacerdocio reservado a los varones, como signo de Cristo Esposo que se entrega en la Eucaristía, es una cuestión que no se pone en discusión, pero puede volverse particularmente conflictiva si se identifica demasiado la potestad sacramental con el poder. [...] En la Iglesia las funciones «no dan lugar a la superioridad de los unos sobre los otros». De hecho, una mujer, María, es más importante que los obispos.
>
> **PAPA FRANCISCO,**
> EG 103-104

60

¿Qué dice la Iglesia acerca de la discriminación de las personas minusválidas?

Según la doctrina social católica, la justicia social se realiza mediante la participación de todas las personas de la sociedad en las cuestiones fundamentales de la vida cotidiana relativas a la sociedad, la economía, la política y la cultura. Las discriminaciones, la exclusión de las personas de esta participación, constituye una vulneración de la justicia. Por consiguiente, es una tarea del Estado y de la sociedad crear las condi-

ciones necesarias para que también se asegure la participación de las personas minusválidas. Pues la dignidad de la persona no depende de las capacidades corporales o intelectuales, y su valor no puede definirse mediante el rendimiento o la eficacia.

→ 148 → 1936–1937 → 331

> Lloraba porque no tenía zapatos, hasta que me encontré con una persona que no tenía pies.
>
> **HELEN ADAMS KELLER** (1880-1968), escritora, oradora y activista política sordociega estadounidense

61 *¿Qué significa para la persona humana su condición de ser comunitario?*

Los animales se juntan formando manadas o rebaños, pero los seres humanos forman *comunidades*. Dios, que en lo más profundo de sí mismo es comunidad y relación, creó a los seres humanos como seres sociales singulares que por su decisión libre y consciente construyen comunidades, asumen su responsabilidad en ellas y les dan su forma propia. Las personas tienen a su cargo múltiples relaciones, pues están integradas en una red común y reconocen la necesidad de trabajar conjuntamente. En todas las sociedades los seres humanos están vinculados mediante un principio de unidad (familia, nación, club deportivo, iglesia, etc.), con el que conservan su historia y configuran su futuro.

→ 149 → 1879–1880 → 321–322

> Las personas pueden asumir la responsabilidad, y pueden ser consideradas responsables de sus acciones. A los animales no los consideramos responsables de lo que hacen. Los seres responsables poseen dignidad. Esta dignidad no le es otorgada por nadie, sino que la poseen por su mera pertenencia a la especie homo sapiens.
>
> **ROBERT SPAEMANN** (1927), filósofo alemán, entrevista en radio, 14 de septiembre de 2007

BIEN COMÚN abarca el conjunto de aquellas condiciones de vida social con las cuales los hombres, las familias y las asociaciones pueden lograr con mayor plenitud y facilidad su propia perfección (Concilio Vaticano II, GS 74).

Estoy en desacuerdo con lo que dices, pero defenderé hasta la muerte tu derecho a decirlo.

FRANÇOIS-MARIE VOLTAIRE (1694-1778), escritor, historiador, filósofo y abogado francés, uno de los principales representantes de la Ilustración

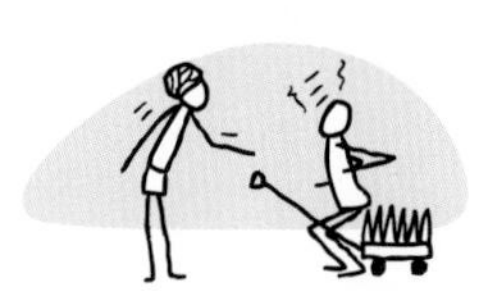

62 ¿Por qué actúan a menudo las personas en contra de la comunidad?

Aun cuando la persona es social, a menudo se comporta de forma asocial: el egoísmo, la codicia y la megalomanía le conducen a utilizar a otras personas para su beneficio personal, a explotarlas, a oprimirlas o a dejarlas indefensas. Pero la comunidad de verdad es una unión libre de personas, que quieren el bien para sí mismas y para las demás, y solo pueden obtener este → BIEN COMÚN mediante una actividad en común que escapa a las posibilidades del individuo. Valgan como ejemplos la construcción de una instalación deportiva, que solo puede llevarse a cabo mediante una financiación en común, o una orquesta, que solo puede tocar cuando muchos aportan sus talentos.

→ 150–151 → 1882, 1931 → 327–328

63 *¿Qué relevancia tienen los derechos humanos?*

La *Declaración Universal de los Derechos Humanos* (Naciones Unidas 148) constituye, así lo dice el papa Juan Pablo II, «un verdadero hito en el camino del progreso moral de la humanidad» (2 de octubre de 1979).

→ 152 → 1930 → 136

Todos los seres humanos nacen libres e iguales en dignidad y derechos y, dotados como están de razón y conciencia, deben comportarse fraternalmente los unos con los otros.

Art. 1 de la Declaración Universal de los Derechos Humanos

Negar a una persona sus derechos humanos significa despreciarla en su humanidad.

NELSON MANDELA (1918-2013), 26 de junio de 1990

64 *¿De dónde proceden los derechos humanos?*

Los derechos humanos no son una invención de los juristas, ni tampoco constituyen un acuerdo casual realizado entre hombres de Estado de buena voluntad. Más bien, proceden del derecho primario dado con la naturaleza humana. Actualmente, son reconocidos como la base fundamental de un acuerdo sin fronteras para poder vivir en libertad, con dignidad y con igualdad. Son reconocibles mediante la razón y se enraízan en la dignidad que el ser humano posee por ser imagen de Dios. Por este motivo son universales, y no dependen del lugar ni del tiempo. Son *invulnerables*, porque también lo es la dignidad humana en la que se fundamentan. Y son *inalienables*, es decir, nadie puede quitárselos a otro (y no hay nadie que tenga el poder para atribuírselos o negárselos a otra persona). Todos, pero especialmente los cristianos, deben levantar la voz cuando se enteran de que son vulnerados o no son reconocidos (aún) en algunos países.

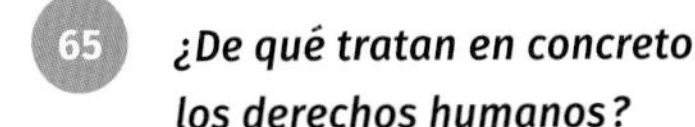
→ 153–154 → 1701–1709 → 280

Frecuentemente, para ridiculizar alegremente la defensa que la Iglesia hace de sus vidas, se procura presentar su postura como algo ideológico, oscurantista y conservador. Sin embargo, esta defensa de la vida por nacer está íntimamente ligada a la defensa de cualquier derecho humano. Supone la convicción de que un ser humano es siempre sagrado e inviolable, en cualquier situación y en cada etapa de su desarrollo. Es un fin en sí mismo y nunca un medio para resolver otras dificultades.

PAPA FRANCISCO, EG 213

65 *¿De qué tratan en concreto los derechos humanos?*

El derecho a la vida es el derecho fundamental del ser humano, y entra en vigor desde la concepción, puesto que ya en este momento debe apreciarse al ser humano como una persona propia. El derecho a la libertad de expresión es otro derecho humano. Tampoco puede privarse al ser humano del derecho a ganar con su trabajo el sustento para sí y para su familia. También es un derecho fundar una familia, tener hijos y que sean educados por sus padres. Muy importante es el derecho a la libre elección y a la práctica de una religión: no puede darse coacción alguna en cuestiones religiosas.

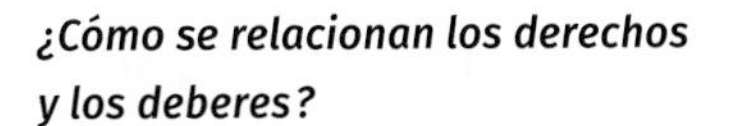
→ 155

Sobre la base de la convicción de la existencia de un Dios creador, se ha desarrollado el concepto de los derechos humanos, la idea de la igualdad de todos los hombres ante la ley, la conciencia de la inviolabilidad de la dignidad humana de cada persona y el reconocimiento de la responsabilidad de los hombres por su conducta.

PAPA BENEDICTO XVI, Discurso en el Parlamento Federal Alemán, 22 de septiembre de 2011

66 *¿Cómo se relacionan los derechos y los deberes?*

Una persona que defiende los derechos, asume al mismo tiempo también los deberes y, con ellos, la res-

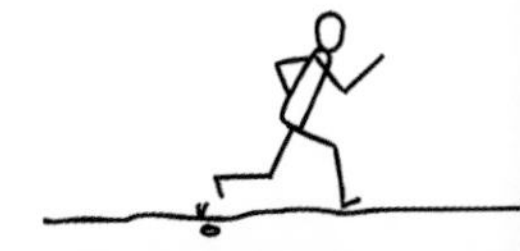

> Nosotros los pueblos de las Naciones Unidas, resueltos a preservar a las generaciones venideras del flagelo de la guerra que dos veces durante nuestra vida ha infligido a la Humanidad sufrimientos indecibles [...] y con tales finalidades [...] mediante la aceptación de principios y la adopción de métodos [...] hemos decidido aunar nuestros esfuerzos para realizar estos designios.
> Art. 1. Los Propósitos de las Naciones Unidas son:
> 1. Mantener la paz y la seguridad internacionales, y con tal fin: tomar medidas colectivas eficaces para prevenir y eliminar amenazas a la paz, y para suprimir actos de agresión u otros quebrantamientos de la paz; y lograr por medios pacíficos, y de conformidad con los principios de la justicia y del derecho internacional, el ajuste o arreglo de controversias o situaciones internacionales susceptibles de conducir a quebrantamientos de la paz.
>
> Carta de las Naciones Unidas del 26 de junio de 1945

ponsabilidad con respecto a los demás. El papa Juan XXIII decía al respecto en *Pacem in terris* (30): «Quienes al reivindicar sus derechos olvidan por completo sus deberes o no les dan la importancia debida, se asemejan a los que derriban con una mano lo que con la otra construyen».

→ 156 → 2235–2243 → 376

67 *¿Cómo puede reinar el derecho entre los pueblos?*

No solo las personas tienen sus derechos individualmente, también los pueblos tienen sus derechos. Este se quebranta cuando se conquistan y se dividen Estados enteros, son degradados a Estados satélite, o son reducidos a botín o bien son objeto de explotación por otros más fuertes. Cada nación posee un derecho natural a existir y a ser independiente, a tener su propia lengua y cultura, a la libre autodeterminación y a la libre elección de los Estados con los que quiere cooperar de modo pacífico como nación. Los derechos humanos deben aplicarse por encima de los niveles de los Estados, para posibilitar la paz, el respeto y la solidaridad entre todos los pueblos. La soberanía del pueblo no puede invocarse para negar

> El americano que descubrió a Colón hizo un mal descubrimiento.
>
> **GEORG CHRISTOPH LICHTENBERG** (1742–1799), físico experimental

los derechos humanos en el país o para oprimir a las minorías.

→ 157 → 446–447

68 *¿Cómo pueden compenetrarse los derechos humanos y el derecho internacional público?*

Todos los días asistimos a diferentes tipos de violencia: genocidios, guerras y deportaciones, hambrunas y explotaciones; se reclutan niños soldados a los que se obliga a matar, o se desarrollan nuevas formas de esclavitud. El tráfico de seres humanos, la prostitución y las drogas se han convertido en un negocio millonario en el que están involucradas las fuerzas políticas e incluso algunos gobiernos. En estas circunstancias, los cristianos no solo deben reclamar los derechos humanos para proteger los suyos, sino que deben saber que tienen también la tarea de defender y fortalecer los derechos fundamentales de todas las personas. Por eso la Iglesia está obligada a cuidar que se respeten y se cumplan universalmente los derechos humanos y sobre todo a respetarlos dentro de ella misma.

→ 158–159 → 1913–1917 → 329

En el campo de un nuevo orden fundado sobre los principios morales no hay lugar para la lesión de la libertad, de la integridad y de la seguridad de otras naciones, cualquiera que sea su extensión territorial o su capacidad defensiva. Si es inevitable que los grandes Estados, por sus mayores posibilidades y su poderío, tracen el camino para la constitución de grupos económicos entre ellos y las naciones más pequeñas y más débiles, es, sin embargo, indiscutible –como para todos, en el marco del interés general– el derecho de estas al respeto de su libertad en el campo político, a la eficaz guarda de aquella neutralidad en los conflictos entre los Estados que les corresponde según el derecho natural y de gentes, a la tutela de su propio desarrollo económico, pues tan solo así podrán conseguir adecuadamente el bien común, el bienestar material y espiritual del propio pueblo.

PAPA PÍO XII, radiomensaje de Navidad de 1941

No maltratarás al extranjero ni lo oprimirás, porque ustedes fueron extranjeros en Egipto.

EX 22,20

Antes de formarte en el vientre materno, yo te conocía; antes de que salieras del seno, yo te había consagrado, te había constituido profeta para las naciones.

JR 1,5

EXCURSO

LA PERSONA EN LA BIOÉTICA

69 *¿De qué trata la bioética?*

La palabra «bioética» está formada de dos términos griegos, *bíos* (= vida) y *ethos* (= uso, costumbre, hábito), y trata de las relaciones justas con todos los seres vivos. Por eso la bioética no es solamente una ética del medio ambiente, en la que se investiga cómo conservar los ecosistemas e impedir el cambio climático. Una correcta bioética debe ser una ética del ser humano, pues la dignidad de la persona no solo está en juego en cuestiones de investigación genética o de eutanasia (= ¿se puede suicidar uno o matar a otro ser humano que tiene un sufrimiento insoportable?). En el nacionalsocialismo se creó la expresión «vida indigna de ser vivida», que sirvió para que los nazis se creyeran, con sus crímenes, dueños de la vida y de la muerte. El hombre, sin em-

El amor de Dios no hace diferencia entre el recién concebido, aún en el seno de su madre, y el niño o el joven o el hombre maduro o el anciano. No hace diferencia, porque en cada uno de ellos ve la huella de su imagen y semejanza. [...] Por eso el Magisterio de la Iglesia ha proclamado constantemente el carácter sagrado e inviolable de toda vida humana, desde su concepción hasta su fin natural.

PAPA BENEDICTO XVI, 27 de febrero de 2006

bargo, debe ser respetado como persona desde su concepción, con los mismos derechos que todas las personas. Nadie tiene el derecho de privarle de la dignidad personal que Dios le ha donado. Nadie puede atentar contra la integridad de otro ser humano para fines científicos, ni porque sea anciano, esté enfermo o demente, o no haya nacido aún o sea minusválido. La dignidad de la persona es el verdadero fundamento de los derechos humanos y de la justificación del ordenamiento político.

→ 472–475 → 2318–2330, 2274–2278, 2280–2283
→ 435

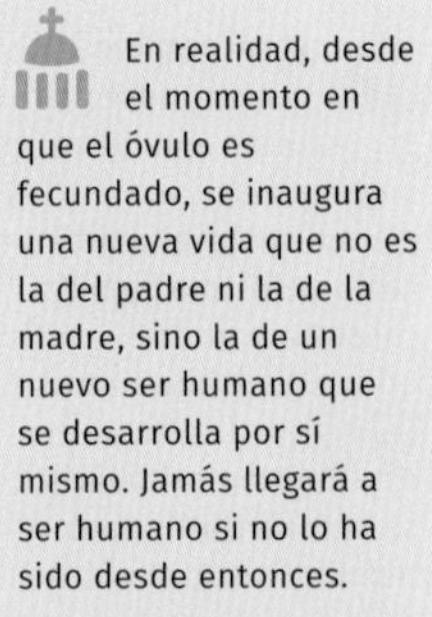

En realidad, desde el momento en que el óvulo es fecundado, se inaugura una nueva vida que no es la del padre ni la de la madre, sino la de un nuevo ser humano que se desarrolla por sí mismo. Jamás llegará a ser humano si no lo ha sido desde entonces.

PAPA JUAN PABLO II, EV 60

Lo más grave que puede pasarle a un pueblo es perder la voluntad de perdurar: los hijos son la forma humana de la esperanza.

JOAQUÍN GARCÍA-HUIDOBRO (1959), abogado y escritor chileno

70 *¿Por qué tenemos que actuar con responsabilidad en cuestiones de bioética?*

Numerosas cuestiones de bioética –por ejemplo, ¿qué valor tienen los enfermos, los no nacidos, los ancianos?– no dependen ya solamente de las decisiones privadas de los individuos. Muchas están reguladas políticamente. Las nuevas tecnologías –como la investigación con embriones humanos y la → INVESTIGACIÓN CON CÉLULAS MADRE– exigen nuevas respuestas. Los cristianos deben adquirir una alta competencia para poder discernir su responsabilidad social y contribuir activamente a sentar las bases humanitarias y sociales en la vida social.

→ 472–480 → 2274–2278, 2280–2283, 2318–2330

! El «consumo» que se hace en la **INVESTIGACIÓN CON CÉLULAS MADRE EMBRIONARIAS** para crear y destruir embriones humanos es inaceptable como proyecto de investigación, pues se trata de un homicidio.

El ser humano corre el riesgo de ser reducido a un mero engranaje de un mecanismo que lo trata como un simple bien de consumo para ser utilizado, de modo que [...] cuando la vida ya no sirve a dicho mecanismo se la descarta sin tantos reparos, como en el caso de los enfermos, los enfermos terminales, de los ancianos abandonados y sin atenciones, o de los niños asesinados antes de nacer. [...] Es el resultado inevitable de la «cultura del descarte» y del «consumismo exasperado». Al contrario, afirmar la dignidad de la persona significa reconocer el valor de la vida humana, que se nos da gratuitamente y, por eso, no puede ser objeto de intercambio o de comercio

PAPA FRANCISCO, Discurso al Parlamento Europeo, 25 de noviembre de 2014

¿Desde qué momento es el ser humano una persona?

Algunos dicen que solo puede hablarse de la existencia de una persona humana a partir del momento del nacimiento. Otros refutan esta tesis e incluso dicen que solo se es persona cuando se sabe pensar y decidir. También hay quienes fijan el comienzo de la existencia humana en la formación del tronco cerebral o en el momento en el que se excluye la existencia de gemelos. La Iglesia rechaza todas estas interpretaciones y afirma que la vida comienza con la fusión de un óvulo y un espermatozoide. La Iglesia considera absolutamente digna de protección la vida que surge de la fecundación, ya desde el inicio del estado embrionario. Por consiguiente, el embrión es un ser humano completo y como tal está dotado de dignidad, que es propia de toda persona humana. Debe mostrarse por ello un respeto absoluto a los embriones y a los miembros más débiles de la sociedad.

→ **2319, 2322–2323** → **56, 58, 62–63**

¿Cuándo se encuentra especialmente amenazada la persona?

Especialmente al comienzo y al final de la vida, los seres humanos apenas pueden defender su derecho a la vida, su dignidad humana y su integridad personal. En estos momentos necesitan a los demás, que reconozcan la dignidad inviolable y el carácter sagrado de una vida humana, que la amen y la acepten, la ayuden y la cuiden, la protejan, la nutran y la acompañen. Puede decirse que la solidaridad desaparece cuando se considera a las personas necesitadas solamente como una carga. Los cristianos tienen que elevar su voz por aquellos que no la tienen. También la vida del discapacitado y del enfermo posee una dignidad inalienable y en ningún caso deben considerare de valor inferior o carentes de valor.

160, 458 2276, 2322

73 *¿Se pueden seleccionar embriones generados en laboratorios?*

El rechazo de un embrión por el descubrimiento de cromosomas anormales atenta contra la obligación de respetar la dignidad humana y el derecho fundamental a la vida y a la integridad corporal. Deben protegerse contra la discriminación tanto a las personas discapacitadas como a los embriones con probables defectos genéticos.

235, 236 2275, 2323 385

74 *¿Por qué rechaza la Iglesia en general el aborto?*

Cada ser humano, desde el instante de su concepción, posee un derecho absoluto y una dignidad personal inviolable. Por eso matar a un embrión es siempre moralmente reprobable, independientemente de las circunstancias en que hubiera tenido lugar la concepción, de la etapa de desarrollo en la que se encuentre este nuevo ser humano o de los problemas de salud con que pueda venir al mundo. El embrión no se desarrolla *para llegar a ser* un ser humano, sino que se desarrolla *como* ser humano. Por eso un aborto es, en todo caso, el asesinato premeditado de un ser humano inocente. Pero mientras que los cristianos no hagan todo cuanto puedan para ayudar a las mujeres en situaciones de conflicto y les faciliten que se decidan por su hijo, será poco creíble su compromiso contra el aborto y una precaria legislación. El derecho a la libertad de la madre no puede usarse contra el derecho del niño a la vida.

2270–2275, 2322 292, 379, 383–384

La vida desde su concepción ha de ser salvaguardada con el máximo cuidado; el aborto y el infanticidio son crímenes abominables.

CONCILIO VATICANO II, GS 51

... tampoco administraré abortivo a mujer alguna...

DEL JURAMENTO HIPOCRÁTICO
(ca. 460-370 a.C.)

Hace ya siete años que nuestra hija Viviane Zoe perdió la vida en un aborto, ... nada de cuanto pensemos y sintamos hoy al respecto puede deshacer su muerte.

La madre, el padre y el hijo Leo en una esquela necrológica de un periódico

Se suele justificar que se traspasen todos los límites cuando se experimenta con embriones humanos vivos. Se olvida que el valor inalienable de un ser humano va más allá del grado de su desarrollo.

PAPA FRANCISCO, LS 136

Si un ser humano no está ya seguro en el seno materno, ¿en qué otro lugar del mundo lo estará?

PHIL BOSMANS (1922-2012), escritor belga

UFF...

¿Qué hacer en el caso de embarazos no deseados?

En situaciones de necesidad, como también en el caso de los embarazos no deseados, puede recurrirse a cualquier sacerdote o directamente a las instituciones católicas pertinentes. Todos ellos están obligados a acoger con amor a las personas y a no juzgarlas ni condenarlas. Nadie puede ser abandonado en una situación como esta, y existen diferentes recursos y formas de ayuda y de apoyo.

No se puede proponer una relación con el ambiente aislada de la relación con las demás personas y con Dios. [...] Dado que todo está relacionado, tampoco es compatible la defensa de la naturaleza con la justificación del aborto.
PAPA FRANCISCO,
LS 119-120

¿El niño negro como un daño? Debido al color de piel de su hijo, una norteamericana blanca y lesbiana ha puesto una querella contra un banco de esperma exigiéndole una indemnización por los daños causados. Por error, la mujer fue inseminada con el esperma de un afroamericano y no con el donante –blanco– que había elegido explícitamente. Al dar a luz, se quedó perpleja: no era lo que ella había querido. La demanda fue rechazada por el tribunal por carecer de fundamento. →

75 *¿Cómo puede ayudarse a una mujer cuyo embarazo ha sido provocado por una violación?*

En una violación debemos hacer una distinción entre dos hechos. Por un lado, el terrible crimen cometido contra la mujer, que debe ser perseguido por la ley y que moralmente constituye un atentado repugnante. La víctima tiene que recibir la protección y la ayuda tanto de los organismos estatales como de los pastorales. Un sacerdote o un colaborador especialmente formado ayudan a la víctima en los hospitales de la Iglesia y en los consultorios católicos, ofreciéndole consuelo e indicándole caminos de superación. Pero, por otro lado, el ser humano gestado es un hijo amado por Dios. Independientemente de su progenitor, Dios tiene un plan para la criatura. Por muy terribles que sean las heridas psíquicas de la mujer, el hijo puede ser un consuelo para ella y regalarle una nueva esperanza. En todo cuanto sucede, Dios acompaña a los seres humanos y quiere su bien. Puesto que los hombres son libres, Dios no puede impedir que se cometan delitos, pero sí puede procurar que de ellos surja una esperanza nueva, una vida nueva. La criatura que nace necesita todos los cuidados y el amor de su madre. Pero también el entorno social de la madre debe ocuparse de que la embarazada se sienta segura y aceptada. No obstante, aunque se produzca un aborto, las instituciones eclesiales no abandonan a la mujer afectada, sino que trabajan con ella para superar lo sucedido.

→ 2270–2275, 2284–2287, 2322
→ 292, 379, 383–384, 386, 392

→ No obstante, la demandante tiene la oportunidad de querellarse contra el banco de esperma por negligencia y violación del contrato.

Noticias en la radio alemana RPR1, 8 de septiembre de 2015

76 *¿Qué opina la Iglesia del diagnóstico genético preimplantacional (DGP)?*

Los nuevos métodos de la medicina proporcionan frecuentemente ventajas para las embarazadas y el niño que lleva en su seno. Pero con el → DIAGNÓSTICO GENÉTICO PREIMPLANTACIONAL (DGP) existe el peligro de evaluar la vida humana y de seleccionarla. A los niños con peculiaridades cromosómicas, sospechosos de una minusvalía, se los desecha y no se les permite vivir. Incluso se está usando cada vez más para poder matar a un niño o a una niña que no corres-

ponda al género deseado por los padres. Los críticos advierten que estamos en el camino de los «bebés de diseño». Ni el médico ni los padres de un bebé en gestación tienen el derecho de decidir si la vida de un ser humano es digna de ser vivida o no. Muchas personas con minusvalías perciben el debate sobre la DGP como una gran discriminación. Hoy no vivirían de haber existido entonces este método. Los cristianos nunca pueden estar de acuerdo con la selección de embriones humanos.

→ 472–473 → 2274–2275, 2323

DGP
Abreviatura de Diagnóstico Genético Preimplantacional, que detecta y previene la transmisión a la descendencia de enfermedades graves causadas por alteraciones genéticas y cromosómicas en los embriones, antes de su implantación, para lograr que los hijos nazcan libres de enfermedades hereditarias, como, por ejemplo, la trisomía 21 (síndrome de Down).

Nada ni nadie puede autorizar la muerte de un ser humano inocente, sea feto o embrión, niño o adulto, anciano, enfermo incurable o agonizante.

PAPA JUAN PABLO II, EV 57

77 *¿Está permitida moralmente la eutanasia?*

Matar directamente a una persona, aun cuando tenga una enfermedad mortal, está siempre en contra del quinto mandamiento (Ex 20,13): *No matarás*. Esto concierne también a mi propia vida. Solo Dios es el dueño de la vida y de la muerte. Por el contrario, al acompañar al moribundo y proporcionarle todos los alivios médicos y humanos se practica el mandamiento del amor al prójimo y la misericordia. La asistencia a enfermos terminales y la → MEDICINA PALIATIVA realizan por eso servicios importantes. La idea central es la siguiente: nosotros ayudamos en la muerte, no para provocarla. Desde una perspectiva médica y moral puede ser incluso aconsejable abstenerse de tratamientos que no van a mejorar la vida del paciente, como también usar los métodos que procuren alivio, aun cuando acorten su vida. Pero debe contarse siempre con la voluntad del enfermo. De no haber dicho expresamente nada al respecto con anterioridad y no estar ya en condiciones de expresar su opinión, puede hacerlo en su lugar alguien autorizado.

→ **2276–2779, 2324** → **379, 382**

¿Tengo derecho a decidir el momento de mi muerte?

No. Los cristianos creemos que la «vida» no es una propiedad personal con la que cada uno pueda hacer lo que quiera. Puesto que es Dios quien la regala, no existe una libertad absoluta con respecto a este don temporal. «No matarás» se aplica también a mi propia vida. El deseo de vivir y de gozar de la vida es el más profundo del ser humano. Los médicos afirman que incluso el deseo de morir por un sufrimiento insoportable es a menudo una última llamada desesperada de ayuda. Además,

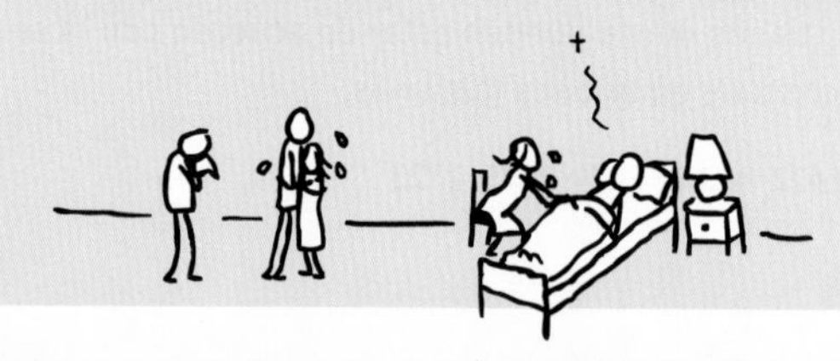

MEDICINA PALIATIVA (del latín *pallium*: manto protector). Cuando una persona padece una enfermedad incurable y se han agotado todas las posibilidades médicas, se le puede ayudar, finalmente, en el proceso de su muerte, procurando de que no sufra innecesariamente. Este tratamiento paliativo (es decir, calmante) no puede curar, pero los medicamentos analgésicos y calmantes hacen posible que un paciente pueda conllevar mejor su enfermedad.

> La liberalización y banalización de las prácticas abortivas son crímenes abominables, al igual que la eutanasia, la manipulación genética y embrionaria, ensayos médicos contrarios a la ética, pena capital, y tantas otras maneras de atentar contra la dignidad y la vida del ser humano. Si queremos sostener un fundamento sólido e inviolable para los derechos humanos, es indispensable reconocer que la vida humana debe ser defendida siempre, desde el momento mismo de la fecundación. De otra manera, las circunstancias y conveniencias de los poderosos siempre encontrarán excusas para maltratar a las personas.
>
> **APARECIDA**, 467

cabe preguntarse hasta qué punto la petición de eutanasia es realmente un acto libre. En los lugares donde hoy es posible la práctica de la eutanasia, muchos de los que sufren la solicitan a menudo para dejar de ser una carga para su entorno. De este modo, el supuesto *derecho* a la propia muerte se convierte de repente en un *deber* al que deben hacer frente los parientes.

→ 2280–2283, 2325 → 379

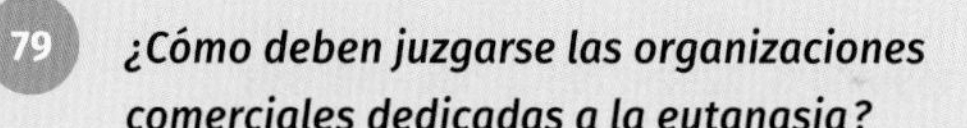

79 *¿Cómo deben juzgarse las organizaciones comerciales dedicadas a la eutanasia?*

Es absolutamente reprobable todo tipo de comercialización con la eutanasia. La vida humana no tiene precio, de modo que tampoco la muerte puede convertirse en un negocio. En modo alguno puede defenderse éticamente que asociaciones y empresas practiquen la eutanasia a cambio de dinero. También debe rechazarse el suicidio asistido por un médico. El médico no puede convertirse en instrumento de un deseo de morir experimentado subjetivamente. Con cada eutanasia que se realiza, el médico deja de ser alguien que cura para convertirse en alguien que mata. Esto no quiere decir que dejemos de lado el sufrimiento, que sin duda existe. Para esto hay instrumentos importantes, como los cuidados paliativos y el acompañamiento al moribundo.

→ 2277–2279 → 382

> La petición de una eutanasia activa es el intento por adueñarse completamente del último paso de la vida. Esto no es compatible con la entrega de la propia vida en las manos amorosas de Dios, como se expresa en los sacramentos de la Iglesia... La eutanasia no es una solución para el sufrimiento, sino una eliminación de la persona que sufre.
>
> Instrucción Pastoral de la Conferencia Episcopal de los Países Bajos, 2005

> Dios nos ha quitado no solo el derecho a disponer de la vida del otro, sino también de la propia vida.
>
> **SANTO TOMÁS MORO** (1478-1535), lord canciller de Enrique VIII

80 *¿Por qué interviene la Iglesia en el debate bioético?*

La Iglesia celebra todo progreso científico auténtico, pues está en consonancia con la tarea creadora de Dios. Los progresos en la técnica médica son realmente un beneficio para la humanidad. No obstante, mediante esos progresos recibe el ser humano cada vez más un poder de decisión sobre los demás. De repente parece «útil» producir embriones; parece «factible» matar a seres humanos con minusvalías en el seno materno, y parece «humano» liberar a los enfermos de su sufrimiento. Cuando se abusa del poder humano, la Iglesia debe ponerse siempre de parte de la víctima. No es aceptable que la investigación se instrumentalice y se vuelva en contra de los seres humanos y especialmente contra los más débiles de la sociedad. A la Iglesia no le interesan las prohibiciones estrictas, sino que quiere más bien exigir la dignidad de la persona humana en todas las fases de la vida y en todas las circunstancias.

→ 1699–1715, 2292–2295 → 154–155, 393

81 *¿Por qué muchas personas desean que se les ayude a suicidarse?*

Las personas temen los grandes dolores. Además, tienen miedo a caer en un estado de dependencia. Pero actualmente podemos afrontar positivamente estos temores mediante una buena asistencia, un acompañamiento completo en la muerte, la medicina paliativa y los centros especializados. La experiencia muestra que la mayoría de los pacientes renuncian a su deseo de morir cuando experimentan las posibilidades de la medicina contra el dolor y el acompañamiento en su muerte. Ayudar *en la* muerte (no *para la muerte*) puede implicar renunciar a terapias o conducir al paciente a un estado de dolor soportable me-

El progreso auténtico solo puede darse cuando sirve al ser humano y cuando este mismo crece con él, es decir, cuando no solo desarrolla el conocimiento técnico, sino también su potencial moral.

PAPA BENEDICTO XVI, *Entrevista en Castelgandolfo,* 5 de agosto de 2006.

Por lo que se refiere al derecho a la vida, es preciso denunciar el estrago que se hace de ella en nuestra sociedad: además de las víctimas de los conflictos armados, del terrorismo y de diversas formas de violencia, hay muertes silenciosas provocadas por el hambre, el aborto, la experimentación sobre los embriones y la eutanasia. ¿Cómo no ver en todo esto un atentado a la paz? El aborto y la experimentación sobre los embriones son una negación directa de la actitud de acogida del otro, indispensable para establecer relaciones de paz duraderas.

PAPA BENEDICTO XVI, para la celebración de la XL Jornada Mundial de la Paz, 2007, 5

diante analgésicos y sedantes. Esto sirve también para aquellos casos en que se reduzca el tiempo de vida restante.

2278–2279 382

El respeto del derecho a la vida en todas sus fases establece un punto firme de importancia decisiva: la vida es un don que el sujeto no tiene a su entera disposición.

PAPA BENEDICTO XVI, para la celebración de la XL Jornada Mundial de la Paz, 2007, 4

82 *¿Por qué tiene miedo el ser humano a depender del cuidado de otro?*

Ponerse en manos de otras personas produce inquietud. Se teme tanto la dependencia como la soledad. De estas preocupaciones se ocupan los centros para enfermos terminales. Precisamente, en la fase final de la vida hay que crear un espacio para que el moribundo se encamine hacia su muerte rodeado de amor y de cuidado. En sus últimos días y semanas, el ser humano nada necesita más que la asistencia espiritual.

1506–1510 242

83 *¿Qué significa la muerte desde una perspectiva cristiana?*

Hoy día la muerte se considera frecuentemente solo como la destrucción corporal. Pero es una parte determinante de la vida, y para muchas personas constituye el paso hacia la madurez definitiva. La vida es un regalo para los cristianos, lo que confiere una confianza fundamental también en las horas duras. Sabemos que estamos en las manos de un Dios bondadoso y tenemos la esperanza de que la muerte no es el final, sino un paso a la vida eterna, lo que sitúa en un horizonte completamente diferente la relación con el sufrimiento. Los asistentes espirituales experimentan siempre que esta esperanza consuela incluso a las personas aparentemente no religiosas a la hora de afrontar su muerte. En el sufrimiento y en la muerte Cristo está especialmente cerca de nosotros.

La muerte es una vida vivida. La vida es una muerte que viene.

JORGE LUIS BORGES (1899-1986), escritor argentino

1010–1014, 2299 154–155, 393

Documentos más importantes de la Iglesia

LA PERSONA HUMANA

Rerum Novarum

La libertad de la persona

El hombre, abarcando con su razón cosas innumerables, enlazando y relacionando las cosas futuras con las presentes y siendo dueño de sus actos, se gobierna a sí mismo con la previsión de su inteligencia, sometido además a la ley eterna y bajo el poder de Dios; por lo cual tiene en su mano elegir las cosas que estime más convenientes para su bienestar, no solo en cuanto al presente, sino también para el futuro. De donde se sigue la necesidad de que se halle en el hombre el dominio no solo de los frutos terrenales, sino también el de la tierra misma, pues ve que de la fecundidad de la tierra le son proporcionadas las cosas necesarias para el futuro.
Papa León XIII, Encíclica *Rerum Novarum* (1891), 5

Rerum Novarum

La base de los derechos humanos

[Las voluntades de una y otra clase] verán y comprenderán que todos los hombres han sido creados por el mismo Dios, Padre común; que todos tienden al mismo fin, que es el mismo Dios, el único que puede dar la felicidad perfecta y absoluta a los hombres y a los ángeles; que, además, todos han sido igualmente redimidos por el beneficio de Jesucristo y elevados a la dignidad de hijos de Dios, de modo que se sientan unidos, por parentesco fraternal, tanto entre sí como con Cristo, primogénito entre muchos hermanos. De igual manera que los bienes naturales, los dones de la gracia divina pertenecen en común y generalmente a todo el linaje humano, y nadie, a no ser que se haga indigno, será desheredado de los bienes celestiales: «Si hijos, pues, también herederos; herederos ciertamente de Dios y coherederos de Cristo». Tales son los deberes y derechos que la filosofía cristiana profesa. ¿No parece que acabaría por extinguirse bien pronto toda lucha allí donde ella entrara en vigor en la sociedad civil?
Papa León XIII, Encíclica *Rerum Novarum* (1891), 20

Mater et Magistra

Libre iniciativa de los particulares

Manténgase siempre a salvo el principio de que la intervención de las autoridades públicas en el campo económico, por dilatada y profunda que sea, no solo no debe coartar la libre iniciativa de los particulares, sino que, por el contrario, ha de garantizar la expansión de esa libre iniciativa, salvaguardando, sin embargo, incólumes los derechos esenciales de la persona humana.
Papa Juan XXIII, Encíclica *Mater et Magistra* (1961), 55

Pacem in Terris

El derecho a la vida y a los medios de sustento

Puestos a desarrollar, en primer término, el tema de los derechos del hombre, observamos que éste tiene un derecho a la existencia, a la integridad corporal, a los medios necesarios para un decoroso nivel de vida, cuales son, principalmente, el alimento, el vestido, la vivienda, el descanso, la asistencia médica y, finalmente, los servicios indispensables que a cada uno debe prestar el Estado. De lo cual se sigue que el hombre posee también el derecho a la seguridad personal en caso de enfermedad, invalidez, viudedad, vejez, paro y, por último, cualquier otra eventualidad que le prive, sin culpa suya, de los medios necesarios para su sustento.

Papa Juan XXIII, encíclica *Pacem in Terris* (1963), 11

Pacem in Terris

El derecho a Dios

Entre los derechos del hombre débese enumerar también el de poder venerar a Dios, según la recta norma de su conciencia, y profesar la religión en privado y en público. Porque, como bien enseña Lactancio, *para esto nacemos, para ofrecer a Dios, que nos crea, el justo y debido homenaje; para buscarle a Él solo, para seguirle. Este es el vínculo de piedad que a Él nos somete y nos liga, y del cual deriva el nombre mismo de religión* (Divinae Institutiones 1.4 c.28 n.2: ML 6,53).

Papa Juan XXIII, Encíclica *Pacem in Terris* (1963), 14

Pacem in Terris

Derechos Humanos

Argumento decisivo de la misión de la ONU es la *Declaración universal de los derechos del hombre.* [...] En el preámbulo de esta Declaración se proclama como objetivo básico, que deben proponerse todos los pueblos y naciones, el reconocimiento y el respeto efectivo de todos los derechos y todas las formas de la libertad recogidas en tal Declaración. [...] En dicha Declaración se reconoce solemnemente a todos los hombres sin excepción la dignidad de la persona humana y se afirman todos los derechos que todo hombre tiene a buscar libremente la verdad, respetar las normas morales, cumplir los deberes de la justicia, observar una vida decorosa y otros derechos íntimamente vinculados con estos.

Papa Juan XXIII, Encíclica *Pacem in Terris* (1963), 143-144

Gaudium et Spes

El hombre en conflicto

En realidad de verdad, los desequilibrios que fatigan al mundo moderno están conectados con ese otro desequilibrio fundamental que hunde sus raíces en el corazón humano. Son muchos los elementos que se combaten en el propio interior del hombre. A fuer de criatura, el hombre experimenta múltiples limitaciones; se siente, sin embargo, ilimitado en sus deseos y llamado a una vida superior. Atraído por muchas solicitaciones, tiene que elegir y que renunciar. Más aún, como enfermo y pecador, no raramente hace lo que no quiere y deja de hacer lo que querría llevar a cabo.
Por ello siente en sí mismo la división, que tantas y tan graves discordias provoca en la sociedad.

Concilio Vaticano II, Constitución pastoral *Gaudium et Spes* (1965), 10

Populorum Progressio

Desarrollo: el nuevo nombre de la paz

En los designios de Dios, cada hombre está llamado a promover su propio progreso, porque la vida de todo hombre es una vocación dada por Dios para una misión concreta. Desde su nacimiento, ha sido dado a todos como en germen, un conjunto de aptitudes y de cualidades para hacerlas fructificar; su floración, fruto de la educación recibida en el propio ambiente y del esfuerzo personal, permitirá a cada uno orientarse hacia el destino que le ha sido propuesto por el Creador. Dotado de inteligencia y de libertad, el hombre es responsable de su crecimiento, lo mismo que de su salvación. Ayudado, y a veces estorbado, por los que lo educan y lo rodean, cada uno permanece siempre, sean los que sean los influjos que sobre él se ejercen, el artífice principal de su éxito o de su fracaso: por solo el esfuerzo de su inteligencia y de su voluntad, cada hombre puede crecer en humanidad, valer más, ser más.

Papa Pablo VI, Encíclica *Populorum Progressio* (1967), 15

Familiaris Consortio

Sobre la naturaleza de la sexualidad humana

La sexualidad, mediante la cual el hombre y la mujer se dan uno a otro con los actos propios y exclusivos de los esposos, no es algo puramente biológico, sino que afecta al núcleo íntimo de la persona humana en cuanto tal. Ella se realiza de modo verdaderamente humano, solamente cuando es parte integral del amor con el que el hombre y la mujer se comprometen totalmente entre sí hasta la muerte. La donación física total sería un engaño si no fuese signo y fruto de una donación en la que está presente toda la persona, incluso en su dimensión temporal; si la persona se reservase algo o la posibilidad de decidir de otra manera en orden al futuro, ya no se donaría totalmente.

Papa Juan Pablo II, Exhortación apostólica *Familiaris Consortio* (1981), 11

Familiaris Consortio

La dignidad de la mujer

Si se debe reconocer también a las mujeres, como a los hombres, el derecho de acceder a las diversas funciones públicas, la sociedad debe sin embargo estructurarse de manera tal que las esposas y madres no sean de hecho obligadas a trabajar fuera de casa y que sus familias puedan vivir y prosperar dignamente, aunque ellas se dediquen totalmente a la propia familia. Se debe superar además la mentalidad según la cual el honor de la mujer deriva más del trabajo exterior que de la actividad familiar. Pero esto exige que los hombres estimen y amen verdaderamente a la mujer con todo el respeto de su dignidad personal, y que la sociedad cree y desarrolle las condiciones adecuadas para el trabajo doméstico.

Papa Juan Pablo II, Exhortación apostólica *Familiaris Consortio* (1981), 23

Centesimus Annus

Comprender al hombre

No es posible comprender al hombre, considerándolo unilateralmente a partir del sector de la economía, ni es posible definirlo simplemente tomando como base su pertenencia a una clase social. Al hombre se le comprende de manera más exhaustiva si es visto en la esfera de la cultura a través de la lengua, la historia y las actitudes que asume ante los acontecimientos fundamentales de la existencia, como son nacer, amar, trabajar, morir. El punto central de toda cultura lo ocupa la actitud que el hombre asume ante el misterio más grande: el misterio de Dios.

Papa Juan Pablo II, Encíclica *Centesimus Annus* (1991), 24

Centesimus Annus

Libertad y sociedad

La herida del pecado original que lo empuja continuamente hacia el mal y hace que necesite la redención. Esta doctrina no solo es parte integrante de la revelación cristiana, sino que tiene también un gran valor hermenéutico en cuanto ayuda a comprender la realidad humana. El hombre tiende hacia el bien, pero es también capaz del mal; puede trascender su interés inmediato y, sin embargo, permanece vinculado a él. El orden social será tanto más sólido cuanto más tenga en cuenta este hecho y no oponga el interés individual al de la sociedad en su conjunto, sino que busque más bien los modos de su fructuosa coordinación.

Papa Juan Pablo II, Encíclica *Centesimus Annus* (1991), 25

Evangelium Vitae

Conjura contra la vida

Mirando las cosas desde este punto de vista, se puede hablar, en cierto sentido, de una guerra de los poderosos contra los débiles. La vida que exigiría más acogida, amor y cuidado es tenida por inútil, o considerada como un peso insoportable y, por tanto, despreciada de muchos modos. Quien, con su enfermedad, con su minusvalidez o, más simplemente, con su misma presencia pone en discusión el bienestar y el estilo de vida de los más aventajados, tiende a ser visto como un enemigo del que hay que defenderse o a quien eliminar. Se desencadena así una especie de «conjura contra la vida».

Papa Juan Pablo II, Encíclica *Evangelium Vitae* (1995), 12

Evangelium Vitae

El derecho a la propia muerte

Amenazas no menos graves afectan también a los enfermos incurables y a los terminales, en un contexto social y cultural que, haciendo más difícil afrontar y soportar el sufrimiento, agudiza la tentación de resolver el problema del sufrimiento eliminándolo en su raíz, anticipando la muerte al momento considerado como más oportuno.

Papa Juan Pablo II, Encíclica *Evangelium Vitae* (1995), 15

Evangelium Vitae

La eliminación de la vida humana

Encontramos una trágica expresión de todo esto en la difusión de la eutanasia, encubierta y subrepticia, practicada abiertamente o incluso legalizada. Esta, más que por una presunta piedad ante el dolor del paciente, es justificada a veces por razones utilitarias, de cara a evitar gastos innecesarios demasiado costosos para la sociedad. Se propone así la eliminación de los recién nacidos malformados, de los minusválidos graves, de los impedidos, de los ancianos, sobre todo si no son autosuficientes, y de los enfermos terminales. No nos es lícito callar ante otras formas más engañosas, pero no menos graves o reales, de eutanasia. Estas podrían producirse cuando, por ejemplo, para aumentar la disponibilidad de órganos para trasplante, se procede a la extracción de los órganos sin respetar los criterios objetivos y adecuados que certifican la muerte del donante.

Papa Juan Pablo II, Encíclica *Evangelium Vitae* (1995), 15

Evangelium Vitae

Lucha por la vida

Más allá de las intenciones, que pueden ser diversas y presentar tal vez aspectos convincentes incluso en nombre de la solidaridad, estamos en realidad ante una objetiva «conjura contra la vida», que ve implicadas incluso a Instituciones internacionales, dedicadas a alentar y programar auténticas campañas de difusión de la anticoncepción, la esterilización y el aborto. Finalmente, no se puede negar que los medios de comunicación social son con frecuencia cómplices de esta conjura, creando en la opinión pública una cultura que presenta el recurso a la anticoncepción, la esterilización, el aborto y la misma eutanasia como un signo de progreso y conquista de libertad, mientras muestran como enemigas de la libertad y del progreso las posiciones incondicionales a favor de la vida.

Papa Juan Pablo II, Encíclica *Evangelium Vitae* (1995), 17

Evangelium Vitae

No hay derecho a matar

Reivindicar el derecho al aborto, al infanticidio, a la eutanasia, y reconocerlo legalmente, significa atribuir a la libertad humana un significado perverso e inicuo: el de un poder absoluto sobre los demás y contra los demás.

Papa Juan Pablo II, Encíclica *Evangelium Vitae* (1995), 20

Evangelium Vitae

La investigación de embriones

La valoración moral del aborto se debe aplicar también a las recientes formas de intervención sobre los embriones humanos que, aun buscando fines en sí mismos legítimos, comportan inevitablemente su destrucción. Es el caso de los experimentos con embriones, en creciente expansión en el campo de la investigación biomédica y legalmente admitida por algunos Estados. Si «son lícitas las intervenciones sobre el embrión humano siempre que respeten la vida y la integridad del embrión, que no lo expongan a riesgos desproporcionados, que tengan como fin su curación, la mejora de sus condiciones de salud o su supervivencia individual», se debe afirmar, sin embargo, que el uso de embriones o fetos humanos como objeto de experimentación constituye un delito en consideración a su dignidad de seres humanos, que tienen derecho al mismo respeto debido al niño ya nacido y a toda persona.

Papa Juan Pablo II, Encíclica *Evangelium Vitae* (1995), 63

Evangelium Vitae

Diagnóstico prenatal

Una atención especial merece la valoración moral de las técnicas de diagnóstico prenatal, que permiten identificar precozmente eventuales anomalías del niño por nacer. En efecto, por la complejidad de estas técnicas, esta valoración debe hacerse muy cuidadosa y articuladamente. Estas técnicas son moralmente lícitas cuando están exentas de riesgos desproporcionados para el niño o la madre, y están orientadas a posibilitar una terapia precoz o también a favorecer una serena y consciente aceptación del niño por nacer. Pero, dado que las posibilidades de curación antes del nacimiento son hoy todavía escasas, sucede no pocas veces que estas técnicas se ponen al servicio de una mentalidad eugenésica, que acepta el aborto selectivo para impedir el nacimiento de niños afectados por varios tipos de anomalías. Semejante mentalidad es ignominiosa y totalmente reprobable, porque pretende medir el valor de una vida humana siguiendo solo parámetros de «normalidad» y de bienestar físico, abriendo así el camino a la legitimación incluso del infanticidio y de la eutanasia.

Papa Juan Pablo II, Encíclica *Evangelium Vitae* (1995), 63

Africae Munus

Los reclusos son seres humanos

Los reclusos son seres humanos que merecen, no obstante su crimen, ser tratados con respeto y dignidad. Necesitan nuestra atención. Para ello, la Iglesia debe organizar la pastoral penitenciaria por el bien material y espiritual de los presos. Esta actividad pastoral es un servicio real que la Iglesia ofrece a la sociedad y que el Estado debe favorecer en aras del bien común. Junto con los miembros del Sínodo, llamo la atención de los responsables de la sociedad sobre la necesidad de hacer todo lo posible para llegar a la eliminación de la pena capital, así como para la reforma del sistema penal, para que la dignidad humana del recluso sea respetada.

Papa Benedicto XVI, Exhortación apostólica post-sinodal *Africae Munus* (2011), 83

Laudato si'

Dignidad humana

A veces se advierte una obsesión por negar toda preeminencia a la persona humana, y se lleva adelante una lucha por otras especies que no desarrollamos para defender la igual dignidad entre los seres humanos. Es verdad que debe preocuparnos que otros seres vivos no sean tratados irresponsablemente. Pero especialmente deberían exasperarnos las enormes inequidades que existen entre nosotros, porque seguimos tolerando que unos se consideren más dignos que otros. Dejamos de advertir que algunos se arrastran en una degradante miseria, sin posibilidades reales de superación, mientras otros ni siquiera saben qué hacer con lo que poseen, ostentan vanidosamente una supuesta superioridad y dejan tras de sí un nivel de desperdicio que sería imposible generalizar sin destrozar el planeta. Seguimos admitiendo en la práctica que unos se sientan más humanos que otros, como si hubieran nacido con mayores derechos.

Papa Francisco, Encíclica *Laudato si'* (2015), 90

JANE

PREGUNTAS
84–111

Bien común, persona, solidaridad, subsidiaridad

LOS PRINCIPIOS DE LA DOCTRINA SOCIAL

¿Cuáles son los principios de la Doctrina Social de la Iglesia?

La Doctrina Social de la Iglesia tiene cuatro principios:

El principio del
bien común

El principio de
dignidad
de la persona

El principio de
solidaridad

El principio de
subsidiaridad

Con estos cuatro principios se puede abarcar la realidad social en su totalidad y hacerle justicia de verdad. ¿Por qué son válidos estos principios? En primer lugar, porque son razonables. Y en segundo lugar, porque proceden de la fe cristiana iluminada por la razón. El creyente cumplirá los mandamientos de Dios, en particular el → MANDAMIENTO PRINCIPAL DEL AMOR A DIOS Y AL PRÓJIMO. Hoy día tienen que afrontar los cristianos numerosos problemas sociales. Ya se trate de relaciones entre individuos, grupos o pueblos, en todos los casos puede identificarse lo que es digno del ser humano, el valor de lo social y lo que es justo con los cuatro principios mencionados.

→ 160 → 1881, 1883, 1938ss, 1939ss
→ 322, 323, 327, 332

! MANDAMIENTO DEL AMOR A DIOS Y AL PRÓJIMO
«Amarás al Señor, tu Dios, con todo tu corazón, con toda tu alma y con todas tus fuerzas» (Dt 6,5) y «amarás a tu prójimo como a ti mismo» (Lv 19,18).

" Los exhorto a la solidaridad desinteresada y a una vuelta de la economía y las finanzas a una ética en favor del ser humano.
PAPA FRANCISCO, EG 58

¿Cómo se relacionan los cuatro principios?

Todos los principios están interaccionados entre sí. No pueden aislarse uno de otro o contraponerse entre sí. Si se aplican conjuntamente, puede entenderse en profundidad una realidad social. Pongamos un ejemplo. La «familia» es una realidad social que es valiosa y digna de ser protegida. En ella los seres humanos desarrollan su *dignidad personal*. La familia en sí misma es ya un ejemplo de *solidaridad*. Pero también necesita la solidaridad de los demás, porque sin el apoyo exterior no puede contribuir al *bien común*. Las instancias superiores pueden ayudar a la familia pero no sustituirla en lo que ella puede hacer por sí misma, la educación por ejemplo (principio de *subsidiaridad*).

161–162 2209–2213, 2250 370

86 ¿Por qué debemos actuar según estos principios?

Ser persona significa asumir la responsabilidad. Ningún ser humano puede excluirse de la vida social. Vivimos gracias a los demás y somos responsables de ellos durante toda la vida. Con el mandamiento del amor a Dios y al prójimo, los cristianos están obligados moralmente de forma más profunda a ayudar a los demás, a servir al bien común, a apoyar al individuo para que desarrolle dignamente su vida y a proteger los propios derechos de grupos y comunidades.

163 1734ss 288

¿Qué significa «bien común»?

El bien común, dice el Concilio Vaticano II, es «el conjunto de condiciones de la vida social que hacen posible a las asociaciones y a cada uno de sus miembros el logro más pleno y más fácil de la propia perfección» (GS 26). El fin del hombre es hacer el bien, y el de la sociedad es el bien común. «El bien

> Es imposible que un hombre sea bueno si no tiene una relación justa con el bien común.
>
> **SANTO TOMÁS DE AQUINO** *Summa Theologiae* I-II, q. 92, a. 1, ad 3

> Bien común es casa, vestido, sustento y un corazoncito para vivir contento.
>
> **JORGE ALBERTO LING ALTAMIRANO** (1942), político mexicano

> Algunos, que no saben aconsejarse a sí mismos, dan con gusto sus consejos a otros, al igual que los estafadores infieles entre los predicadores: enseñan y proclaman el bien que ellos no quieren hacer.
>
> **CHRÉTIEN DE TROYES** (ca. 1140-1190), autor francés

> Da limosna de tus bienes y no lo hagas de mala gana. No apartes tu rostro del pobre y Dios no apartará su rostro de ti.
>
> **TOB 4,7**

> Todo el bien solo se hace en el mundo cuando alguien hace más de lo que debe. El bien que yo no hago, nadie puede hacerlo por mí.
>
> **HERMANN GMEINER** (1916-1986), fundador de Aldeas Infantiles SOS

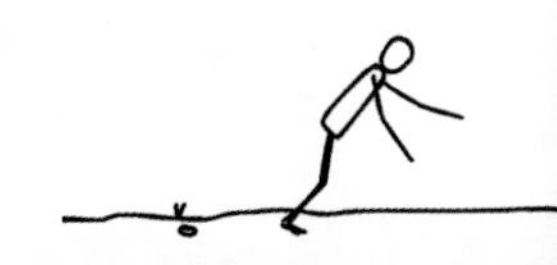

Amar a alguien es querer su bien y trabajar eficazmente por él. Junto al bien individual, hay un bien relacionado con el vivir social de las personas: el bien común. Es el bien de ese «todos nosotros», formado por individuos, familias y grupos intermedios que se unen en comunidad social.

PAPA BENEDICTO XVI, CiV 7

común se puede considerar como la dimensión social y comunitaria del bien moral» (CDSI 164). El bien común incluye tanto el bien de *todo ser humano* como también el bien de *todo el hombre*. El bien necesita fundamentalmente las condiciones de un ordenamiento estatal que sean efectivas, como las que se dan en un *Estado de derecho*. También debe ocuparse del mantenimiento de los medios de subsistencia naturales. En este contexto encontramos los derechos de cada individuo a la alimentación, la vivienda, la salud, la educación y el acceso a la enseñanza, como también los derechos a la libertad de expresión, de asociación y de religión. Desde esta perspectiva, las exigencias del bien común coinciden con los derechos humanos universales.

→ 164 → 1903ss → 326–327

Así pues, compatriotas: pregunten, no qué puede su país hacer por ustedes; pregunten qué pueden hacer ustedes por su país. Conciudadanos del mundo: pregunten, no qué pueden hacer por ustedes los Estados Unidos de América, sino qué podremos hacer juntos por la libertad del hombre.

JOHN F. KENNEDY (1917-1963), discurso inaugural, 20 de enero de 1961

88 *¿Cómo surge el bien común?*

Toda persona y todo grupo social tienen intereses propios más o menos justificados. Querer el «bien común» significa ser capaces de pensar más allá de las propias necesidades. Debemos interesarnos por el bien *de todos*, también de aquellos en los que nadie piensa, porque no tienen voz ni poder. Los bienes de la tierra son para todos. Y si cada uno solo piensa en sí mismo, la vida en común se convierte en una guerra de todos contra todos. Pero el bien común no remite solamente al bien material o exterior de todas las personas; más bien, su fin es el bien *integral* de la persona. Por eso el cuidado del bien espiritual pertenece también al bien común. No debe excluirse ningún aspecto del ser humano.

→ 168–170 → 1907–1912, 1925, 1927 → 327

Lo que no sirve de nada a la colmena, tampoco les sirve a las abejas.

CHARLES-LOUIS DE MONTESQUIEU (1689-1755), filósofo y jurista francés

89 *¿Cómo debemos comportarnos con los bienes de la tierra?*

Dios creó el mundo para todos. La tierra produce bienes y frutos, que deben estar a disposición de todos los hombres sin excepción y ser usados para el bien de todos. Toda persona tiene derecho a las necesidades vitales de las que no puede ser privada, aun cuando sabemos que existe un derecho a la propiedad y que siempre hay diferencias entre las posesiones de las personas. El hecho de que unos tengan más de lo que necesitan y otros carezcan incluso de lo más indispensable no solo exige amar, sino sobre todo hacer justicia.

→ 171–175 → 2443–2446 → 449

No compartir los propios bienes con los pobres significa que se los estamos robando y les estamos quitando la vida. Los bienes que poseemos no nos pertenecen a nosotros, sino a ellos.

SAN JUAN CRISÓSTOMO (347-407), Padre de la Iglesia

Dios ha destinado la tierra y cuanto ella contiene para uso de todos los hombres y pueblos. En consecuencia, los bienes creados deben llegar a todos en forma equitativa bajo la égida de la justicia y con la compañía de la caridad.

CONCILIO VATICANO II, GS 69

Si doy de comer a los pobres, me dicen que soy un santo. Pero si pregunto por qué los pobres pasan hambre y están tan mal, me dicen que soy un comunista.

DOM HÉLDER CÂMARA (1909-1999), arzobispo brasileño y defensor de los pobres

Los pobres son los destinatarios privilegiados del Evangelio.

PAPA BENEDICTO XVI, Discurso durante el encuentro con el episcopado brasileño, 11 de mayo de 2007, 3

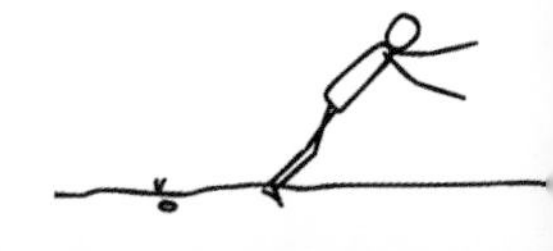

El hombre, en efecto, cuando carece de algo que pueda llamar «suyo» y no tiene posibilidad de ganar para vivir por su propia iniciativa, pasa a depender de la máquina social y de quienes la controlan, lo cual le crea dificultades mayores para reconocer su dignidad de persona y entorpece su camino para la constitución de una auténtica comunidad humana.

PAPA JUAN PABLO II, CA 13

90 *¿Es legítima la propiedad privada?*

Sí. La propiedad privada tiene su sentido y es humana. Sirve para la paz y para el mejor aprovechamiento de los bienes. La propiedad privada hace a las personas libres e independientes. Las estimula a conseguir su propiedad, a cuidarla y a protegerla de la destrucción. Por el contrario, las cosas que son propiedad pública llegan a descuidarse con frecuencia, porque nadie se siente responsable de ellas. Poder disponer libremente de los bienes nos lleva también a asumir responsabilidades y tareas en la sociedad. Así pues, el derecho a la propiedad privada es un fundamento importante de la libertad cívica. Es la base de un ordenamiento económico realmente democrático, pues mediante ella podemos participar en los beneficios de las actividades económicas.

→ 176 → 2401 → 426

Ustedes han recibido gratuitamente,

Un hombre que no pueda comprarse una propiedad, no tendrá otro interés que comer todo cuanto pueda y trabajar tan poco como le sea posible.

ADAM SMITH (1723-1790), economista y filósofo escocés

Donde no existe la propiedad privada, tampoco existe la alegría de dar; nadie goza ayudando a sus amigos, al que va de paso, a los que sufren necesidad.

ARISTÓTELES (384-322 a.C.), *Política* 1

91 *¿En qué consisten los límites de la propiedad privada?*

El *derecho a la propiedad privada* nunca puede absolutizarse. Más bien, el que posea una propiedad debe usarla para el bien de todos. Esto se aplica a los bienes públicos, como, por ejemplo, el alumbrado público, pero también a las posesiones privadas, como el teléfono móvil, que debo dejar utilizar a las personas que precisamente necesitan ayuda porque tienen que hacer una llamada de emergencia. La propiedad privada solo puede ser un instrumento para una mejor gestión de los bienes de la tierra. Alguien tiene que hacerse responsable de determinadas cosas. Si todos somos responsables de *todo*, a la hora de la verdad nadie es responsable de *nada*. La propiedad privada no puede estar por encima del bien común, pues todos los bienes deben servir a todas las personas.

→ 177, 282 → 2402–2406, 2452 → 427

¿Qué límites tiene la compartición de los bienes?

La propiedad privada se posee para *compartirla*. Además, no solo debemos pensar en quienes vivimos ahora, sino también en las generaciones futuras. De ahí la importancia que tiene el *principio de la sostenibilidad*. La sostenibilidad significa que *no pueden consumirse más recursos que los que, de alguna manera, puedan sustituirse o regenerarse*. Por eso al usar un bien no solo debemos tener en cuenta el provecho propio, sino también el bien de todos los seres humanos, por consiguiente, el *bien común*. El propietario tiene el deber de usar productivamente sus bienes o de confiárselos a alguien que sepa ponerlos en producción, creando algo nuevo que sirva para todos.

→ 178

Vivimos unos tiempos en los que la escasez justifica que los individuos puedan apropiarse de lo que necesitan para mantener su vida y su salud, cuando no pueden conseguirlo de otro modo, mediante su trabajo o mediante donativos.

HOMILÍA DEL CARDENAL JOSEF FRINGS (1887-1978) en el día del año viejo de 1946. El verbo *fringsen* se generalizó en Alemania como sinónimo de «hurto por hambre»: El cardenal de Colonia entendía perfectamente los saqueos de carbón ante las difíciles condiciones de abastecimiento en un invierno intensamente frío.

den también gratuitamente. **MT 10,8**

¿Qué bienes se necesitan para poder ser productivos?

La obligación actual del aprovechamiento productivo de la propiedad no solo está relacionada con el suelo y el capital, sino también con el creciente conocimiento técnico, y por tanto con la propiedad del saber. El bienestar de las naciones industrializadas se basa cada vez más en esta forma de propiedad, mientras que la propiedad del suelo y de las materias primas es progresivamente menos importante para el bienestar (Juan Pablo II, CA 32). Encontramos un ejemplo en el acceso a las semillas, que corre el peligro de ser controlado por las multinacionales. Sin un derecho universal de acceso a estos bienes no puede llevarse a cabo la consecución del bien común. El bien común global implica que se posibilite la participación en las innovaciones de las personas que viven en los países pobres.

→ 179 → 2408ss → 429

El bien común exige, pues, algunas veces la expropiación si, por el hecho de su extensión, de su explotación deficiente o nula, de la miseria que de ello resulta a la población, del daño considerable producido a los intereses del país, algunas posesiones sirven de obstáculo a la prosperidad colectiva.

PAPA PABLO VI, PP 24

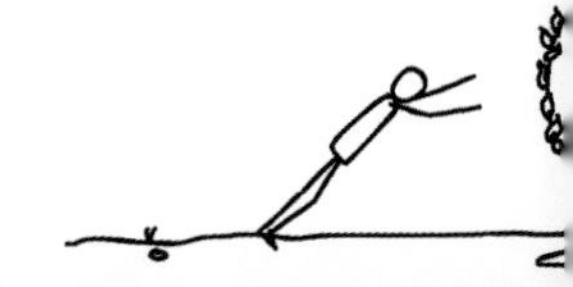

Vea cuál es la riqueza de la Iglesia.

Respuesta del **DIÁCONO ROMANO LORENZO** al emperador Sixto, que le había exigido que entregara todos los tesoros de la Iglesia. Según la leyenda, Lorenzo había distribuido todo entre los pobres de la ciudad de Roma: Los pobres son el verdadero tesoro de la Iglesia.

En la tierra hay suficiente para satisfacer las necesidades de todos, pero no tanto como para satisfacer la avaricia de algunos.

MAHATMA GANDHI (1869-1948), líder de la resistencia india y pacifista

En este mundo de información, de técnica, el pobre está marginado del circuito económico.

GUSTAVO GUTIÉRREZ MERINO (1928), filósofo y teólogo peruano

En las paredes muestra la Iglesia su esplendor, en los pobres su tacañería. Sus piedras están revestidas de oro, a sus hijos los deja desnudos.

SAN BERNARDO DE CLARAVAL (1090-1153), abad reformador y Doctor de la Iglesia

¡Ah, cómo quisiera una Iglesia pobre y para los pobres!

PAPA FRANCISCO, 16 de marzo de 2013

94 *¿Qué significa el bien común para los pobres?*

Los pobres ocupan el corazón de la Iglesia, pues de lo contrario ella traicionaría su misión. En *Gaudium et spes*, el Concilio habla de una *opción preferencial por los pobres* (GS 1). De esta resulta la obligación social individual y de toda la Iglesia de encargarse de las necesidades de quienes se encuentran en las periferias de la sociedad. Las bienaventuranzas del sermón de la montaña, la propia pobreza de Jesús y su atención amorosa hacia los pobres, nos indican el camino. Hacerse cargo de los marginados es una orden directa de Jesús: «Les aseguro que cada vez que lo hicieron con el más pequeño de mis hermanos, lo hicieron conmigo» (Mt 25,40). Sin embargo, Jesús advierte también contra la ideología según la cual podría eliminarse la pobreza en todo el mundo (Mt 26,11). Solo sería posible con la segunda venida de Cristo (la parusía); hasta entonces es una dura tarea que nos compete a nosotros.

→ 182–183 → 2443–2446 → 448–449

95 *¿Qué es el principio de subsidiaridad?*

Toda tarea social está confiada en primer lugar al grupo más pequeño posible que pueda llevarla a cabo. Los niveles inmediatamente superiores solo pueden hacerse cargo de las competencias cuando la unidad inferior no está en condiciones de solucionar los problemas, es decir, si la unidad inferior necesita ayuda, las instancias superiores deben ayudarle. Esta regla se resume en el → PRINCIPIO DE SUBSIDIARIDAD y en el → COMPROMISO DE AYUDA. Por ejemplo, si una familia tiene problemas, el Estado solo puede intervenir cuando la familia o los padres se ven desbordados para encontrar la solución. Este principio fortalece la libertad del individuo, de los grupos y asociaciones, e impide una centralización excesiva. Deben potenciarse las iniciativas particulares, pues poder ayudarse a sí mismas es un componente importante de la dignidad de la persona. El principio de subsidiaridad fue formulado por primera vez por el papa Pío XI en su encíclica *Quadragesimo anno* de 1931.

→ **185–187** → **1883–1885, 1894** → **286, 323**

96 *¿Es válido también el principio de subsidiaridad en la política?*

Sí. La aplicación del principio de subsidiaridad es imprescindible por ejemplo para configurar la relación entre los países dentro de Naciones Unidas. La ONU puede recurrir a su competencia solo en los casos en los que un país no puede solucionar un problema por sí mismo. Y lo mismo cabe decir de las relaciones de los países americanos con la Organización de Estados Americanos (OEA). En principio pueden darse situaciones en las que deben intervenir unas estructuras superiores, por ejemplo, cuando los Estados entran en guerra, se desprecian los derechos de los pueblos o se conculcan los derechos humanos.

→ **188** → **1883–1885, 1894** → **323, 447**

97 *¿Qué implica el principio de subsidiaridad para los individuos?*

Las cuestiones de la convivencia social no pueden dejarse simplemente en manos «de los que están más

PRINCIPIO DE SUBSIDIARIDAD
El nivel superior (p. ej., el Estado) no puede apropiarse de ninguna competencia, cuando el nivel inferior (p. ej., la familia) puede solucionar por sí mismo un problema.

COMPROMISO DE AYUDA
Cuando el nivel inferior se ve desbordado con un problema, el nivel superior debe prestarle la ayuda necesaria.

Que la autoridad eclesiástica aplique aquí también el principio general de subsidiaridad y complementariedad. Que se confíen a los laicos las tareas que puedan cumplir, igual de bien o mejor que los sacerdotes, y que dentro de los límites de su función o de aquellas que deriven del bien común de la Iglesia, que puedan actuar libremente y ejercer su responsabilidad.

PAPA PÍO XII a los participantes en el II Congreso Mundial para el Apostolado de los Laicos, 5 de octubre de 1957

En realidad, no se ayuda a las personas cuando se hace por ellas lo que ellas mismas pueden hacer.

ABRAHAM LINCOLN (1809-1865), expresidente de los Estados Unidos

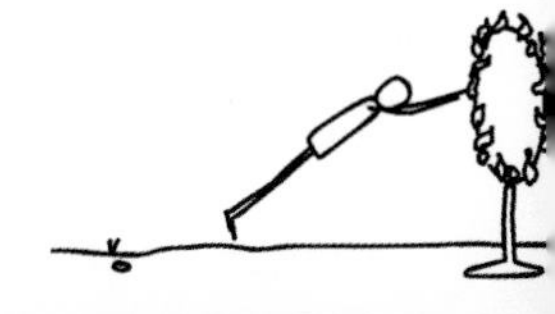

» Me lo contaron y lo olvidé. Lo vi y lo entendí. Lo hice y lo aprendí.

CONFUCIO (551-479 a.C.), filósofo chino

arriba». En nuestro entorno debemos resolver autónomamente los problemas y solo pedir ayuda a las instancias superiores cuando nos sentimos desbordados. Antes de hacerlo, lo lógico es que los seres humanos se presten ayuda unos a otros, tanto el que la ofrece como el que la recibe. El cristiano está llamado por principio a participar en todos los ámbitos de la sociedad y a no excluir a nadie de su intervención.

→ **189** → **1913** → **323, 328**

» Para confiar en los demás es necesario confiar en uno mismo.

FRANÇOIS DE LA ROCHEFOUCAULD (1613-1680), diplomático y escritor

98 *¿Cómo se consigue una corresponsabilidad sin falsas dependencias?*

» El verdadero buscador crece y aprende, y descubre que siempre es el principal responsable de lo que sucede.

JORGE BUCAY (1949), escritor y psicoterapeuta argentino

A través de la *participación*. La participación ciudadana es un pilar fundamental de la democracia, y por eso es también importante para los cristianos. Los cristianos buscan la participación solidaria para contribuir al destino de su sociedad civil. De este modo perciben su responsabilidad en la configuración del mundo. Para llevar a cabo la denominada justicia de participación (véase más abajo), debe defenderse la posibilidad de que todos los ciudadanos la ejerzan.

→ **190** → **1913–1917**

99 *¿Cómo puede llevarse a cabo la participación?*

» La seguridad del pequeño se basa en la seguridad del mayor, la seguridad del mayor se basa en la seguridad del pequeño. Pequeños y grandes, nobles y plebeyos, deben encargarse unos de otros para poder gozar todos de la alegría.

LÜ BU WE (ca. 300-236 a.C.), filósofo chino

Una educación en valores y una buena información son presupuestos importantes para la correcta participación de los ciudadanos. La participación debe llevarse a cabo en su justa medida y no puede abusarse de ella para beneficio de los propios intereses. No debe reducirse solamente al ejercicio del derecho a votar (GS 30-31; CA 46-47). La doctrina social critica especialmente en este sentido los regímenes autorita-

rios que consideran como amenaza la participación de los ciudadanos. Más allá del derecho a votar, a los cristianos se les pide un compromiso social que pueden concretar en la parroquia, en un partido político o en un club deportivo. En particular, los laicos deben procurarse una competencia especializada en numerosas cuestiones sociales, cooperando así a la configuración de la comunidad (GS 43). No obstante, un cristiano no debe involucrarse en la sociedad en solitario, sino que tiene que hacer posible también la *participación* solidaria de los demás. La *participación real de todos* es el núcleo de la justicia de participación, que, a su vez, es en realidad un factor esencial de la justicia social. La *exclusión* de un individuo significa privarlo de su dignidad, y, por tanto, constituye una violación del mandamiento que exige el respeto a la persona.

151, 189–191, 406 1913–1917 328

100 *¿Qué significa el principio de solidaridad?*

El principio de solidaridad expresa la dimensión social de la persona humana. Ningún ser humano puede

¿Tenemos todo prohibido, salvo cruzarnos de brazos? La pobreza no está escrita en los astros; el subdesarrollo no es el fruto de un oscuro designio de Dios.

EDUARDO GALEANO (1940-2015), periodista y escritor uruguayo

No soy pobre, soy sobrio, liviano de equipaje, vivir con lo justo para que las cosas no me roben la libertad.

PEPE MUJICA (1935), expresidente uruguayo

La solidaridad es en primer lugar que todos se sientan responsables de todos.

PAPA BENEDICTO XVI, CiV 38

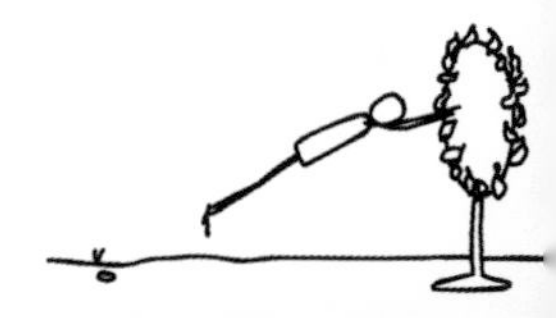

> Hemos aprendido cómo vuelan los pájaros, cómo nadan los peces; pero hemos olvidado el sencillo arte de vivir como hermanos.
>
> **MARTIN LUTHER KING** (1929-1968), defensor de los derechos civiles y pastor estadounidense

vivir aisladamente, sino que siempre está remitido a otro, y no solo para experimentar una ayuda práctica, sino también para tener un interlocutor con quien hablar, para crecer junto con los demás intercambiando ideas, argumentos, necesidades y deseos, y poder desarrollar así plenamente su personalidad.

→ 192 → 1939–1942 → 332

> Ayúdense mutuamente a llevar las cargas, y así cumplirán la Ley de Cristo.
>
> **GAL 6,2**

101 *¿Hasta dónde llega la solidaridad?*

En un mundo globalizado nos alegra ver cómo pierden importancia las fronteras, las personas y los pueblos están más estrechamente relacionados y la comunica-

ción es posible en tiempo real. Pero la globalización contiene también grandes peligros: lo que acontece política o económicamente en una parte del mundo tiene consecuencias inmediatas para las personas que viven en otras partes. Aun cuando sea válido el principio de subsidiaridad, debemos aprender a pensar globalmente desde un punto de vista ético. Muchas cuestiones, por ejemplo, el cambio climático, las epidemias o las migraciones, solo pueden abordarse a nivel global, si queremos encontrar soluciones a largo plazo que sean buenas para todos los seres humanos del planeta.

→ 192 → 1939–1948 → 332, 376, 395

> La cultura del bienestar, que nos lleva a pensar en nosotros mismos, nos hace insensibles al grito de los otros, nos hace vivir en pompas de jabón, que son bonitas, pero no son nada, son la ilusión de lo fútil, de lo provisional, que lleva a la indiferencia hacia los otros, o mejor, lleva a la globalización de la indiferencia. En este mundo de la globalización hemos caído en la globalización de la indiferencia. ¡Nos hemos acostumbrado al sufrimiento del otro, no tiene que ver con nosotros, no nos importa, no nos concierne!
>
> **PAPA FRANCISCO**, en su visita a la isla de Lampedusa el 8 de julio de 2013

102 *¿Cómo puede concretarse la solidaridad?*

La solidaridad es tanto un principio social como una virtud moral. En cuanto principio de ordenación social, sirve para vencer a las «estructuras de pecado»

(Juan Pablo II, SRS 36) y crear así una «civilización del amor». En cuanto virtud moral, la *solidaridad* significa defender concretamente y con contundencia el bien de los demás, en particular de los necesitados. De nada sirven aquí las meras palabras de compasión,

¿Un miembro sufre? Todos los demás sufren con él. ¿Un miembro es enaltecido? Todos los demás participan de su alegría.
1 COR 12,26

> La riqueza trae a los amigos, la pobreza los selecciona.
> **ANÓNIMO**

pues debemos actuar. «El principio de solidaridad implica que los hombres de nuestro tiempo cultiven aún más la conciencia de la deuda que tienen con la sociedad en la que están insertos» (CDSI 195). Los seres humanos pueden conseguir poco por sí solos, sino que dependen de lo conseguido por otros, también de sus antepasados. De aquí surge la obligación de vivir para los demás y de tener en cuenta a las generaciones futuras a la hora de realizar nuestras propias acciones y tomar nuestras decisiones.

→ 193–195 → 1942 → 323, 328, 332, 447

> Recuerda lo siguiente. Yo puedo hacer algo que tú no puedes. Y tú puedes hacer algo que yo no puedo. Pero los dos debemos hacerlo.
> **MADRE TERESA** en una entrevista con Bob Geldof en Adís Abeba en 1985

> Si una sociedad libre no puede ayudar a sus muchos pobres, tampoco podrá salvar a sus pocos ricos.
> **JOHN F. KENNEDY** (1917-1963), político estadounidense

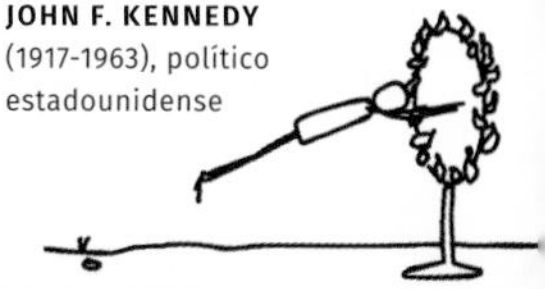

103 *¿Cuál es la raíz más profunda de la solidaridad en la fe?*

> La justicia sin misericordia es insensible, la misericordia sin justicia se desprestigia.
>
> **FRIEDRICH VON BODELSCHWINGH** (1831-1910), teólogo evangélico y reformador social

Nadie fue más solidario que Jesús. Jesús es la expresión de la solidaridad de Dios con una humanidad que no puede ayudarse a sí misma. El Hijo de Dios no solo se manifiesta solidario con toda la humanidad, sino que incluso da su vida por ella. Esta entrega definitiva por los demás representa la máxima expresión del amor y de la solidaridad, y debe ser la norma de la vida cristiana.

→ 196 → 949–953 → 395

> Un poco de misericordia hace al mundo menos frío y más justo.
>
> **PAPA FRANCISCO,** Ángelus, 17 de marzo de 2013

104 *¿Son los principios de la doctrina social los únicos fundamentos para construir una buena sociedad?*

No. La doctrina social cristiana está lógicamente vinculada a los valores universales, que son sus presupuestos. Yo debo tener unos valores determinados y vincularme personalmente a ellos, para llevar una vida vinculante y poder aportarla confiadamente a la sociedad. Los principios sociales son, por tanto, unas directrices para configurar la sociedad. Por su parte, todos los valores están vinculados a la dignidad de la persona, como valor primario, que posee por ser imagen y semejanza de Dios.

> Cuando dudo, me recuerdo que en la historia siempre se ha impuesto el camino de la verdad y del amor. Ha habido tiranos y asesinos, y por un cierto tiempo parecían invencibles, pero, al final, cayeron todos. ¡Piensa siempre en ello!
>
> **MAHATMA GANDHI**

→ 197 → 2419–2425 → 324, 438

105 *¿Qué valores son importantes en la doctrina social?*

Los valores fundamentales son tres: verdad, libertad y justicia. Sin embargo, para que la convivencia humana prospere se necesitan además el amor y la misericordia. Santo Tomás de Aquino dice al respecto: «La justicia sin misericordia es crueldad; la misericordia sin justicia es el origen de la desintegración» (*Super Evangelium S. Matthaei* 5,2).

> Por eso, ya no basta hablar solo de la integridad de los ecosistemas. Hay que atreverse a hablar de la integridad de la vida humana, de la necesidad de alentar y conjugar todos los grandes valores.
>
> **PAPA FRANCISCO,** LS 224

→ 197 → 1886 → 324

106 ¿*Qué significa libertad*?

Ser *libre* es lo que hace al ser humano superior al animal y, en cierto modo, lo hace semejante a Dios. Solo las personas libres pueden asumir la responsabilidad. Ser libre personalmente convierte al ser humano en un ser único. En el marco de las posibilidades cada uno es libre de elegir su profesión y su vocación; puede irse o permanecer, elegir esto y desechar lo otro. Es un derecho primario del ser humano que no debe restringirse sin fundamento: las personas deben expresar libremente sus propias ideas religiosas, políticas y culturales, como también su opinión propia. Pero para que esto sea posible tiene que existir un ordenamiento jurídico que asegure a la persona esta libertad y la proteja del deseo de libertad de los demás. También deben regularse dentro de un ordenamiento orientado por el bien común el propio anhelo de libertad que al mismo tiempo pueda restringir un deseo de libertad destructivo.

→ 199–200 → 1738 → 286, 290

Lo más grandioso que se le concede al ser humano es la posibilidad de elegir, la libertad.

SØREN AABYE KIERKEGAARD (1813-1855), filósofo danés, *Diarios 1834-1855*

La libertad es servir a Dios.

LUCIO ANNEO SÉNECA (ca. 4 a.C.-65 d.C.), político y filósofo romano

El sentido de la política es la libertad.

HANNAH ARENDT (1906-1975), filósofa judía alemana-norteamericana

La libertad es el único objetivo digno del sacrificio de la vida de los hombres.

SIMÓN BOLÍVAR

107 ¿Para qué se necesita la verdad en la vida social?

La verdad, traducida a mi vida personal, significa veracidad y sinceridad. Sin relaciones sinceras acaba destruyéndose toda sociedad. Donde palabra y acción no coinciden ya y donde tampoco puede darse por supuesta la sinceridad, la vida en común está dominada por la desconfianza, la frialdad y la astucia. En el ámbito político-económico la verdad significa *transparencia*, tanto de las decisiones como de las acciones. Esto es especialmente válido allí donde se hace uso de los recursos financieros.

→ 198 → 2464–2487 → 452–455

108 ¿Qué es la justicia?

La justicia consiste en la voluntad permanente de «dar a Dios y al prójimo lo que les corresponde» (CIC 1807, siguiendo a Tomás de Aquino).

→ 201 → 1807, 2411 → 302

109 ¿Qué formas hay de justicia?

Existen las *justicias distributiva* y *conmutativa* (→ JUSTICIA DISTRIBUTIVA), y también la *justicia legal*. Conjuntamente con la *justicia de participación* constituyen la *justicia social*. La aspiración a la justicia social es una ampliación determinante de la justicia legal, pues mientras que esta depende solamente de la fidelidad a la ley y del funcionamiento del Estado de derecho, la justicia social engloba todas las cuestiones sociales. A saber, los bienes de la tierra deben ser justamente distribuidos, y las diferencias injustas entre las personas deben desaparecer. Además, hay que valorar debidamente la dignidad de la persona. Precisamente en las relaciones económicas no pueden reducirse las personas a su utilidad o su propiedad. Una política que sirva al fin de la paz, debe realizar la justicia en su sentido global, especialmente cuando se

> Las verdades elementales caben en el ala de un colibrí.
>
> **JOSÉ MARTÍ** (1853-1895), político y escritor cubano

> A la verdad hay que saberla a toda costa: la verdad sobre nosotros mismos y sobre los demás, aceptando con humildad que la verdad conocida es solo una aproximación a la verdad real.
>
> **RAMÓN CARRILLO** (1906-1956), político argentino

> Al contrario, siempre nos comportamos como corresponde a ministros de Dios [...] con un amor sincero, con la palabra de verdad, con el poder de Dios; usando las armas ofensivas y defensivas de la justicia.
>
> **2 COR 6,4.6.7**

> La justicia da a cada uno lo suyo, no se apropia de lo ajeno, y vuelve a poner en su lugar el propio privilegio cuando hay que salvaguardar el bienestar de todos.
>
> **SAN AMBROSIO DE MILÁN** (339-397), Doctor de la Iglesia

JUSTICIA DISTRIBUTIVA
La justicia distributiva es aquella forma de justicia que ejerce una comunidad con respecto a sus miembros, al permitir que cada persona o grupo reciba su parte merecida.

trata de la justa distribución de los bienes (GS 29). La distribución de los bienes en el mercado mundial debe orientarse por la denominada *justicia del intercambio*: cada cual obtiene un bien por un precio razonable.

→ **201** → **1928, 1943, 2411–2412, 2426–2436**
→ **329, 430, 449**

110 *¿Cuál es el origen de estos valores?*

Todos los valores tienen su origen en Dios. Dios no *tiene* amor, «Dios es amor» (1 Jn 4,8). Por eso el amor a las personas tiene que ser el punto de orientación central de toda acción social. Al amar llego a ser realmente yo mismo, acepto la libertad de los demás y me

La obra de la justicia será la paz.
IS 32,17

El ser humano no puede obrar con justicia en un único ámbito de la vida, mientras que actúa injustamente en los demás. La vida es un todo indivisible.
MAHATMA GANDHI

Así habla el Señor: Practiquen el derecho y la justicia; libren al explotado de la mano del opresor; no maltraten ni hagan violencia al extranjero, al huérfano y a la viuda; no derramen sangre inocente en este lugar.
JR 22,3

Entonces los justos resplandecerán como el sol en el Reino de su Padre. ¡El que tenga oídos, que oiga!
MT 13,43

Justicia, cosa muy buena; pero no en mi casa, en la ajena.
REFRÁN POPULAR

En un mundo injusto el que clama por la justicia es tomado por loco.
LEÓN FELIPE

esfuerzo por ser justo. El amor sobrepasa a la justicia, porque al otro no solo le doy lo que le corresponde, sino que quiero hacerle bien con todo el corazón. También la «dignidad del ser humano», el valor primario, tiene su fundamento en el amor que Dios nos tiene. Porque Dios ama sobremanera a cada ser humano, lo creó a su amada imagen, por lo que posee una dignidad inalienable.

→ 205 → 2212 → 321–324, 332

Anunciamos a nuestros pueblos que Dios nos ama [...] que está cerca con el poder salvador y liberador de su Reino y alienta incesantemente nuestra esperanza.

APARECIDA, 30

Aunque repartiera todos mis bienes para alimentar a los pobres y entregara mi cuerpo a las llamas, si no tengo amor, no me sirve para nada.

1 COR 13,3

Si en la tierra dominara el amor, no serían necesarias las leyes.

ARISTÓTELES, *Ética a Nicómaco*, III, 7

111 *¿Por qué no basta solamente la justicia?*

El amor es más que la justicia, porque es «paciente» y «servicial» (1 Cor 13,4). Para que la sociedad se humanice, a la justicia debe acompañarle la misericordia o la compasión. Para vivir en sociedad no basta la *justicia social* y aún menos la *justicia legal*, porque ninguna legislación puede generar el bienestar humano recíproco. La justicia social solo puede castigar las violaciones de los derechos humanos, pero no crea nada positivo. En cambio, el amor social libera fuerzas creativas para el bien común, por tanto, para el bien global de todas las personas. Está formado por estructuras justas que dejan espacio a la misericordia. Sin embargo, a diferencia de la misericordia, la justicia es una exigencia moral básica. El amor solo puede ser objeto de apelación, pero la justicia es objeto de exigencia.

→ 206–207 → 1822–1829, 1844 → 309

No hay paz sin libertad, ni libertad sin justicia, ni justicia sin amor.

DAN ASSAN (1946), defensor de los derechos humanos en Tel Aviv

Es un escándalo que los cristianos de hoy critiquen a la Iglesia porque piensa por los pobres, pues la misión de la Iglesia es reivindicar a los pobres, así la Iglesia encuentra su salvación.

BEATO ÓSCAR ROMERO

Documentos más importantes de la Iglesia

LOS PRINCIPIOS DE LA DOCTRINA SOCIAL

Rerum Novarum

Subsidiaridad en el ejemplo de la familia

Cierto es que, si una familia se encontrara eventualmente en una situación de extrema angustia y carente en absoluto de medios para salir de por sí de tal agobio, es justo que los poderes públicos la socorran con medios extraordinarios, porque cada familia es una parte de la sociedad. Cierto también que, si dentro del hogar se produjera una alteración grave de los derechos mutuos, la potestad civil deberá amparar el derecho de cada uno; esto no sería apropiarse los derechos de los ciudadanos, sino protegerlos y afianzarlos con una justa y debida tutela. Pero es necesario de todo punto que los gobernantes se detengan ahí; la naturaleza no tolera que se exceda de estos límites.

Papa León XIII, Encíclica *Rerum Novarum* (1891), 10

Rerum Novarum

La propiedad común

Pero, además de la injusticia, se deja ver con demasiada claridad cuál sería la perturbación y el trastorno de todos los órdenes, cuán dura y odiosa la opresión de los ciudadanos que habría de seguirse. Se abriría de par en par la puerta a las mutuas envidias, a la maledicencia y a las discordias; quitado el estímulo al ingenio y a la habilidad de los individuos, necesariamente vendrían a secarse las mismas fuentes de las riquezas, y esa igualdad con que sueñan no sería ciertamente otra cosa que una general situación, por igual miserable y abyecta, de todos los hombres sin excepción alguna.

Papa León XIII, Encíclica *Rerum Novarum* (1891), 11

Rerum Novarum

Función subsidiaria del Estado y bien común

No es justo, según hemos dicho, que ni el individuo ni la familia sean absorbidos por el Estado; lo justo es dejar a cada uno la facultad de obrar con libertad hasta donde sea posible, sin daño del bien común y sin injuria de nadie. No obstante, los que gobiernan deberán atender a la defensa de la comunidad y de sus miembros. De la comunidad, porque la naturaleza confió su conservación a la suma potestad, hasta el punto que la custodia de la salud pública no es solo la suprema ley, sino la razón total del poder; de los miembros, porque la administración del Estado debe tender por naturaleza no a la utilidad de aquellos a quienes se ha confiado, sino de los que se le confían, como unánimemente afirman la filosofía y la fe cristiana.

Papa León XIII, Encíclica *Rerum Novarum* (1891), 26

Centesimus Annus

El fundamento de la solidaridad del amor

De esta manera el principio que hoy llamamos de solidaridad [...] se demuestra como uno de los principios básicos de la concepción cristiana de la organización social y política. León XIII lo enuncia varias veces con el nombre de «amistad», que encontramos ya en la filosofía griega; por Pío XI es designado con la expresión no menos significativa de «caridad social», mientras que Pablo VI, ampliando el concepto, de conformidad con las actuales y múltiples dimensiones de la cuestión social, hablaba de «civilización del amor».

Papa Juan Pablo II, Encíclica *Centesimus Annus* (1991), 10

Centesimus Annus

Estado y principios sociales

Para conseguir estos fines el Estado debe participar directa o indirectamente. Indirectamente y según el principio de subsidiaridad, creando las condiciones favorables al libre ejercicio de la actividad económica, encauzada hacia una oferta abundante de oportunidades de trabajo y de fuentes de riqueza. Directamente y según el principio de solidaridad, poniendo, en defensa de los más débiles, algunos límites a la autonomía de las partes que deciden las condiciones de trabajo, y asegurando en todo caso un mínimo vital al trabajador en paro.

Papa Juan Pablo II, Encíclica *Centesimus Annus* (1991), 15

Centesimus Annus

Estructuras de solidaridad

Además de la familia, desarrollan también funciones primarias y ponen en marcha estructuras específicas de solidaridad otras sociedades intermedias. Efectivamente, estas maduran como verdaderas comunidades de personas y refuerzan el tejido social, impidiendo que caiga en el anonimato y en una masificación impersonal, bastante frecuente por desgracia en la sociedad moderna. En medio de esa múltiple inter-acción de las relaciones vive la persona y crece la «subjetividad de la sociedad».

Papa Juan Pablo II, Encíclica *Centesimus Annus* (1991), 49

Centesimus Annus

Doctrina social del diálogo

La doctrina social, por otra parte, tiene una importante dimensión interdisciplinar. Para encarnar cada vez mejor, en contextos sociales económicos y políticos distintos, y continuamente cambiantes, la única verdad sobre el hombre, esta doctrina entra en diálogo con las diversas disciplinas que se ocupan del hombre, incorpora sus aportaciones y les ayuda a abrirse a horizontes más amplios al servicio de cada persona, conocida y amada en la plenitud de su vocación.

Papa Juan Pablo II, Encíclica *Centesimus Annus* (1991), 59

Evangelium Vitae

Cultura contra la solidaridad

En efecto, si muchos y graves aspectos de la actual problemática social pueden explicar en cierto modo el clima de extendida incertidumbre moral y atenuar a veces en las personas la responsabilidad objetiva, no es menos cierto que estamos frente a una realidad más amplia, que se puede considerar como una verdadera y auténtica estructura de pecado, caracterizada por la difusión de una cultura contraria a la solidaridad, que en muchos casos se configura como verdadera «cultura de muerte». Esta estructura está activamente promovida por fuertes corrientes culturales, económicas y políticas, portadoras de una concepción de la sociedad basada en la eficiencia.

Papa Juan Pablo II, Encíclica *Evangelium Vitae* (1995), 12

Caritas in Veritate

El amor va más allá de la justicia

Ubi societas, ibi ius: toda sociedad elabora un sistema propio de justicia. *La caridad va más allá de la justicia*, porque amar es dar, ofrecer de lo «mío» al otro; pero nunca carece de justicia, la cual lleva a dar al otro lo que es «suyo», lo que le corresponde en virtud de su ser y de su obrar. No puedo «dar» al otro de lo mío sin haberle dado en primer lugar lo que en justicia le corresponde. Quien ama con caridad a los demás, es ante todo justo con ellos. No basta decir que la justicia no es extraña a la caridad, que no es una vía alternativa o paralela a la caridad: la justicia es «inseparable de la caridad», intrínseca a ella. [...] Por un lado, la caridad exige la justicia, el reconocimiento y el respeto de los legítimos derechos de las personas y los pueblos. [...] Por otro, la caridad supera la justicia y la completa siguiendo la lógica de la entrega y el perdón. La «ciudad del hombre» no se promueve solo con relaciones de derechos y deberes sino, antes y más aún, con relaciones de gratuidad, de misericordia y de comunión. La caridad manifiesta siempre el amor de Dios también en las relaciones humanas, otorgando valor teologal y salvífico a todo compromiso por la justicia en el mundo.

Papa Benedicto XVI, Encíclica *Caritas in Veritate* (2009), 6

Caritas in Veritate

Amor, justicia y bien común

Desear el bien común y esforzarse por él es exigencia de justicia y caridad. Trabajar por el bien común es cuidar, por un lado, y utilizar, por otro, ese conjunto de instituciones que estructuran jurídica, civil, política y culturalmente la vida social, que se configura así como *polis*, como ciudad. Se ama al prójimo tanto más eficazmente, cuanto más se trabaja por un bien común que responda también a sus necesidades reales. Todo cristiano está llamado a esta caridad, según su vocación y sus posibilidades de incidir en la *polis*. Esta es la vía institucional –también política, podríamos decir– de la caridad, no menos cualificada e incisiva de lo que pueda ser la caridad que encuentra directamente al prójimo fuera de las mediaciones institucionales de la *polis*. El compromiso por el bien común, cuando está inspirado por la caridad, tiene una valencia superior al compromiso meramente secular y político.

Papa Benedicto XVI, Encíclica *Caritas in Veritate* (2009), 7

Evangelii Gaudium

Tender puentes al prójimo

El individualismo posmoderno y globalizado favorece un estilo de vida que debilita el desarrollo y la estabilidad de los vínculos entre las personas, y que desnaturaliza los vínculos familiares. La acción pastoral debe mostrar mejor todavía que la relación con nuestro Padre exige y alienta una comunión que sane, promueva y afiance los vínculos interpersonales. Mientras en el mundo, especialmente en algunos países, reaparecen diversas formas de guerras y enfrentamientos, los cristianos insistimos en nuestra propuesta de reconocer al otro, de sanar las heridas, de construir puentes, de estrechar lazos y de ayudarnos «mutuamente a llevar las cargas» (Gal 6,2). Por otra parte, hoy surgen muchas formas de asociación para la defensa de derechos y para la consecución de nobles objetivos. Así se manifiesta una sed de participación de numerosos ciudadanos que quieren ser constructores del desarrollo social y cultural.

Papa Francisco, Exhortación apostólica *Evangelii Gaudium* (2013), 67

Evangelii Gaudium

Los bienes deben servir al bien común

La solidaridad es una reacción espontánea de quien reconoce la función social de la propiedad y el destino universal de los bienes como realidades anteriores a la propiedad privada. La posesión privada de los bienes se justifica para cuidarlos y acrecentarlos de manera que sirvan mejor al bien común, por lo cual la solidaridad debe vivirse como la decisión de devolverle al pobre lo que le corresponde. Estas convicciones y hábitos de solidaridad, cuando se hacen carne, abren camino a otras transformaciones estructurales y las vuelven posibles. Un cambio en las estructuras sin generar nuevas convicciones y actitudes dará lugar a que esas mismas estructuras tarde o temprano se vuelvan corruptas, pesadas e ineficaces.

Papa Francisco, Exhortación apostólica *Evangelii Gaudium* (2013), 189

Evangelii Gaudium

Cultura contraria a la solidaridad

Respetando la independencia y la cultura de cada nación, hay que recordar siempre que el planeta es de toda la humanidad y para toda la humanidad, y que el solo hecho de haber nacido en un lugar con menores recursos o menor desarrollo no justifica que algunas personas vivan con menor dignidad.

Papa Francisco, Exhortación apostólica *Evangelii Gaudium* (2013), 190

PREGUNTAS
112–133

El fundamento de la sociedad

LA FAMILIA

No conviene que el hombre esté solo.

GN 2,18

112 ***¿Por qué quiere Dios que vivamos en familias?***

Dios no quiere que el ser humano viva solo, por eso nos creó como seres sociales. Los seres humanos tienden por naturaleza a formar comunidades (familias). Esto aparece ya con claridad en las primeras páginas de la Biblia, concretamente en el segundo relato de la creación: Adán recibe de Dios inmediatamente a Eva como pareja que le sirve de ayuda. «El hombre puso un nombre a todos los animales domésticos, a todas las aves del cielo y a todos los animales del campo; pero entre ellos no encontró la ayuda adecuada. [...] con la costilla que había sacado del hombre, el Señor Dios formó una mujer y se la presentó al hombre. El hombre excla-

El significado de la palabra FAMILY («familia» en inglés)

Padre **F**ather
y **A**nd
madre, **M**other,
yo **I**
los **L**ove
quiero. **Y**ou.

ANÓNIMO

mó: "¡Esta sí que es hueso de mis huesos y carne de mi carne!"» (Gn 2,20.22-23a).

→ 209 → 1877–1880 → 321

113 ¿Qué importancia tiene la familia en la Biblia?

En la Biblia se habla frecuentemente de la vida familiar. En el Antiguo Testamento se exige a los padres que transmitan a sus hijos las experiencias del amor y de la fidelidad de Dios, y que les proporcionen los conocimientos fundamentales y más importantes de la vida. El Nuevo Testamento nos dice que también Jesús nació en el seno de una familia. Sus padres lo trataron y lo educaron con afecto y amor. Puesto que Dios eligió una familia totalmente «normal» para encarnarse como ser humano y criarse en ella, la familia se convirtió en un lugar especial de Dios, dándole un valor único como comunidad.

→ 210 → 531–534 → 68

114 ¿Cómo ve la Iglesia a la familia?

La Iglesia considera a la familia como la primera y la más importante comunidad natural. La familia posee derechos especiales y ocupa el centro de toda la vida social. Ella es el lugar en el que se origina la vida humana y en el que se desarrollan las primeras relaciones humanas. La familia constituye el fundamento de la sociedad; a partir de ella surgen todos los ordenamientos sociales. Debido a esta enorme importancia, la Iglesia ve a la familia como una institución divina.

→ 211 → 2207, 2226–2227 → 271, 273

115 ¿Qué tiene de extraordinario la familia?

La experiencia insustituible que los seres humanos tienen en una buena familia se resume en la siguiente frase: *yo soy amado incondicionalmente*. En ella con-

Enseñe Nazaret lo que es la familia, su comunión de amor, su sencilla y austera belleza, su carácter sagrado e inviolable; enseñe lo dulce e insustituible que es su pedagogía; enseñe lo fundamental e insuperable de su sociología.

PAPA PABLO VI, Discurso en Nazaret, 1964

Y los bendijo, diciéndoles: «Sean fecundos, multiplíquense, llenen la tierra y sométanla».

GN 1,28

Lo primero que el ser humano encuentra en la vida, lo último a lo que tienden sus manos, lo más valioso que posee en la vida, es la familia.

ADOLPH KOLPING (1813-1865), sacerdote católico y luchador por los derechos de los trabajadores

La Iglesia no es una organización de cultura, de religión, tampoco social; no es eso. La Iglesia es la familia de Jesús.

PAPA FRANCISCO, homilía en la Casa Santa Marta, 1 de junio de 2013

> La vida de los padres es el libro en el que aprenden a leer los hijos.
>
> **SAN AGUSTÍN**

> Amar significa dar y recibir lo que no se puede comprar ni vender, sino solo regalar libre y recíprocamente.
>
> **PAPA JUAN PABLO II**, Carta a las familias, 1994, 11

viven recíprocamente diversas generaciones experimentando el afecto, la solidaridad, el aprecio, el esfuerzo desinteresado, la ayuda y la justicia. Cada miembro de la familia es reconocido, aceptado y respetado en su dignidad, sin que para ello tenga que aportar un rendimiento. Cada uno es amado por lo que es. Los individuos no son un medio para conseguir algo, sino un fin en sí mismos. De esta manera, en la familia surge una cultura de la vida que supera con creces a toda otra estructura. En nuestros días se tiene con frecuencia más en cuenta lo que uno puede

hacer o si puede aportar algo (p.ej., dinero). A menudo predomina una concentración en lo material. Se trata de una mentalidad que desafía a las familias y que frecuentemente las destruye.

→ 221 → 2207–2208 → 369

> ¿Cómo no amarle, madre, si me enseñó a hablar su lengua? ¿Si soy viento nacido de su roca?
>
> **GONZALO ROJAS** (1916-2011), profesor y periodista chileno

> Es hermoso que los padres lleguen a ser amigos de sus hijos, desvaneciéndoles todo temor, pero inspirándoles un gran respeto.
>
> **JOSÉ INGENIEROS** (1877-1925), filósofo y psicólogo argentino

116 *¿Tiene cabida la «familia» en la sociedad moderna?*

Sí. En las sociedades modernas apenas existen ya convicciones morales o religiosas que sean compartidas por todos. Además, el mundo se ha vuelto extremadamente complejo. Cada ámbito de la realidad funciona según sus propios criterios. Todo esto afecta también a las familias. La Iglesia se preocupa del bienestar y de la dignidad de cada persona manteniendo unidos así todos los ámbitos. En ningún lugar se encuentra el ser humano más protegido actualmente que en una cultura de la vida impregnada de altos valores y de buenas relaciones familiares. En ella se puede mostrar y aprender que el respeto mutuo, la justicia, el diálogo y el amor para una convivencia fructífera son más importantes que todo lo demás. De este modo, la familia no es solo una institución que tiene cabida en la sociedad moderna, sino que constituye incluso el lugar central para la integración humana. De ella surgen los presupuestos sociales y humanos necesarios para el Estado y para los diferentes ámbitos sociales (p. ej., la economía, la política y la cultura).

→ 222, 223 → 2207, 2208 → 369

Relegarla [la familia] a un papel subalterno y secundario, excluyéndola del lugar que le compete en la sociedad, significa causar un grave daño al auténtico crecimiento de todo el cuerpo social.

PAPA JUAN PABLO II, Carta a las familias, 1994

Las personas sanas necesitan una infancia feliz.

ASTRID LINDGREN (1907-2002), autora sueca de libros para niños

El juego es la ocupación más importante de los niños.

MICHEL DE MONTAIGNE (1533-1592), filósofo y ensayista francés

117 *¿Qué aporta la familia a cada individuo?*

Es extremadamente importante que cada uno experimente la familia. En ella vive por primera vez la relación comunitaria, que le protege por naturaleza y que le ama y le reconoce sin restricciones. En un ambiente positivo como este, cada miembro de la familia puede desarrollar sus capacidades y prepararse y hacer acopio de fuerzas para afrontar cuanto la vida le depare. Justo esto es lo que quiere también una formación im-

Honra a tu padre y a tu madre, para que tus días sean muchos en la tierra que el Señor, tu Dios, te da.

EX 20,12

La familia [...] es la respuesta al gran desafío de nuestro mundo: la fragmentación y la masificación. La familia es la respuesta porque es la célula de una sociedad que equilibra la dimensión personal y la dimensión comunitaria, y que al mismo tiempo puede ser el modelo de una gestión sostenible de los bienes y de los recursos de la creación. La familia es el sujeto protagonista de una ecología integral, porque es el sujeto social primario, que contiene en su seno los dos principios-base de la civilización humana sobre la tierra: el principio de comunión y el principio de fecundidad.

PAPA FRANCISCO, audiencia general, 30 de septiembre de 2015

Una madre es el único ser en el mundo que te ama antes de conocerte.

JOHANN HEINRICH PESTALOZZI (1746-1827), pedagogo suizo

Ciertamente, los hijos deben respetar a sus padres, pero también los padres deben respetar a sus hijos, y nunca abusar de su natural superioridad. ¡Nunca deben usar la violencia!

ASTRID LINDGREN

pregnada de la imagen cristiana del ser humano. Al mismo tiempo, cada miembro de la familia vive lo que significa asumir responsabilidades, pues en una familia nadie vive por sí solo. Dependiendo del lugar que ocupan los miembros, el de los padres, de los abuelos o de los hijos, surgen en consecuencia también los deberes correspondientes para cada uno de ellos.

→ 212, 221 → 2224–2230 → 371, 372

Los niños son los invitados que preguntan dónde está el camino.

MARÍA MONTESSORI (1870-1952), reformadora de la pedagogía

118 *¿Aporta también algo la familia a la sociedad?*

Sí, todo lo que la familia aporta en su seno, para sí misma y para sus miembros, tiene también relevancia social. A saber, una sociedad solo puede tener éxito cuando le va bien a cada uno de sus miembros, cuando ellos se sienten amados y reconocidos. En la familia puede experimentarse que la lógica de la entrega y de la aceptación es previa y más importante que la lógica del intercambio y del mercado. También beneficia a la sociedad el hecho de que los individuos aprendan en la familia lo que significa la responsabilidad y la solidaridad social: quien en «lo pequeño» se muestra muy responsable y solidario, hará lo mismo también «en lo grande». ¿Dónde se aprende a ayudar a los pobres, a los enfermos o los ancianos mejor que en la familia? ¿Dónde se entiende mejor a las personas que dudan, están solas o son abandonadas? ¿Cuándo se hará sensible una persona a las injusticias sociales estructurales si previamente no lo ha vivido en su familia? La familia hace así una aportación insustituible para «la humanización de la sociedad» (C. Kissling). Cuanto más invierta la sociedad en la familia, menos necesitará gastar en cárceles para jóvenes, instituciones educativas especiales y terapias contra la drogadicción.

→ 213, 246 → 2207-2211 → 369, 370

119 *¿Qué aporta la familia a la sociedad?*

En primer lugar, la familia es el espacio en el que se asegura la continuidad de la sociedad. En segundo lugar, la familia asume la tarea específica de la socialización y la educación de los hijos. Transmite valores y tradiciones culturales, éticas y sociales, y también virtudes espirituales y religiosas, que son fundamentales para formar al ser humano en libertad y en responsabilidad. Provistas con este bagaje de educación familiar, pueden las personas, después de una adecuada formación especializada, asumir todo tipo de trabajos en la sociedad. Una tercera tarea de la familia consiste en mantener a todos los miembros del hogar y proporcionarles un espacio privado de protección, desenvolvimiento y descanso. En cuarto lugar, especialmen-

La tarea principal consiste en incluir a las mujeres en el trabajo colectivo de producción, sacarlas de la esclavitud del hogar, liberarlas del sometimiento deprimente y forzado al eterno y excluyente mundo de la cocina y del cuidado de los niños.

Los comunistas combatieron fuertemente a favor de la disolución de la imagen clásica de la familia. Véase **VLADIMIR I. LENIN** (1878-1924), político y revolucionario ruso, *Las tareas del movimiento proletario femenino*, 1919.

La primera estructura fundamental a favor de la «ecología humana» es la familia, en cuyo seno el hombre recibe las primeras nociones sobre la verdad y el bien; aprende qué quiere decir amar y ser amado, y por consiguiente qué quiere decir en concreto ser una persona.

PAPA JUAN PABLO II, CA 39

Los niños deberían recibir dos cosas de sus padres: raíces y alas.

JOHANN WOLFGANG VON GOETHE (1749-1832), poeta alemán

te en las sociedades envejecidas, cobra cada vez más importancia que se cuiden en la familia a los enfermos, a los incapacitados y a los que no pueden ejercer ya una profesión. En este sentido, la perspectiva de la familia nuclear se amplía a la generación precedente, lo cual puede dar a la familia una profunda solidaridad y al mismo tiempo su identidad.

→ 213, 229, 232 → 2207–2209 → 370

> Los hombres de la antigüedad que querían hacer brillar en todo el imperio su ejemplo de virtud, necesitaban primero poner en orden su principado. Para poner orden en su principado tenían antes que poner armonía en sus familias. Para poner armonía en sus familias tenían que cultivar antes su carácter. Y para cultivar su carácter tenían que purificar su corazón.
>
> **CONFUCIO**

120 *¿Es la educación una tarea exclusiva de la familia?*

No, por supuesto que no. Una familia no es un sistema cerrado que solo vive para sí misma. Pero inmediatamente debe añadirse que los padres poseen el derecho y el deber preferente de educar a sus hijos ellos mismos y de proporcionales una formación completa. Solo los Estados totalitarios les arrebatan este derecho. El padre y la madre son, por consiguiente, igualmente importantes en su diferencia. Teniendo en cuenta solo esta perspectiva puede entenderse lo altamente problemático que resulta el tema del derecho de adopción por parejas homosexuales. No obstante, la dimensión social del ser humano exige que los niños no solo sean educados por sus padres, sino que su formación adquiera una forma más completa, en la que cooperan las familias y diferentes instancias, ante todo la escuela, pero también las parroquias o los clubes deportivos. El fin de una formación integral es llevar a los niños al diálogo, al encuentro, a la sociabilidad, al respeto de la ley, a la solidaridad y a la paz, para que aprendan así a ejercer la justicia y el amor. Para esto no bastan solamente las palabras, sino que se necesitan ante todo ejemplos y modelos reales.

→ 240, 242 → 2223, 2226, 2229

> Las familias latinoamericanas deberán organizarse económica y culturalmente para que sus legítimas necesidades y aspiraciones sean tenidas en cuenta, en los niveles donde se toman las decisiones fundamentales que puedan promoverlas o afectarlas.
>
> **MEDELLÍN**, 1968

> Debe entenderse que todos somos educadores. Cada acto de nuestra vida cotidiana tiene implicancias, a veces significativas. Procuremos entonces enseñar con el ejemplo.
>
> **RENÉ FAVALORO** (1923-2000), educador y cardiocirujano argentino

121 *¿Cuál es el papel de los ancianos en la familia?*

La presencia de los ancianos en la familia puede ser muy valiosa. Constituyen un ejemplo del vínculo entre las generaciones y gracias a su rica experiencia pueden hacer una aportación determinante para el bienestar de la familia y de la sociedad en conjunto. Transmiten valores y tradiciones y apoyan a los jóvenes. Así estos aprenden a no preocuparse solo de sí

Ningún anciano debe estar «exiliado» de nuestra familia. Los ancianos son un tesoro para la sociedad.

PAPA FRANCISCO,
en su cuenta de Twitter,
11 de enero de 2014

No me rechaces en el tiempo de mi vejez, no me abandones, porque se agotan mis fuerzas. **SAL 71,9**

mismos, sino también a cuidar de los demás. Cuando los ancianos enferman o tienen necesidades especiales no solo requieren asistencia médica y el cuidado correspondiente, sino, sobre todo, un trato y entorno lleno de amor.

→ 222 → 2212, 2218 → 371

Si adquieres toda la experiencia y el juicio de las personas de más de cincuenta años de todo el mundo, será poco lo que necesites para dirigirlo.

HENRY FORD (1863-1947), empresario estadounidense

122 *¿Por qué necesitan los niños una protección especial?*

Los niños deben ser apoyados y defendidos con todos los medios. «El niño es el don más grande que hace Dios a la familia, a un pueblo y al mundo» (Madre Teresa). Los niños son el futuro de la humanidad. Por su naturaleza necesitan atención especial. Además, con frecuencia crecen en condiciones físicas que claman al cielo. En muchas partes del mundo carecen de atenciones sanitarias, de una adecuada alimentación, de una mínima escolarización o incluso de hogar. Por si esto fuera poco, persisten escándalos como el tráfico de niños, el trabajo infantil, el fenómeno de «los niños de la calle», su utilización en las guerras, las bodas infantiles y el abuso (sexual). Hay que luchar con determinación a nivel nacional e internacional contra la vulneración de la dignidad de los niños y de las niñas, que se produce mediante la explotación sexual y mediante todas las formas de violencia, y para que se respeten su dignidad y sus derechos.

→ 244, 245 → 435

Todo niño viene con un mensaje al mundo, a saber, que Dios no se ha dejado desanimar por la humanidad.

RABINDRANATH TAGORE (1861-1941), Premio Nobel de Literatura

Los hijos son un regalo del Señor, el fruto del vientre es una recompensa.

SAL 127,3

No hay progreso, ni grandes descubrimientos, mientras haya en la tierra un niño infeliz.

ALBERT EINSTEIN (1879-1955), científico alemán, Premio Nobel de Física

De manera que ya no son dos, sino una sola carne. Que el hombre no separe lo que Dios ha unido.

MT 19,6

¿Están dispuestos a amarse y honrarse mutuamente en su matrimonio durante toda su vida? ¿Están dispuestos a recibir con amor y responsabilidad los hijos que Dios les dé y a educarlos según la Ley de Cristo y de su Iglesia?

RITUAL DEL MATRIMONIO CATÓLICO, preguntas del celebrante a los novios

Es cierto que no te quiero tanto como cuando éramos novios, pero es que a mí nunca me han gustado las mujeres casadas.

PROVERBIO AMERICANO

123 *¿Qué es el matrimonio?*

El matrimonio es la unión de un hombre y de una mujer. Una característica esencial del matrimonio es además la promesa recíproca que se han hecho los dos cónyuges, a saber, amarse incondicionalmente, ser fieles uno al otro y recibir sin condiciones los hijos que Dios les dé. Otro rasgo del matrimonio es su indisolubilidad. Los cónyuges deben amarse y respetarse durante toda la vida y ayudarse y protegerse en todas las circunstancias de su existencia –«en la prosperidad y en la adversidad, en la salud y en la enfermedad», tal como prometen realizar el día de la boda–. Solo la muerte de uno de los cónyuges pone fin al matrimonio.

→ 217, 223 → 2360–2361 → 416

124 *¿Qué significa casarse con alguien?*

Casarse con alguien significa entregarse totalmente a la otra persona: el hombre y la mujer deben vivir recíprocamente todo cuanto les constituyen como personas con cuerpo y alma, y existir el uno para el otro. El matrimonio abarca todos los aspectos de la vida. En él, que es donde tiene su justo lugar el encuentro sexual, se hace fecundo el amor entre el hombre y la mujer. El fin fundamental del matrimonio es llegar a formar una familia con hijos. Desde esta perspectiva, evidentemente, no es posible hablar de un «matrimonio homosexual», aunque por eso no deben los cristianos discriminar a quienes han tomado la decisión de convivir con una persona de su mismo género.

→ 217, 218 → 2362–2363 → 416

El matrimonio es también un trabajo de todos los días, podría decir un trabajo artesanal, un trabajo de orfebrería, porque el marido tiene la tarea de hacer más mujer a su esposa y la esposa tiene la tarea de hacer más hombre a su marido [...] no lo sé, pienso en ti que un día irás por las calles de tu pueblo y la gente dirá: «Mira aquella hermosa mujer, ¡qué fuerte!...». «Con el marido que tiene, se comprende». Y también a ti: «Mira aquel, cómo es». «Con la esposa que tiene, se comprende». [...] Y los hijos tendrán esta herencia de haber tenido un papá y una mamá que crecieron juntos, haciéndose –el uno al otro– más hombre y más mujer.

PAPA FRANCISCO, Discurso a las parejas jóvenes, 14 de febrero de 2014

125 *¿Qué significado tiene el matrimonio para la familia?*

El matrimonio es el fundamento de la familia. Antes incluso de convertirse en un sacramento, y por ello en un gran signo de la salvación de Dios, constituye, según la convicción y la experiencia de la Iglesia, la base óptima para la vida en común de un hombre, de una mujer y de los hijos. Solo dentro del matrimonio se puede garantizar una confianza incondicional que no queda relativizada por la provisionalidad temporal o por otras limitaciones. Proporciona así a todos los miembros de la familia la protección necesaria y adecuadamente humana como también un espacio para el desarrollo.

→ 225 → 1655–1657 → 271

Cuando la gente me pide consejo para una joven pareja en un momento de dificultades en su relación, yo doy siempre la misma respuesta: oren y perdonen. También a los jóvenes de hogares violentos les digo: oren y perdonen. Esto sirve también para las madres solas que no tienen el apoyo de una familia: oren y perdonen.

MADRE TERESA

¿Cómo deben evaluarse otras formas de convivencia?

La Iglesia considera claramente el matrimonio y la familia como la vocación que satisface el anhelo más profundo del hombre y de la mujer. Esto lo subraya con fuerza en la discusión actual con respecto a la creciente separación entre la estrecha conexión de sexualidad y relación interpersonal, de emoción y responsabilidad, de sexualidad y procreación, de convivencia y matrimonio. Sin embargo, la Iglesia se dirige con afecto a quienes viven otras formas de convivencia, e intenta, oportunamente, reconducirlas a un camino que desemboque en la plenitud de la vocación matrimonial.

→ 227–228 → 2390–2391 → 425

> Debemos sentir el dolor del fracaso. Y precisamente en ese momento debemos también acompañar a esas personas que tuvieron ese fracaso en su amor. No hay que «condenar» sino caminar con ellos. [...] detrás de la casuística, detrás del pensamiento casuístico, siempre hay una trampa, siempre. Una trampa, contra la gente, contra nosotros y contra Dios, siempre.
>
> **PAPA FRANCISCO**, meditación diaria en Santa Marta, 28 de febrero de 2014

> Otra característica del contexto cultural en el que vivimos es la propensión de muchos padres a renunciar a su papel para asumir el de simples amigos de sus hijos, absteniéndose de reprensiones y correcciones, incluso cuando serían necesarias para educar en la verdad, aun con gran afecto y ternura. Por tanto, conviene subrayar que la educación de los hijos es un deber sagrado y una tarea solidaria tanto del padre como de la madre: exige el calor, la cercanía, el diálogo y el ejemplo. Los padres están llamados a representar en el hogar al Padre bueno del cielo, el único modelo perfecto en el que se han de inspirar.
>
> **PAPA JUAN PABLO II**, a los participantes en la XV asamblea plenaria del Pontificio Consejo para la Familia, 4 de junio de 1999

> ” Gobernar una nación es más fácil que educar a cuatro niños.
>
> **WISTON CHURCHILL** (1874-1965), ex Primer Ministro británico

¿Forma parte del matrimonio el deseo de tener hijos?

Sí. Al igual que el matrimonio forma parte de la familia, también la familia forma parte del matrimonio. Los dos están relacionados entre sí. Podría decirse sintéticamente: «No hay familia sin matrimonio ni matrimonio sin familia». El matrimonio está ordenado a la familia, es decir, su finalidad es procrear y educar a los hijos y vivir con ellos. Las parejas que desean contraer matrimonio no deben negarse a la procreación desde el inicio de su vida matrimonial. «¿Están ustedes dispuestos a recibir de Dios responsablemente y amoro-

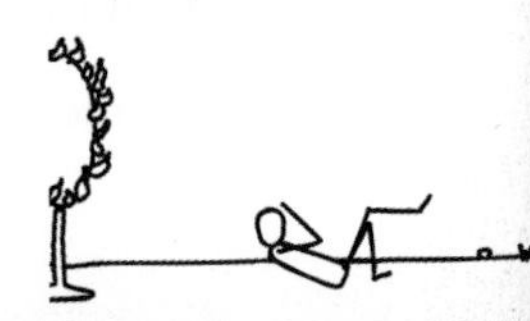

Las legítimas aspiraciones de paternidad de la pareja que sufre una condición de infertilidad deben encontrar, con la ayuda de la ciencia, una respuesta que respete plenamente su dignidad de personas y de esposos.

PAPA BENEDICTO XVI, a los participantes en la Asamblea de la Pontificia Academia para la Vida, 25 de febrero de 2012

La familia atraviesa una crisis cultural profunda, como todas las comunidades y vínculos sociales. En el caso de la familia, la fragilidad de los vínculos se vuelve especialmente grave porque se trata de la célula básica de la sociedad, el lugar donde se aprende a convivir en la diferencia y a pertenecer a otros, y donde los padres transmiten la fe a sus hijos. El matrimonio tiende a ser visto como una mera forma de gratificación afectiva que puede constituirse de cualquier manera y modificarse de acuerdo con la sensibilidad de cada uno. Pero el aporte indispensable del matrimonio a la sociedad supera el nivel de la emotividad y el de las necesidades circunstanciales de la pareja.

PAPA FRANCISCO, EG 66

samente los hijos, y a educarlos según la ley de Cristo y de su Iglesia?», es la pregunta que hace el sacerdote a los contrayentes en la celebración; solo respondiendo afirmativamente se contrae válidamente el matrimonio.

→ 218 → 2373, 2378 → 418, 419

¿Qué pasa cuando un matrimonio no puede tener hijos?

Su matrimonio no es por eso menos «valioso», pues la procreación no es la finalidad única y exclusiva de la unión conyugal. Si la vida matrimonial no puede perfeccionarse mediante los hijos –a menudo vehementemente deseados–, se mantiene con fuerza su carácter indisoluble y su valor como comunión de personas. En este caso, el matrimonio puede adoptar o bien ocuparse especialmente de otros niños (por ejemplo, de los de sus parientes o de sus amigos). Un matrimonio puede ser también «fecundo» abriéndose a personas solas y abandonadas, comprometiéndose socialmente y ofreciendo hospitalidad.

→ 218 → 2374, 2379 → 422, 423

De poder tener hijos, ¿cuántos se deben tener?

Los matrimonios deben recibir los hijos que Dios les conceda. Sin embargo, esto no significa que cada matrimonio deba tener (muchos) hijos de manera irreflexiva. Más bien, en correspondencia con las más recientes doctrinas de la Iglesia, los matrimonios deben tomar la decisión de una maternidad y de una paternidad conscientemente responsable, teniendo en cuenta su situación espiritual, su estado de salud, y su situación económica y social. Por eso deben aprender a entender el lenguaje de su cuerpo, recurriendo así a los métodos de regulación natural de la concepción. La decisión sobre el intervalo entre los nacimientos y sobre el número de hijos corresponde exclusiva-

mente al matrimonio. Es un derecho inalienable que, ante Dios y contando con sus propios deberes, el matrimonio debe ejercer teniendo en cuenta a los hijos ya nacidos, a la familia y a la sociedad.

→ **218, 234** → **2368–2370** → **419, 420, 421**

130 *¿Es lícito que las políticas familiares intenten influir en la decisión de las parejas?*

Sí. Las → POLÍTICAS FAMILIARES pueden intentar promover en mayor o menor medida la procreación, siempre que lo hagan desde la perspectiva de su importancia social y el bien común. No obstante, esto debe realizarse respetando a las personas y la libertad de las parejas. La política puede, e incluso debe, informar sobre la situación demográfica, y puede aprobar medidas para beneficiar (por ejemplo, económicamente) a las familias con hijos. De este modo puede crear alicientes para aumentar la población, pero la decisión última sobre el número de hijos debe tomarla exclusivamente la pareja. Nadie puede privarle de esta libertad de decisión.

→ **234, 235**

131 *¿Por qué el Estado y la sociedad deben hacer algo por la familia?*

Las importantes contribuciones que la familia hace a la sociedad –aunque a menudo pasen desapercibidas

> Como base del desarrollo humano, la familia debe ser el eje de las políticas y programas de desarrollo social, así como de los planes de acción dirigidos a su fortalecimiento y el de sus miembros.
>
> Carta Social de las Américas, Art. 13

POLÍTICAS FAMILIARES están formadas por todas las medidas políticas con las que el Estado mejora las condiciones de la vida de la familia. Según la concepción católica, el Estado tiene el deber de ayudar con todas sus fuerzas subsidiariamente a las familias (= las convivencias duraderas de un padre, una madre y un hijo). Todos los intentos estatales de instrumentalizar a la familia, de desestabilizarla por razones ideológicas o de redefinirla («solo hay familia cuando hay hijos»), están en contra de la doctrina social católica y también del derecho natural.

> Lo que las familias necesitan ante todo no son limosnas ni sobrecargas ni consejos sobre cómo vivir, sino una justa ley tributaria que les posibilite criar a sus hijos con sus propios ingresos.
>
> **JÜRGEN BORCHERT** (1949), juez alemán de bienestar social

y sin ser valoradas como merecen– forman parte de su singularidad. El deber del Estado y de la sociedad con respecto a la familia deriva del hecho de que esta es la unidad más pequeña e irrenunciable de la sociedad. En este contexto se ubican las políticas familiares estatales. El Estado libre depende necesariamente de la decisión de los padres potenciales; pero esta decisión no puede forzarla de ningún modo, pues corresponde a los ciudadanos totalmente libres. Por consiguiente, el Estado pone su futuro en las manos de los ciudadanos que son legítimamente libres (Paul Kirchhof). Las encuestas confirman que los ciudadanos siguen teniendo un enorme aprecio por la familia. Las políticas familiares estatales intentan hacer posible, con una adecuada configuración de las bases necesarias, que los ciudadanos puedan decidirse a fundar una familia teniendo en cuenta las condiciones sociales y políticas actuales.

> La sociedad humana se parece a una bóveda, que se derrumbaría si cada una de las piedras que la forman no se apoyaran entre sí.
>
> **LUCIO ANNEO SÉNECA**

> La niñez hoy en día debe ser destinataria de una acción prioritaria de la Iglesia, de la familia y de las instituciones del Estado, tanto por las posibilidades que ofrece, como por la vulnerabilidad a la que se encuentra expuesta.
>
> **APARECIDA,** 438

→ 238

132 *¿Qué pueden hacer el Estado y la sociedad por la familia?*

Ante todo es importante que tanto la sociedad como el Estado reconozcan a la familia como algo especial y central, y que, en consecuencia, la protejan y la apoyen en su singularidad. Esto se inicia fortaleciendo la convivencia en confianza en el seno de la familia, pero también incluyendo el respeto a la vida humana en cada una de sus fases, especial-

mente antes de ser alumbrada. Cuando se habla de la protección y del apoyo a la familia por parte del Estado, nunca debe entenderse que la sociedad o el Estado se apropia, por razones económicas o ideológicas, de las tareas propias de la familia o que incluso las reduce completamente quitándole importancia a su dimensión social. Más bien, la finalidad de las políticas familiares debe ser hacer posible, en el sentido del principio de subsidiaridad, que sean adecuadamente defendidas en sus competencias propias.

→ 252, 253, 254 → 2211 → 323, 370

133 *¿Qué significa concretamente «políticas familiares en el sentido del principio de subsidiaridad»?*

Según el principio de subsidiaridad, el Estado, por ejemplo, no puede quitarles a los padres el derecho de educar a sus hijos, puesto que es una tarea propiamente suya. Más bien, el Estado debería proporcionarles toda la ayuda que necesitan en sus condiciones de vida, de trabajo y de enseñanza. Para que exista una verdadera libertad de elección es determinante la configuración de la reciprocidad entre los cónyuges con respeto al reparto del trabajo en el seno de la familia y del trabajo remunerado. Tampoco puede reemplazarse la particular función de la familia en la educación y la formación de los hijos con guarderías y escuelas ni con otras agrupaciones sociales; estas instituciones, más bien, deben servir de apoyo y complemento a la educación propia de los padres. El principio de subsidiaridad subraya de igual modo la responsabilidad propia de cada ser humano y de la familia. Esto significa que las familias, además de intervenir en las instituciones políticas y sociales, pueden y deben agruparse para abogar por sus derechos y fortalecerlos.

→ 247 → 2211, 2252 → 323

» En todas las maneras concebibles, la familia es un vínculo con nuestro pasado y nuestro puente hacia el futuro.

ALEX HALEY (1921-1992), escritor estadounidense

» Las familias tienen el derecho de formar asociaciones con otras familias e instituciones, con el fin de cumplir la tarea familiar de manera apropiada y eficaz, así como defender los derechos, fomentar el bien y representar los intereses de la familia. En el orden económico, social, jurídico y cultural, las familias y las asociaciones familiares deben ver reconocido su propio papel en la planificación y el desarrollo de programas que afectan a la vida familiar.

Pontificio Consejo para la Familia, Carta de los Derechos de la Familia, 22 de octubre de 1983

» La familia es el elemento natural y fundamental de la sociedad y tiene derecho a la protección de la sociedad y del Estado.

Declaración Universal de los Derechos Humanos, art. 16, sec. 3

Documentos más importantes de la Iglesia

LA FAMILIA

Rerum Novarum

Derecho fundamental a la familia

No hay ley humana que pueda quitar al hombre el derecho natural y primario de casarse, ni limitar, de cualquier modo que sea, la finalidad principal del matrimonio, instituido en el principio por la autoridad de Dios: «Sean fecundos y multiplíquense». He aquí, pues, la familia o sociedad doméstica, bien pequeña, es cierto, pero verdadera sociedad y más antigua que cualquiera otra, la cual es de absoluta necesidad que tenga unos derechos y unos deberes propios, totalmente independientes de la potestad civil.

Papa León XIII, Encíclica *Rerum Novarum* (1891), 9

Pacem in Terris

Derecho a la familia

Por lo que toca a la familia, la cual se funda en el matrimonio libremente contraído, uno e indisoluble, es necesario considerarla como la semilla primera y natural de la sociedad humana. De lo cual nace el deber de atenderla con suma diligencia tanto en el aspecto económico y social como en la esfera cultural y ética; todas estas medidas tienen como fin consolidar la familia y ayudarla a cumplir su misión. A los padres, sin embargo, corresponde antes que a nadie el derecho de mantener y educar a los hijos.

Papa Juan XXII, Encíclica *Pacem in Terris* (1963), 16-17

Familiaris Consortio

Las familias de hoy

Por una parte existe una conciencia más viva de la libertad personal y una mayor atención a la calidad de las relaciones interpersonales en el matrimonio, a la promoción de la dignidad de la mujer, a la procreación responsable, a la educación de los hijos; se tiene además conciencia de la necesidad de desarrollar relaciones entre las familias, en orden a una ayuda recíproca espiritual y material, al conocimiento de la misión eclesial propia de la familia, a su responsabilidad en la construcción de una sociedad más justa. Por otra parte no faltan, sin embargo, signos de preocupante degradación de algunos valores fundamentales: una equivocada concepción teórica y práctica de la independencia de los cónyuges entre sí; las graves ambigüedades acerca de la relación de autoridad entre padres e hijos; las dificultades concretas que con frecuencia experimenta la familia en la transmisión de los valores; el número cada vez mayor de divorcios, la plaga del aborto, el recurso cada vez más frecuente a la esterilización, la instauración de una verdadera y propia mentalidad anticoncepcional.

Papa Juan Pablo II, Exhortación apostólica *Familiaris Consortio* (1981), 6

Centesimus Annus

Ecología humana y familia

La primera estructura fundamental a favor de la «ecología humana» es la familia, en cuyo seno el hombre recibe las primeras nociones sobre la verdad y el bien; aprende qué quiere decir amar y ser amado, y por consiguiente qué quiere decir en concreto ser una persona. Se entiende aquí la familia fundada en el matrimonio, en el que el don recíproco de sí por parte del hombre y de la mujer crea un ambiente de vida en el cual el niño puede nacer y desarrollar sus potencialidades, hacerse consciente de su dignidad y prepararse a afrontar su destino único e irrepetible.

Papa Juan Pablo II, Encíclica *Centesimus Annus* (1991), 39

Centesimus Annus

¡Superemos el individualismo!

Para superar la mentalidad individualista, hoy día tan difundida, se requiere un compromiso concreto de solidaridad y caridad, que comienza dentro de la familia con la mutua ayuda de los esposos y, luego, con las atenciones que las generaciones se prestan entre sí. De este modo la familia se cualifica como comunidad de trabajo y de solidaridad. Pero ocurre que cuando la familia decide realizar plenamente su vocación, se puede encontrar sin el apoyo necesario por parte del Estado, que no dispone de recursos suficientes. Es urgente, entonces, promover iniciativas políticas no solo en favor de la familia, sino también políticas sociales que tengan como objetivo principal a la familia misma, ayudándola mediante la asignación de recursos adecuados e instrumentos eficaces de ayuda, bien sea para la educación de los hijos, bien sea para la atención de los ancianos, evitando su alejamiento del núcleo familiar y consolidando las relaciones entre las generaciones.

Papa Juan Pablo II, Encíclica *Centesimus Annus* (1991), 49

Laudato si'

La familia: un lugar de la formación integral

En la familia se cultivan los primeros hábitos de amor y cuidado de la vida, como por ejemplo el uso correcto de las cosas, el orden y la limpieza, el respeto al ecosistema local y la protección de todos los seres creados. La familia es el lugar de la formación integral, donde se desenvuelven los distintos aspectos, íntimamente relacionados entre sí, de la maduración personal. En la familia se aprende a pedir permiso sin avasallar, a decir «gracias» como expresión de una sentida valoración de las cosas que recibimos, a dominar la agresividad o la voracidad, y a pedir perdón cuando hacemos algún daño. Estos pequeños gestos de sincera cortesía ayudan a construir una cultura de la vida compartida y del respeto a lo que nos rodea.

Papa Francisco, Encíclica *Laudato si'* (2015), 213

PREGUNTAS
134–157

Profesión y vocación

EL TRABAJO HUMANO

Elige una profesión que te guste y no necesitarás trabajar más ningún día de tu vida.

PROVERBIO ASIÁTICO

El trabajo no es un mero apéndice de la vida, sino que «constituye una dimensión fundamental de la existencia del hombre en la tierra», por la cual el hombre y la mujer se realizan a sí mismos como seres humanos. El trabajo garantiza la dignidad y la libertad del hombre, es probablemente «la clave esencial de toda "la cuestión social"».

APARECIDA, 120

En el comienzo mismo del trabajo humano se encuentra el misterio de la creación.

PAPA JUAN PABLO II, LE 12

El trabajo ennoblece a los seres humanos.

OSWALD VON NELL-BREUNING (1890-1991), teólogo católico

134 *¿Qué significa el trabajo para el ser humano?*

Para muchas personas poder trabajar y tener un trabajo, para poder producir algo para sí mismas y para las demás, es una gran suerte. Estar desempleado o no ser útil arrebata al ser humano la dignidad. Mediante el trabajo despliega el ser humano sus talentos y capacidades y participa en el desarrollo económico, social y cultural. El trabajo tiene una gran función en el plan de Dios. Él encargó al ser humano que sometiera la tierra (Gn 1,28), que la cuidara y la conservara. El trabajo puede ser un valioso servicio para los demás. Y es más: el ser humano se asemeja a Dios cultivando sosteniblemente la tierra y desarrollando creativamente sus posibilidades. Hacer bien los trabajos más sencillos nos une a Jesús, que también fue un trabajador.

→ 275, 287 → 2427-2428 → 444

135 *¿Es el trabajo un castigo de Dios?*

Una y otra vez se lee que el trabajo es un castigo de Dios por el pecado original de Adán, pero no es verdad. Según el relato bíblico de la creación, el trabajo forma parte de la naturaleza del ser humano como ser creado. En Gn 2,15, Dios ordena al ser humano cultivar y cuidar del jardín del Edén. Pero después de que Adán y Eva infringieran el mandato de Dios comiendo «del árbol del conocimiento del bien y del mal» (Gn 2,17), por tanto, después del pecado original, Dios maldijo el suelo sobre el que deben trabajar los seres humanos. Desde entonces, el suelo es árido, y el ser humano debe trabajar duro para alimentarse a sí mismo y a su familia. Desde la perspectiva de la Biblia, el trabajo no es un castigo en sí mismo, sino el esfuerzo que implica, como consecuencia del pecado original.

255s 307 50, 66

136 *¿Existe el deber de trabajar?*

Dios creó la tierra y se la confió al ser humano como un don valioso. Desde la perspectiva bíblica, el trabajo humano es la respuesta adecuada y agradecida del ser humano al don recibido. Cuando las personas ejercen su profesión como también cuando siendo niños y jóvenes se preparan primero en la escuela y después en el instituto para ejercer un trabajo, no solo lo hacen para poder ganarse la vida, sino también para poder contribuir al buen desarrollo del mundo. En cierto modo, así es como el ser humano participa en la obra creadora de Dios.

264–266, 274 2427–2428, 2460 440

137 *¿Cómo vio Jesús el trabajo?*

Jesús fue «semejante en todo a nosotros menos en el pecado» (Concilio de Calcedonia 451; cf. Heb 4,14; CIC 467). Vivió entre pescadores, agricultores y artesanos, y él mismo se sometió al aprendizaje de un oficio trabajando como carpintero en el taller de José hasta que cumplió treinta años. En sus parábolas usa imágenes de la actividad económica. En su predica-

Se les preguntó a tres canteros qué estaban haciendo. El primero respondió: «Tallo una piedra». El segundo respondió: «Estoy haciendo una ventana ojival». Y el tercer respondió: «¡Estoy construyendo una catedral!».

ANÓNIMO

Si te tocara en la vida barrer calles, bárrelas como Miguel Ángel pintaba. Bárrelas como Beethoven componía música. Bárrelas como escribía Shakespeare. Bárrelas tan bien que todas las muchedumbres celestiales y terrenales tengan que detenerse y decir: «Aquí vivió un gran barrendero, que hizo bien su tarea».

MARTIN LUTHER KING

El alma se nutre de lo que se alegra.

SAN AGUSTÍN

El trabajo es una necesidad, parte del sentido de la vida en esta tierra, camino de maduración, de desarrollo humano y de realización personal.

PAPA FRANCISCO, LS 128

> El Señor no mira tanto la magnitud de las obras, sino el amor con el que se hacen.
>
> **TERESA DE JESÚS** (1515-1582), carmelita española, mística y Doctora de la Iglesia

> El trabajo es un bien del hombre –es un bien de su humanidad–, porque mediante el trabajo el hombre no solo transforma la naturaleza adaptándola a las propias necesidades, sino que se realiza a sí mismo como hombre, es más, en un cierto sentido «se hace más hombre».
>
> **PAPA JUAN PABLO II,** LE 9

> Si el trabajo lo fuera todo, entonces carecería de sentido la vida de los discapacitados, de los ancianos y también de los niños.
>
> **NORBERT BLÜM** (1935), político alemán

ción alaba al sirviente que trabaja con sus talentos, mientras que condena al sirviente perezoso que entierra su talento en la tierra (Mt 25,14-30). En la escuela, en el instituto y en la profesión se manifiesta a menudo el trabajo como un deber que cuesta esfuerzo realizar. En este contexto, aprendemos de Jesús a cargarnos, junto con él, nuestra cruz de cada día y a seguirle a él, que también cargó con su cruz para redimirnos.

→ **259, 263** → **2427** → **85, 494**

138 *¿Qué relación tiene el trabajo y el éxito profesional con el fin verdadero de la vida humana?*

El trabajo *es parte* de la vida, pero *no es* la vida del ser humano. Es una diferencia importante. Actualmente, sobre todo en los países desarrollados, hay muchas personas que parecen vivir solamente para su trabajo. El trabajo es para ellos como una adicción, por eso se les llama «adictos al trabajo». Jesús nos advierte del riesgo de caer en la esclavitud del trabajo. El fin de la vida humana no es acumular dinero o alcanzar la gloria humana, sino lograr la vida eterna junto a Dios mediante la oración, la participación en

el culto y el amor diario al prójimo. Siempre y cuando el trabajo del ser humano esté sometido a este fin, podemos decir que vivimos como cristianos. Pero cuando el trabajo se convierte en un fin en sí mismo y oscurece el verdadero fin de nuestra humanidad, se le está atribuyendo una importancia totalmente falsa. No obstante, hay muchas personas que tienen que desempeñar varias ocupaciones y trabajar duro para poder alimentar a su familia. Si lo hacen como un servicio a la familia, entonces lo realizan en el sentido querido por Dios.

→ 260 → 2426–2428 → 47, 444

139 *¿Qué relación existe entre el mandamiento del descanso dominical y el trabajo?*

El mandamiento del descanso dominical (o sabático) es la cima y el culmen de la enseñanza bíblica sobre el trabajo. Con la interrupción del trabajo y la celebración de la santa misa el domingo, dirige el ser humano su mirada al verdadero fin de su vida. El descanso dominical, en este sentido, es también un baluarte contra la esclavitud (libre o forzada) del ser humano mediante el trabajo. El mandamiento del descanso se introdujo para servir a dos fines: dejar tiempo libre al

> El trabajo templa el espíritu.
>
> **LEMA DE MONTERREY,** México

> No acumulen tesoros en la tierra, donde la polilla y la herrumbre los consumen, y los ladrones perforan las paredes y los roban. Acumulen, en cambio, tesoros en el cielo, donde no hay polilla ni herrumbre que los consuma, ni ladrones que perforen y roben. Allí donde esté tu tesoro, estará también tu corazón.
>
> **MT 6,19-21**

> El trabajo no te impide que enseñes el arcoíris a tu hijo. Pero el arcoíris no espera a que tú hayas terminado el trabajo.
>
> **PROVERBIO CHINO**

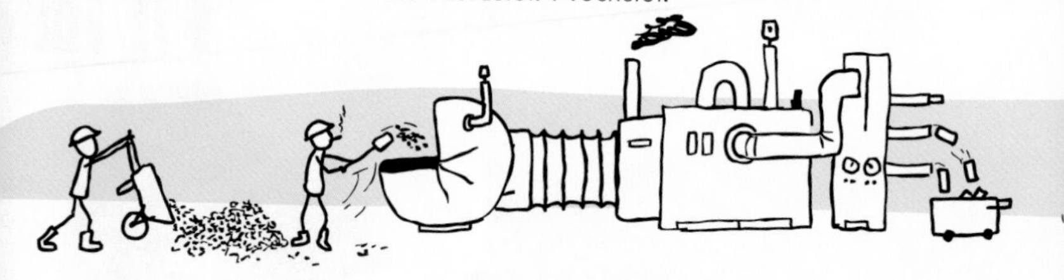

ser humano para dar culto a Dios y también para protegerle, sobre todo a los pobres, de la explotación de sus patrones.

258 2185–2188 47

¿Qué nos cuesta el domingo? Esta pregunta constituye ya un atentado contra el domingo, pues este es precisamente domingo porque no cuesta nada y, en el sentido económico, no produce nada. La pregunta sobre qué cuesta su protección como día festivo implica que lo hemos convertido mentalmente en un día laboral.

ROBERT SPAEMANN (1927), *Límites: Acerca de la dimensión ética del actuar* (2003)

Pedimos mano de obra y llegaron personas.

MAX FRISCH (1911-1991), sobre el problema de los «trabajadores inmigrantes»

140 *¿Qué es la «cuestión obrera»?*

La industrialización y la expansión de la economía de libre mercado provocó en el siglo XIX un rápido desarrollo técnico y económico nunca conocido anteriormente en Europa. Fueron innumerables las personas que, buscando una vida mejor, abandonaron los lugares pobres donde vivían para instalarse en las ciudades industriales que crecían vertiginosamente y trabajar en las modernas fábricas. Sin embargo, sus esperanzas se veían frustradas con demasiada frecuencia. En la fase inicial de la industrialización muchos obreros de las fábricas sufrieron condiciones laborales y salariales monstruosas. Ellos y sus familias tenían muy poco para vivir y mucho para morir. Aún no existía una seguridad social que se hiciera cargo de los desempleados, de los que tenían un accidente o sufrían una enfermedad. Surgió un nuevo estrato o clase social: el proletariado, al que se excluyó del creciente bienestar económico y al que, socialmente hablando, se le hizo depender del resto de la sociedad.

267 2427–2428, 2460 438–439

Estamos firmemente convencidos de que se ha producido un tremendo error en la concepción cristiana de lo social, pues actualmente o bien no se ha esforzado absolutamente nada por los trabajadores o se les ha tergiversado completamente.

ADOLPH KOLPING

141 ¿Cómo surgió la doctrina social de la Iglesia?

Con el desarrollo de su doctrina social intentó la Iglesia reaccionar a los desafíos de la cuestión obrera. Ya en los comienzos de la industrialización hubo notables personalidades que se ocuparon de esta cuestión, como el obispo de Maguncia Wilhelm Emmanuel von Ketteler (1811-1877). En la primera encíclica social *Rerum novarum*, en 1891, el papa León XIII condenó la división de la sociedad en clases sociales y denunció las condiciones laborales y salariales de aquel momento como una vulneración de la dignidad humana y de los derechos humanos sociales. El Papa exigía que se les diera a los obreros su parte justa en el bienestar económico creciente, y advirtió con insistencia de los peligros de una lucha de clases.

→ 267, 268 → 2419-2423 → 438–439

> La cuestión social roza el *depositum fidei*.
>
> **WILHELM EMMANUEL VON KETTELER** (1811-1877), obispo alemán

> Es mal capital, en la cuestión que estamos tratando, suponer que una clase social sea espontáneamente enemiga de la otra, como si la naturaleza hubiera dispuesto a los ricos y a los pobres para combatirse mutuamente en un perpetuo duelo.
>
> **PAPA LEÓN XIII**, RN 14

142 ¿Qué diferencia existe en la doctrina social de la Iglesia y el marxismo?

También Karl Marx (1818-1883) desarrolló su teoría del comunismo como una reacción a la cuestión obrera. Pero para él la respuesta residía en la necesidad de una lucha de clases entre el proletariado y la burguesía. Había que expropiar por la fuerza los bienes de la burguesía e instaurar una dictadura del proletariado. La ideología comunista ha provocado un inconcebible sufrimiento a la humanidad durante el siglo XX. La Iglesia se percató desde el principio de los peligros del comunismo y condenó con contundencia la doctrina de la lucha de clases. En su lugar, la doctrina social y el movimiento social cristiano abogaron y abogan

> El opio del pueblo no es la religión, sino la revolución.
>
> **SIMONE WEIL** (1909-1943), filósofa francesa

> Esa miseria, como hecho colectivo, es una injusticia que clama al cielo.
>
> **MEDELLÍN**, Justicia, n. 1

> Las fuentes de la dignidad del trabajo deben buscarse principalmente no en su dimensión objetiva, sino en su dimensión subjetiva.
>
> **PAPA JUAN PABLO II,** LE 6

por una justa compensación de intereses entre las diferentes partes que intervienen en el ámbito socio-económico.

→ 88–90 → 2424–2425 → 439

143 ¿Qué diferencia existe entre la dimensión «objetiva» y «subjetiva» del trabajo?

Los economistas hablan de la productividad laboral de una empresa o también de un individuo. La doctrina social de la Iglesia diferencia entre esta dimensión económica «objetiva» y la dimensión «subjetiva» del trabajo. Con esta se refiere a la dignidad inherente de cada trabajo porque es realizado por un ser humano. El papa Juan Pablo II describe esta perspectiva sobre los seres humanos con su inalienable dignidad como *sujetos del trabajo* como «el centro fundamental y permanente de la doctrina cristiana sobre el trabajo humano» (LE 6). Por esta razón nunca debemos considerar arrogantemente los supuestos trabajos «inferiores», para los que no se requiere una formación especial o una cualificación determinada.

> La finalidad del trabajo, de cualquier trabajo realizado por el hombre –aunque fuera el trabajo «más corriente», más monótono en la escala del modo común de valorar, e incluso el que más margina– permanece siempre el hombre mismo.
>
> **PAPA JUAN PABLO II,** LE 6

→ 270–271

144 ¿Qué significa el principio de «la prioridad del trabajo frente al capital»?

De la dimensión subjetiva del trabajo surge también el «principio de la prioridad del trabajo frente al capital» (LE 12), puesto que el hombre posee el capital como un objeto externo a él, pero, por el contrario, el trabajo no puede separarse del ser humano que lo realiza y de su dignidad. Ninguna exigencia relativa a los intereses del capital, a las necesidades de la competencia o la dureza de la globalización, puede justificar la existencia de unas condiciones laborales y salariales que humillen y exploten al ser humano.

> Quisiera recordar a todos, en especial a los gobernantes que se ocupan en dar un aspecto renovado al orden económico y social del mundo, que el primer capital que se ha de salvaguardar y valorar es el hombre, la persona en su integridad.
>
> **PAPA BENEDICTO XVI,** CiV 25

→ 277 → 2426 → 442, 445

145 ¿Qué quiere decir la doctrina social de la Iglesia cuando exige la participación de los trabajadores?

El núcleo de la cuestión obrera se encuentra en la escasa participación social de los obreros en el bienestar económico logrado por la industrialización y la economía de mercado. En las primeras fases de la industrialización se trataba frecuentemente a los trabajadores de las fábricas como «máquinas humanas» y se les marginaba socialmente. Actualmente encontramos una situación idéntica en los países en vías de desarrollo o emergentes. Ante esta situación, una de las exigencias centrales de la doctrina social de la Iglesia fue y sigue siendo la participación real de los trabajadores. Se trata, por un lado, de una participación en la empresa, donde los trabajadores deben poder cooperar en su puesto de trabajo. Y, por otro lado, de una participación social en la sociedad y el Estado, donde los trabajadores deben poder vivir como ciudadanos con todos los derechos y los deberes.

→ 281 → 2423

La paz social, objetivo de toda sociedad, se consigue poniendo al individuo en mejores condiciones para resistir que para atacar.

JOSÉ EUSEBIO CARO IBÁÑEZ, poeta y escritor colombiano

La propiedad de los medios de producción, tanto en el campo industrial como agrícola, es justa y legítima cuando se emplea para un trabajo útil; pero resulta ilegítima cuando no es valorada o sirve para impedir el trabajo de los demás u obtener unas ganancias que no son fruto de la expansión global del trabajo y de la riqueza social, sino más bien de su compresión, de la explotación ilícita, de la especulación y de la ruptura de la solidaridad en el mundo laboral. Este tipo de propiedad no tiene ninguna justificación y constituye un abuso ante Dios y los hombres.

PAPA JUAN PABLO II, CA 43

El estar sin trabajo durante mucho tiempo, o la dependencia prolongada de la asistencia pública o privada, mina la libertad y la creatividad de la persona y sus relaciones familiares y sociales, con graves daños en el plano psicológico y espiritual.

PAPA BENEDICTO XVI, CiV 25

¿Cómo debe ser la relación entre trabajo y propiedad privada?

Karl Marx y Friedrich Engels escriben en el *Manifiesto comunista* de 1848 que el programa del comunismo podía resumirse «en una expresión: la abolición de la propiedad privada». En contra de esta tesis, la Iglesia ha defendido siempre, en su doctrina social, el derecho a la propiedad privada. Al mismo tiempo, no obstante, ha subrayado que Dios creó la tierra y sus bienes para provecho de *todos* los seres humanos. La doctrina social se refiere a esto con la expresión «la disposición común de los bienes de la tierra». De aquí surge el principio de la *responsabilidad social de la propiedad*, según el cual no se debe utilizar la propiedad de forma puramente egoísta, sino que debe usarse para el bien de todos. Cabe aplicarlo ante todo a la relación entre propiedad y trabajo: las inversiones deben estar al servicio de la creación de nuevos puestos de trabajo y al aumento del bien común.

→ 282 → 2402–2406 → 426–427

”Una sociedad humana que aspira a ser justa tiene que suministrar las mismas oportunidades de ambiente físico, cultural y social a todos sus componentes. Si no lo hace, estará creando desigualdades artificiales.

HÉCTOR ABAD GÓMEZ (1921-1987), médico, ensayista y político colombiano

¿Existe el derecho al trabajo?

El trabajo remunerado es la fuente más importante de ingresos, y con frecuencia la única, para la mayoría de las personas. Pero no solo es importante por esto: el trabajo es una dimensión esencial de la autorrealización humana y de la participación social. Y, a la inversa, el desempleo significa mucho más que la mera pérdida material de ingresos. El desempleo produce con frecuencia aislamientos, falta de autoestima, menosprecio social y enfermedad. Por eso la doctrina social de la Iglesia habla de un derecho *moral* al trabajo. Todas las fuerzas sociales –empresas, sindicatos, partidos políticos– tienen el deber de que se cumpla este derecho al trabajo y de perseguir el objetivo del pleno empleo.

Dejar de invertir en las personas para obtener un mayor rédito inmediato es muy mal negocio para la sociedad.

PAPA FRANCISCO, LS 128

→ 155–156, 268 → 2433–2434 → 444

148 ¿Qué sucede con quienes se encuentran en situaciones laborales precarias?

Los cristianos están llamados a cuidar a quien pasa necesidad, como lo hizo Cristo. La necesidad es especial en el caso de aquellos trabajadores que son dejados al margen de la sociedad por «condiciones laborales precarias» o al convertirse en mano de obra barata (salarios insuficientes en los segmentos inferiores). Así pues, el trabajo es precario cuando el salario se encuentra por debajo del salario medio, cuando las personas no pueden planificar más su futuro y cuando se reducen los derechos de protección de los trabajadores. Las personas tienen derecho a un trabajo y a una remuneración justa. Esto vale también para los jornaleros y los migrantes. A todos se nos exige actuar cuando el mercado presiona contra unas relaciones salariales justas con el fin de sustituirlas por un jornal precario. El Estado puede y debe proporcionar un marco de condiciones en el que los empresarios ofrezcan trabajo, por ejemplo, mediante la creación de un «segundo mercado de trabajo» en el que se haga un trabajo socialmente necesario independientemente del mercado. Ahora bien, todas estas medidas deben realizarse según el principio de subsidiaridad, es decir, son medidas transitorias que tienen que conducir al primer mercado laboral y nunca entrar en competencia con este.

→ 273, 274 → 1940, 2434 → 444, 447

> Lo que se nos avecina es el panorama de una sociedad laboral en la que desaparecerá el trabajo, por consiguiente, la única actividad desde la que aún se comprende. ¿Qué podría ser más funesto que esto?
>
> **HANNAH ARENDT**

> La crónica y generalizada situación de desempleo afecta la estabilidad familiar, ya que la necesidad de trabajo obliga a la emigración, al ausentismo de los padres, a la dispersión de los hijos.
>
> **PUEBLA**, 576

> Mi «gratitud» a las mujeres se convierte pues en una llamada apremiante, a fin de que por parte de todos, y en particular por parte de los Estados y de las instituciones internacionales, se haga lo necesario para devolver a las mujeres el pleno respeto de su dignidad y de su papel.
>
> **PAPA JUAN PABLO II**, Carta a las mujeres, 1995, 6

149 ¿Qué relación existe entre el trabajo y la vida familiar?

Con frecuencia se tiene la impresión de que las exigencias del mundo laboral se oponen irreconciliablemente a las de la vida familiar. Sin embargo, es el trabajo el que aporta los fundamentos materiales y morales para crear la vida de la familia. El salario asegura el sustento de la familia y, con su trabajo, los padres son un modelo importante para la formación de

> La prueba para saber si puedes o no hacer un trabajo no debería ser la organización de tus cromosomas.
>
> **BELLA ABZUG** (1920-1998), política estadounidense

> El respeto de los derechos de los trabajadores, la igualdad de oportunidades en el empleo y la mejora de las condiciones de trabajo son elementos esenciales para lograr la prosperidad. La cooperación y el diálogo social entre representantes de los gobiernos, los trabajadores, empleadores y otras partes interesadas promueven una buena gestión y una economía estable.
>
> Carta Social de las Américas, Art. 8

los hijos. Sin embargo, a muchas personas no les resulta fácil compaginar la familia y la profesión. Esto sucede especialmente en las familias en las que tanto el padre como la madre quieren o deben realizar cada uno su propia profesión. Los empresarios, los sindicatos y los políticos deben esforzarse conjuntamente por desarrollar un nuevo modelo flexible del trabajo remunerado, que posibilite una mejor conciliación entre profesión y familia.

→ 294

150 ¿Qué dice la doctrina social sobre el tema de las mujeres y el mundo laboral?

En los países desarrollados de Occidente está ampliamente extendida la emancipación de la mujer. Es algo que la Iglesia celebra y apoya. Las mujeres deben desempeñar en todos los ámbitos de la vida social su función con los mismos derechos que los

hombres. El requisito para ello, no obstante, es que debe prestarse atención a la situación específica de las mujeres. En particular las mujeres que están embarazadas y son ya madres necesitan una protección especial del ordenamiento jurídico y de toda la sociedad. De un modo muy específico esto se aplica al mundo laboral. Sin embargo, esto es algo que aún no sucede en muchas partes del mundo. Las mujeres están expuestas en muchos lugares a una discriminación y a una explotación denigrantes. El Estado, la sociedad y la Iglesia deben oponerse contundentemente a esta injusticia.

→ 295 → 2433

> No hemos heredado la tierra de nuestros antepasados para hacer con ella lo que queramos. La tenemos en préstamo por nuestros hijos y debemos tratarla con cuidado en favor de ellos, y no actuar como si nos perteneciera.
>
> **MOSES HENRY CASS** (1927), político australiano

Pero si alguien escandaliza a uno de estos pequeños que creen en mí, sería preferible para él que le ataran al cuello una piedra de moler y lo hundieran en el fondo del mar. **MT 18,6**

151 ***¿Qué dice la doctrina social sobre el trabajo infantil?***

Al principio de la industrialización, la explotación de los niños en el trabajo supuso uno de los mayores escándalos en Norteamérica y Europa. Aún hoy está extendido el trabajo de niños en los países emergentes y en vías de desarrollo. A menudo las familias se ven obligadas por mera subsistencia a hacer que sus hijos realicen un trabajo remunerado. Por eso el objetivo debe ser crear en todo el mundo unas condiciones sociales que ofrezcan a todas las familias una existencia segura sin que los niños tengan que contribuir a los ingresos familiares. En ninguna circunstancia debe tolerarse el trabajo infantil, que provoca daños en el desarrollo mental y corporal de los niños. La explotación y la esclavización de los niños es una injusticia que clama al cielo.

→ 296

La juventud que trabaja en las fábricas pierde, por ser privada de la educación, no solo un mero medio de sustento económico para el futuro, sino que la misma humanidad se ve quebrantada en estos jóvenes abandonados y esclavos de la industria, que nunca podrán aspirar al espacio luminoso de un desarrollo intelectual libre.

FRANZ JOSEPH VON BUSS (1803-1878). 1837, opinión expresada 11 años antes de la publicación de *El capital* por Karl Marx, en su obra *Fabrikrede*

Los emigrantes no rompen tan frecuentemente las leyes; más bien, son las leyes las que rompen a los emigrantes.

HERNANDO DE SOTO (1941), economista peruano

¿Cómo abordamos debidamente el fenómeno de la emigración por motivos de trabajo?

Actualmente existen grandes desequilibrios entre países y regiones pobres y ricas. Por eso muchas personas abandonan su lugar de origen para buscar trabajo en grandes centros urbanos o en otros países. A estas personas se les llama emigrantes laborales. Cuando un país se decide a acoger a emigrantes laborales, estos no pueden tratarse como una fuerza laboral de segunda clase. En modo alguno pueden ser víctimas de la explotación, sino que deben tener en su vida laboral los mismos derechos y los mismos sueldos que los trabajadores autóctonos. En particular, hay que procurar garantizar el derecho a la reunificación de las familias de los trabajadores emigrantes. El Estado, la economía y la sociedad tienen la obligación de esforzarse para conseguir la integración plena de estos emigrantes en la sociedad.

→ **297s** → **2241**

¿Cómo reacciona la doctrina social ante los cambios radicales que se están produciendo mundialmente en el sector agrario?

Más que cualquier otro sector económico, la agricultura marca especialmente la naturaleza y la cultura de una sociedad. Por eso es también importante para los países industrializados mantener una agricultura sostenible. En la mayoría de los países, el sector agrario es con creces, ahora como antes, el sector económico más importante. En él trabaja también el mayor número de personas. Esto se comprueba sobre todo en los países y las regiones pobres del planeta. A menudo, el problema fundamental se encuentra en que la tierra de cultivo está en manos de unos pocos latifundistas. Si estos grandes latifundios llevan a una explotación de la población agrícola y perjudican al desarrollo de una política económica positiva, la doctrina social de la Iglesia está de acuerdo con una reforma agraria y con una re-

Él [Dios] hace justicia al huérfano y a la viuda, ama al extranjero y le da ropa y alimento. También ustedes amarán al extranjero, ya que han sido extranjeros en Egipto.

DT 10,18-19

El trabajo del campo conoce no leves dificultades, tales como el esfuerzo físico continuo y a veces extenuante, la escasa estima en que está considerado socialmente hasta el punto de crear entre los hombres de la agricultura el sentimiento de ser socialmente unos marginados, hasta acelerar en ellos el fenómeno de la fuga masiva del campo a la ciudad y desgraciadamente hacia condiciones de vida todavía más deshumanizadoras.

PAPA JUAN PABLO II, LE 21

Hay una gran variedad de sistemas alimentarios campesinos y de pequeña escala que sigue alimentando a la mayor parte de la población mundial, utilizando una baja proporción del territorio y del agua, y produciendo menos residuos, sea en pequeñas parcelas agrícolas, huertas, caza y recolección silvestre o pesca artesanal. [...] Las autoridades tienen el derecho y la responsabilidad de tomar medidas de claro y firme apoyo a los pequeños productores y a la variedad productiva.

PAPA FRANCISCO, LS 129

> Deberíamos dejar en herencia una Tierra en la que también puedan vivir los que vienen después de nosotros... La Tierra no solo está formada por raíles y carreteras, sino también por tierras de cultivo, etc. Debe darse una compensación entre las necesidades de los agricultores y las de los que construyen carreteras. Tiene que haber justicia entre los usuarios de la tierra.

PETER TURKSON (1948), cardenal y expresidente del Pontificio Consejo «Justicia y Paz», entrevista del 24 de enero de 2013

distribución de la tierra. Estas medidas deben realizarse de acuerdo con un marco jurídico justo. La injusticia anterior no puede combatirse con una nueva injusticia.

→ 299s

> Los débiles buscan siempre el derecho y la igualdad, pero a los poderosos no les importan.

ARISTÓTELES

154 *¿Por qué debe existir una legislación laboral específica?*

En una economía de mercado, el verdadero equilibrio (y con ello el espacio para la configuración del contrato) entre los socios de un contrato solo se da si ambas partes tienen la misma información y la misma fuerza económica. Sin embargo, no es este el caso en la mayoría de los contratos laborales. Por regla general, el empresario es la parte mejor informada y económicamente superior. Debido a esto, deben protegerse los justos intereses del trabajador mediante una legislación especial, la legislación laboral. De esta forma parte, por ejemplo, la protección ante el → *DUMPING* SALARIAL, el derecho al descanso semanal y vacacional, o el derecho a la seguridad en caso de desempleo y de enfermedad; ya se mencionó anteriormente la protección en caso de maternidad.

→ 301 → 2430, 2433

DUMPING SALARIAL La acentuación intencionadamente dirigida contra un salario normal y razonable. El *dumping* salarial puede conducir a la amenaza existencial del trabajador.

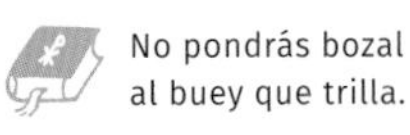

No pondrás bozal al buey que trilla.

DT 25,4

155 *¿Cuándo es justo un salario?*

Desde sus comienzos, la doctrina social de la Iglesia ha exigido que el salario del trabajador debía ser suficiente para asegurar el sustento de su vida y de su familia. En la actualidad afirma que el salario sea lo suficientemente alto como para posibilitar al trabajador la participación plena en la vida social. Sin embargo, resulta difícil determinar el importe exacto del salario justo. Hay que tener en cuenta la actividad y la productividad del individuo, pero también la del patrón. Además, debe prestarse atención al entorno económico y social. Los sueldos muy altos pueden poner en peligro la productividad macroeconómica y perjudicar, por consiguiente, al bien común. La fijación del salario debe llevarse a cabo mediante procesos justos, en los que los sindicatos tienen una función importante. Subsidiariamente (es decir, de forma subordinada), el Estado debe garantizar un salario mínimo. También la estructura salarial debe ser justa en su conjunto. Para garantizar la paz social no debería darse una alta desproporción entre el salario de los trabajadores normales y el de los altos ejecutivos.

→ **302s** → **2434** → **332**

> Una huelga que no ejerce presión económica no es una huelga, sino un mendigar colectivo.
>
> **JÜRGEN PETERS**, presidente del Sindicato Colectivo del Metal alemán

156 *¿Qué importancia tienen los sindicatos?*

Puesto que (en general) existe un desnivel de fuerzas entre los trabajadores y los patrones, los trabajadores dependen a menudo de la concentración de sus fuerzas en los sindicatos. De este modo pueden defender

> No pago buenos salarios porque tenga mucho dinero, sino que tengo mucho dinero porque pago buenos salarios.
>
> **ROBERT BOSCH** (1861-1942), industrial e inventor alemán, empresario ejemplar

> Tengan presente los ricos y los patronos que oprimir para su lucro a los necesitados y a los desvalidos y buscar su ganancia en la pobreza ajena no lo permiten ni las leyes divinas ni las humanas. Y defraudar a alguien en el salario debido es un gran crimen, que llama a voces las iras vengadoras del cielo.
>
> **PAPA LEÓN XIII**, RN 17

> El gerente americano medio aún cree que el sindicato es su enemigo mortal natural. Esta forma de pensar está desfasada. Yo prefiero que los obreros entiendan los mecanismos internos de la empresa.
>
> **LEE IACOCCA** (1924), alto ejecutivo de la industria del automóvil

> El trabajador aislado es el instrumento de fines ajenos; el trabajador asociado es dueño y señor de su destino.
>
> **JOSÉ ENRIQUE RODÓ**, escritor y político uruguayo

conjunta y solidariamente sus intereses. La creación de sindicatos es un derecho humano. Nadie debe sufrir perjuicio alguno por ser miembro de un sindicato o por estar comprometido sindicalmente.

→ 305–307

> La desobediencia civil se convierte en un deber sagrado cuando el Estado pisotea el fundamento del derecho.
>
> **MAHATMA GANDHI**

157 *¿Tienen derecho a la huelga los trabajadores?*

Patrones y trabajadores persiguen en parte intereses contrarios, por ejemplo, sobre el importe del salario y la duración de la jornada laboral. Para lograr un acuerdo que satisfaga a las dos partes, es necesario que establezcan negociaciones, en las que los trabajadores están representados por sus sindicatos. La huelga es un medio usado por los sindicatos para forzar a los patrones a realizar estas negociaciones. Este medio es legítimo cuando se realiza pacíficamente y únicamente busca la mejora de las condiciones salariales y laborales. La huelga pierde su legitimidad cuando está en contradicción con el bien común. Nunca deben verse afectados por la huelga aquellos servicios que son necesarios para la convivencia social (por ejemplo, la policía, los bomberos y la asistencia médica).

→ 307 → 2435

> En la situación presente, la huelga puede seguir siendo medio necesario, aunque extremo, para la defensa de los derechos y el logro de las aspiraciones justas de los trabajadores.
>
> **CONCILIO VATICANO II,** GS 68

> En determinadas circunstancias pueden realizarse una manifestación, una marcha de protesta, una huelga o una desobediencia civil.
>
> **NELSON MANDELA,** artículo en prensa, febrero de 1958

Documentos más importantes de la Iglesia

EL TRABAJO HUMANO

Rerum Novarum

Salario y propiedad

Sin duda alguna, como es fácil de ver, la razón misma del trabajo que aportan los que se ocupan en algún oficio lucrativo y el fin primordial que busca el obrero es procurarse algo para sí y poseer con propio derecho una cosa como suya. Si, por consiguiente, presta sus fuerzas o su habilidad a otro, lo hará por esta razón: para conseguir lo necesario para la comida y el vestido; y por ello, merced al trabajo aportado, adquiere un verdadero y perfecto derecho no solo a exigir el salario, sino también para emplearlo a su gusto. Luego si, reduciendo sus gastos, ahorra algo e invierte el fruto de sus ahorros en una finca, con lo que puede asegurarse más su manutención, esta finca realmente no es otra cosa que el mismo salario revestido de otra apariencia, y de ahí que la finca adquirida por el obrero de esta forma debe ser tan de su dominio como el salario ganado con su trabajo. Ahora bien: es en esto precisamente en lo que consiste, como fácilmente se colige, la propiedad de las cosas, tanto muebles como inmuebles. Luego los socialistas empeoran la situación de los obreros todos, en cuanto tratan de transferir los bienes de los particulares a la comunidad, puesto que, privándolos de la libertad de colocar sus beneficios, con ello mismo los despojan de la esperanza y de la facultad de aumentar los bienes familiares y de procurarse utilidades. Pero, lo que todavía es más grave, proponen un remedio en pugna abierta contra la justicia, en cuanto que el poseer algo en privado como propio es un derecho dado al hombre por la naturaleza.

Papa León XIII, Encíclica *Rerum Novarum* (1891), 3-4

Rerum Novarum

¿Constituyen una misma comunidad los poseedores y los desposeídos?

Es mal capital, en la cuestión que estamos tratando, suponer que una clase social sea espontáneamente enemiga de la otra, como si la naturaleza hubiera dispuesto a los ricos y a los pobres para combatirse mutuamente en un perpetuo duelo. Es esto tan ajeno a la razón y a la verdad, que, por el contrario, es lo más cierto que como en el cuerpo se ensamblan entre sí miembros diversos, de donde surge aquella proporcionada disposición que justamente se podría llamar armonía, así ha dispuesto la naturaleza que, en la sociedad humana, dichas clases gemelas concuerden armónicamente y se ajusten para lograr el equilibrio. Ambas se necesitan en absoluto.

Papa León XIII, Encíclica *Rerum Novarum* (1891), 14

Rerum Novarum

Los trabajadores no son esclavos

Los deberes de los ricos y patronos: no considerar a los obreros como esclavos; respetar en ellos, como es justo, la dignidad de la persona, sobre todo ennoblecida por lo que se llama el carácter cristiano. Que los trabajos remunerados, si se atiende a la naturaleza y a la filosofía cristiana, no son vergonzosos para el hombre, sino de mucha honra, en cuanto dan honesta posibilidad de ganarse la vida. Que lo realmente vergonzoso e inhumano es abusar de los hombres como de cosas de lucro y no estimarlos en más que cuanto sus nervios y músculos pueden dar de sí. E igualmente se manda que se tengan en cuenta las exigencias de la religión y los bienes de las almas de los proletarios. Por lo cual es obligación de los patronos disponer que el obrero tenga un espacio de tiempo idóneo para atender a la piedad, no exponer al hombre a los halagos de la corrupción y a las ocasiones de pecar y no apartarlo en modo alguno de sus atenciones domésticas y de la afición al ahorro. Tampoco debe imponérseles más trabajo del que puedan soportar sus fuerzas, ni de una clase que no esté conforme con su edad y su sexo.

Papa León XIII, Encíclica *Rerum Novarum* (1891), 15

Rerum Novarum

Una injusticia que clama al cielo

Cierto es que para establecer la medida del salario con justicia hay que considerar muchas razones; pero, generalmente, tengan presente los ricos y los patronos que oprimir para su lucro a los necesitados y a los desvalidos y buscar su ganancia en la pobreza ajena no lo permiten ni las leyes divinas ni las humanas. Y defraudar a alguien en el salario debido es un gran crimen, que llama a voces las iras vengadoras del cielo.

Papa León XIII, Encíclica *Rerum Novarum* (1891), 15

Rerum Novarum

Jesús el Trabajador

Los que, por el contrario, carezcan de bienes de fortuna, aprendan de la Iglesia que la pobreza no es considerada como una deshonra ante el juicio de Dios y que no han de avergonzarse por el hecho de ganarse el sustento con su trabajo. Y esto lo confirmó realmente y de hecho Cristo, Señor nuestro, que por la salvación de los hombres se hizo pobre siendo rico; y, siendo Hijo de Dios y Dios él mismo, quiso, con todo, aparecer y ser tenido por hijo de un artesano, ni rehusó pasar la mayor parte de su vida en el trabajo manual.

Papa León XIII, Encíclica *Rerum Novarum* (1891), 18

Mater et Magistra

Trabajo y persona

El trabajo de ninguna manera puede considerarse como una mercancía cualquiera, porque procede directamente de la persona humana. Para la gran mayoría de los hombres, el trabajo es, en efecto, la única fuente de su decoroso sustento. Por esto no puede determinar su retribución la mera práctica del mercado, sino que han de fijarla las leyes de la justicia y de la equidad.

Papa Juan XXIII, Encíclica *Mater et Magistra* (1961), 18

Gaudium et Spes

El trabajo y el autodesarrollo humano

La remuneración del trabajo debe ser tal que permita al hombre y a su familia una vida digna en el plano material, social, cultural y espiritual, teniendo presentes el puesto de trabajo y la productividad de cada uno, así como las condiciones de la empresa y el bien común.

Concilio Vaticano II, Constitución pastoral *Gaudium et Spes* (1965), 67

Laborem Exercens

Trabajo: algo fundamental para los hombres

La Iglesia está convencida de que el trabajo constituye una dimensión fundamental de la existencia del hombre en la tierra. Ella se confirma en esta convicción considerando también todo el patrimonio de las diversas ciencias dedicadas al estudio del hombre: la antropología, la paleontología, la historia, la sociología, la sicología, etc.; todas parecen testimoniar de manera irrefutable esta realidad. La Iglesia, sin embargo, saca esta convicción sobre todo de la fuente de la Palabra de Dios revelada, y por ello lo que es una convicción de la inteligencia adquiere a la vez el carácter de una convicción de fe. El motivo es que la Iglesia –vale la pena observarlo desde ahora– cree en el hombre: ella piensa en el hombre y se dirige a él no solo a la luz de la experiencia histórica, no solo con la ayuda de los múltiples métodos del conocimiento científico, sino ante todo a la luz de la palabra revelada del Dios vivo.

Papa Juan Pablo II, Encíclica *Laborem Exercens* (1981), 4

Laborem Exercens

El hombre como sujeto del trabajo

El hombre debe someter la tierra, debe dominarla, porque como «imagen de Dios» es una persona, es decir, un ser subjetivo capaz de obrar de manera programada y racional, capaz de decidir acerca de sí y que tiende a realizarse a sí mismo.

Papa Juan Pablo II, Encíclica *Laborem Exercens* (1981), 6

Laborem Exercens

El trabajo está en función del hombre

Es cierto que el hombre está destinado y llamado al trabajo; pero, ante todo, el trabajo está «en función del hombre» y no el hombre «en función del trabajo». Con esta conclusión se llega justamente a reconocer la preeminencia del significado subjetivo del trabajo sobre el significado objetivo. Dado este modo de entender, y suponiendo que algunos trabajos realizados por los hombres puedan tener un valor objetivo más o menos grande, sin embargo queremos poner en evidencia que cada uno de ellos se mide sobre todo con el metro de la dignidad del sujeto mismo del trabajo, o sea de la persona, del hombre que lo realiza.

Papa Juan Pablo II, Encíclica *Laborem Exercens* (1981), 6

Laborem Exercens

Trabajo y profesión

El trabajo es el fundamento sobre el que se forma la vida familiar, la cual es un derecho natural y una vocación del hombre. Estos dos ámbitos de valores –uno relacionado con el trabajo y otro consecuente con el carácter familiar de la vida humana– deben unirse entre sí correctamente y correctamente compenetrarse. El trabajo es, en un cierto sentido, una condición para hacer posible la fundación de una familia, ya que esta exige los medios de subsistencia, que el hombre adquiere normalmente mediante el trabajo. Trabajo y laboriosidad condicionan a su vez todo el proceso de educación dentro de la familia, precisamente por la razón de que cada uno «se hace hombre», entre otras cosas, mediante el trabajo, y ese hacerse hombre expresa precisamente el fin principal de todo el proceso educativo.

Papa Juan Pablo II, Encíclica *Laborem Exercens* (1981), 10

Laborem Exercens

Los salarios como verificación de la justicia

En todo sistema que no tenga en cuenta las relaciones fundamentales existentes entre el capital y el trabajo, el salario, es decir, la remuneración del trabajo, sigue siendo una vía concreta, a través de la cual la gran mayoría de los hombres puede acceder a los bienes que están destinados al uso común: tanto los bienes de la naturaleza como los que son fruto de la producción. Los unos y los otros se hacen accesibles al trabajador gracias al salario que recibe como remuneración por su trabajo. De aquí que, precisamente el salario justo se convierta en todo caso en la verificación concreta de la justicia de todo el sistema socio-económico y, de todos modos, de su justo funcionamiento. No es esta la única verificación, pero es particularmente importante y es en cierto sentido la verificación-clave.

Papa Juan Pablo II, Encíclica *Laborem Exercens* (1981), 19

Centesimus Annus

Mención a los sindicatos

En fin, hay que garantizar el respeto por horarios «humanos» de trabajo y de descanso, y el derecho a expresar la propia personalidad en el lugar de trabajo, sin ser conculcados de ningún modo en la propia conciencia o en la propia dignidad. Hay que mencionar aquí de nuevo el papel de los sindicatos no solo como instrumentos de negociación, sino también como «lugares» donde se expresa la personalidad de los trabajadores: sus servicios contribuyen al desarrollo de una auténtica cultura del trabajo y ayudan a participar de manera plenamente humana en la vida de la empresa.

Papa Juan Pablo II, Encíclica *Centesimus Annus* (1991), 15

Evangelii Gaudium

El desempleo como exclusión de la sociedad

Hoy todo entra dentro del juego de la competitividad y de la ley del más fuerte, donde el poderoso se come al más débil. Como consecuencia de esta situación, grandes masas de la población se ven excluidas y marginadas: sin trabajo, sin horizontes, sin salida. Se considera al ser humano en sí mismo como un bien de consumo, que se puede usar y luego tirar. Hemos dado inicio a la cultura del «descarte» que, además, se promueve. Ya no se trata simplemente del fenómeno de la explotación y de la opresión, sino de algo nuevo: con la exclusión queda afectada en su misma raíz la pertenencia a la sociedad en la que se vive, pues ya no se está en ella abajo, en la periferia, o sin poder, sino que se está fuera. Los excluidos no son «explotados» sino desechos, «sobrantes».

Papa Francisco, Exhortación apostólica *Evangelii Gaudium* (2013), 53

PREGUNTAS
158–194

Bienestar y justicia para todos

LA ECONOMÍA

”

También en la vida
económico-social
deben respetarse
y promoverse la dignidad
de la persona humana,
su entera vocación
y el bien de toda la sociedad.
Porque el hombre es el autor,
el centro y el fin de toda la vida
económico-social.

CONCILIO VATICANO II, GS 63

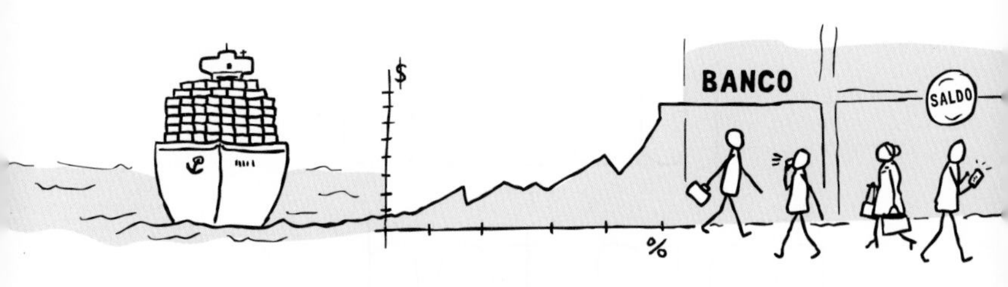

ECONOMÍA es «... el conjunto de equipamientos y procedimientos que deben sistematizarse para defender de forma permanente y segura la necesidad de aquellos bienes materiales y servicios que hacen posible el progreso, querido por Dios, de los individuos y de las sociedades» (cardenal Josef Höffner).

158 *¿Qué entendemos por «economía»?*

Por → ECONOMÍA entendemos aquel ámbito de nuestra realidad social en el que los seres humanos satisfacen sus necesidades materiales y las de los demás. La economía, por tanto, trata de la producción, de la distribución y del consumo de bienes y de servicios.

→ 332 → 2426, 2427

159 *¿Cuál es el objetivo de la economía?*

El objetivo de la economía es abastecernos materialmente con todo lo que necesitamos para vivir. Pero dado que los recursos (materias primas, maquinaria, tierras, mano de obra) son escasos, tenemos que crear un ordenamiento económico u organizar la economía para que su uso sea lo más racional y eficiente posible. El hombre libre es autor, centro y fin de toda actividad económica. Como en cualquier otro ámbito de la vida social, lo fundamental es el respeto a la dignidad de la persona humana y al desarrollo del bien común (cf. GS 63).

334, 346, 375 2426 442

160 *¿Cómo se relacionan entre sí economía y ética?*

La economía funciona según sus propias leyes. Cada vez se extiende más por todo el mundo la economía de mercado. Es como una verdadera «plaza de mercado»: vendedores y compradores se encuentran y negocian libremente sobre los precios, las cantidades y la calidad de los productos. La economía de mercado ha demostrado ser muy eficiente, pero solo es éticamente aceptable si es una economía de mercado *social* enmarcada jurídicamente por el Estado. Para ello deben darse, en primer lugar, reglas estatales claras de garantía, y, en segundo lugar, un cuidado especial por aquellos que no pueden aportar nada a este mercado, porque, por ejemplo, no tienen trabajo o dinero. Además, hay ámbitos humanos en los que la lógica del mercado no es justa, como el mundo del sufrimiento, de la enfermedad y de la minusvalía. El hecho de que el mercado funcione de forma autónoma no significa que sus normas no estén sometidas a las leyes y los mandamientos de Dios. La ética forma parte esencial de una buena economía, pues una acción contraria a la ética conduce a una economía errónea. Lo mismo vale para las acciones económicamente poco rentables, por ejemplo, el despilfarro de los recursos, que son también inmorales.

330–333 2426, 2431 442–443

Cuando se puede confiar en una persona, sobra un contrato. Cuando no se puede confiar, es inútil un contrato.

Atribuido a **JEAN PAUL GETTY** (1892-1976), industrial norteamericano del petróleo y mecenas de las artes, el hombre más rico del mundo en su tiempo

Los romanos construyeron puentes seguros, porque sus arquitectos tenían que ponerse bajo ellos cuando las tropas los cruzaban por primera vez.

PREM WATSA (1950), inversor canadiense

Existen numerosas necesidades humanas que no tienen salida en el mercado. Es un estricto deber de justicia y de verdad impedir que queden sin satisfacer las necesidades humanas fundamentales y que perezcan los hombres oprimidos por ellas.

PAPA JUAN PABLO II, CA 34

Una moralidad que se cree capaz de prescindir del conocimiento técnico de las leyes económicas no es moralidad sino moralismo. Como tal es la antítesis de la moralidad.

CARDENAL JOSEPH RATZINGER (PAPA BENEDICTO XVI), *Economía de mercado y ética*, 1986

161 ¿Es «antiético» el bienestar?

No. El aumento del bienestar es incluso un objetivo altamente ético. Pero este objetivo solo es moralmente bueno cuando se dirige al *desarrollo global y solidario de todos los seres humanos* y no se aprovechan del incremento del bienestar solo unas pocas personas. Por desarrollo se entiende el desarrollo global e integral del ser humano, que engloba la fe y la familia, la formación y la salud, y otros valores. No puede identificarse solamente con un aumento del consumo. En cierto modo, el «consumismo» hace incluso más pobres a las personas.

→ 334 → 2426

Sin formas internas de solidaridad y de confianza recíproca, el mercado no puede cumplir plenamente su propia función económica.

PAPA BENEDICTO XVI, CiV 35

162 ¿Es la Iglesia crítica con la economía?

La Iglesia mantiene una actitud fundamentalmente positiva con la economía. Solo la critica cuando se convierte en algo absoluto, lo que sucede, por ejemplo, cuando se explota o se acapara la mano de obra o cuando se descuida la utilización sostenible de los recursos de la tierra. La Iglesia está de parte de la economía cuando mediante ella las personas pueden gozar al menos de un modesto bienestar y no tienen miedo a la pobreza. La doctrina social católica quiere que todas las personas contribuyan al control del desarrollo económico, a la mejora de la producción económica y de su distribución (cf. GS 63, 65).

→ 373–374 → 2423–2425 → 442

Así como el mandamiento de «no matar» pone un límite claro para asegurar el valor de la vida humana, hoy tenemos que decir «no a una economía de la exclusión y la inequidad». Esa economía mata.

PAPA FRANCISCO, EG 53

163 *¿Puede ser una vocación dedicarse a la economía?*

Sí. El trabajo en los negocios y en la economía puede ser una auténtica vocación de Dios: las personas que se ponen, en el ámbito de su responsabilidad especial, al servicio de los demás y de la de sociedad son

una bendición para todos. Dios nos confió la tierra para «cultivarla y protegerla». Con nuestro trabajo podemos cumplir la voluntad de Dios y contribuir, desde nuestro pequeño ámbito laboral, al perfeccionamiento de la creación (Gn 2,15s). Si actuamos con justicia y amor, utilizaremos los dones de la tierra y nuestros propios talentos para el bien de los demás seres humanos que nos han sido confiados (Mt 25,14-30; Lc 19,12-27).

→ 326 → 2427–2428 → 442

La Iglesia confía más en la fuerza de la verdad y en la educación para la libertad y la responsabilidad, que en prohibiciones, pues su ley es el amor.

PUEBLA, 149

Es necesario que los pobres vivan mejor, que sean felices, que no tengan para ellos solamente la tarea, en tanto para los demás queda el bienestar, es eso lo que deben hacer los gobiernos.

JOSÉ BATLLE Y ORDÓÑEZ (1856-1929), político y periodista uruguayo

Yo hice un tipo diferente de empresa, cuyo objetivo no es obtener ganancias, sino resolver problemas. La empresa social elimina el interés egoísta y promueve el deseo de ayudar a otros. No hay dividendos personales, aunque con el tiempo se puede recuperar el dinero de la inversión. Las ganancias se quedan en la empresa.

MUHAMMAD YUNUS (1940), economista y reformador social de Bangladesh, Premio Nobel de la Paz, 2006

Dar a las personas solamente dinero implica quitarles toda iniciativa para la autoayuda, para la creatividad.

MUHAMMAD YUNUS

Hay dos cosas que yo te pido, no me las niegues antes que muera: aleja de mí la falsedad y la mentira; no me des ni pobreza ni riqueza, dame la ración necesaria, no sea que, al sentirme satisfecho, reniegue y diga: «¿Quién es el Señor?», o que, siendo pobre, me ponga a robar y atente contra el nombre de mi Dios.

PROV 30,7-9

164 *¿Qué dice la Biblia sobre la riqueza y la pobreza?*

Quien sigue a Jesús no puede olvidar que nosotros debemos ser ante todo «ricos ante Dios» (Lc 12,21). Enriquecerse materialmente no es un objetivo especial en la vida cristiana. Y ser rico materialmente no es un signo seguro de una gracia particular de Dios. Jesús nos enseña a orar diciendo: «Danos hoy nuestro pan de cada día» (Mt 6,11). Con estas palabras pedimos al Padre todo cuanto necesitamos para nuestra vida terrenal. No aspiramos a una vida de lujo, sino a aquellos bienes que son necesarios para vivir felizmente con un modesto bienestar, para mantener a la familia, para ser caritativos y para participar en la cultura y la educación como también en el desarrollo.

→ **323, 326** → **2443–2446** → **449**

165 *¿Es la pobreza siempre algo malo?*

Si la «pobreza» significa indigencia involuntaria y carencia de los medios necesarios para vivir, entonces es un mal. El hecho de que una parte de la humanidad pase hambre y la otra nade en la abundancia de comida y la derroche constituye un escándalo y es un pecado que clama al cielo. Resulta difícil decir por dónde pasan exactamente en los países ricos los límites de la pobreza material y qué se considera el mínimo necesario para vivir. La pobreza relativa, es decir, no vivir en la abundancia, no tiene por qué ser algo negativo. Puede llevar a los seres humanos a reconocer ante Dios sus verdaderas necesidades y abrirse a él con una actitud de súplica y de confianza. Cuando los cristianos toman en serio el Evangelio, una y otra vez se produce consciente y voluntariamente la renuncia a la riqueza material, pues lo que se quiere es poder servir a Dios con un corazón libre. En general cabe decir que el seguidor de Jesús debe «ser pobre ante Dios», es decir, debe desprenderse interiormente de las posesiones (Mt 5,3). Nada debe anteponerse al amor a Dios.

→ **324** → **2437–2440** → **448**

166 *¿Es el bienestar siempre algo bueno?*

Poder vivir sin preocupaciones materiales es un gran privilegio por el que hay que dar gracias a Dios diariamente. Quien viva así puede ayudar a aquellos que, por cualquier razón, no tienen tanta suerte en la vida. Pero la riqueza puede conducir también a un hartazgo espiritual, a la arrogancia y a la presunción. De manera diferente al pobre, el rico se ve frecuentemente tentado a atribuir sus afortunadas condiciones de vida a su trabajo. Cuando el tener se convierte en *codicia*, a menudo se ve acompañado con la dureza de corazón. Al rico que solo se fija en lo material le dice Jesús: «Insensato, esta misma noche vas a morir» (Lc 12,20).

→ 325 → 2402–2404

> Los hay que gastan el dinero que no tienen en cosas que no necesitan para impresionar a gente que no les gusta.
>
> **DANY KAYE** (1911-1987), actor norteamericano

> Porque la avaricia es la raíz de todos los males, y al dejarse llevar por ella, algunos perdieron la fe y se ocasionaron innumerables sufrimientos.
>
> **1 TIM 6,10**

> La codicia es la madre de todos los delitos y crímenes.
>
> **MARCO TULIO CICERÓN** (106-43 a.C.), político romano

167 *¿Por qué dice Jesús que no debemos obsesionarnos por el mañana (Mt 6,34)?*

Jesús no pretende con ello desacreditar las diligentes medidas de previsión, pues, en otro pasaje, alaba al administrador inteligente y el trabajo bien hecho, aun cuando aparentemente no parece tener valor. Además, Jesús mismo vivió como un artesano y trabajó para los demás. Lo que no es compatible con la confianza fundamental de un cristiano es la preocupación obsesiva por el futuro.

→ 523

> Hay dos panes. Usted se come dos. Yo ninguno. Consumo promedio: un pan por persona.
>
> **NICANOR PARRA** (1914), poeta chileno

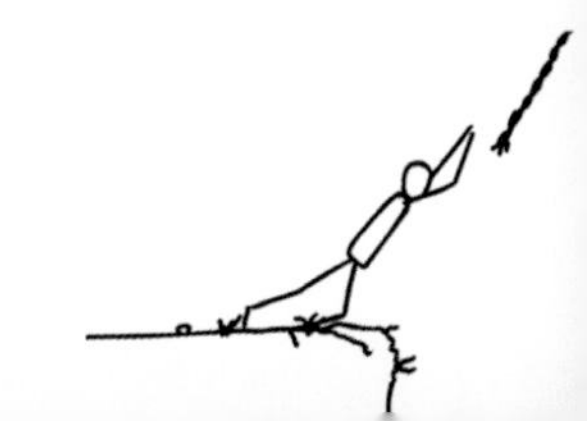

Las obras de misericordia

Dar buen consejo al que lo necesita
Consolar al triste
Corregir al que se equivoca
Enseñar al que no sabe
LAS ESPIRITUALES
GACK! GACK!
GACK! GACK! GACK!
GACK! GACK!
UFF...
Perdonar al que nos ofende
Rezar a Dios por los vivos y por los difuntos
Sufrir con paciencia los defectos del prójimo

Dar posada al peregrino

Vestir al desnudo

Dar de comer al hambriento

Visitar a los enfermos

LAS CORPORALES

Visitar a los presos

Enterrar a los difuntos

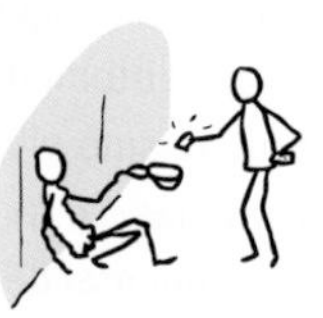

Dar de beber al sediento

¿Cómo reacciona un cristiano ante la propia pobreza?

Tendrá que hacer todo lo posible para liberarse a sí mismo y su familia de la pobreza mediante un trabajo concentrado y persistente. Además, debe trabajar conjuntamente con otras personas para vencer también las estructuras «del mal» y los poderes injustos que impiden a los pobres la posibilidad de tener propiedades, protegerse a sí mismos y desarrollarse materialmente.

→ 325 → 2443–2446 → 449–450

¿Y qué debo hacer para tratar la pobreza ajena?

Puesto que Dios ama a cada ser humano «hasta morir en la cruz», los cristianos miran a su prójimo con ojos nuevos. Es más, en los más pobres de los pobres reconocen ellos a Cristo, su Señor. Por eso los cristianos están profundamente motivados a hacer todo lo necesario para mitigar el sufrimiento del prójimo. Para ello se orientan con las → OBRAS DE MISERICORDIA. Podemos ayudarnos entre nosotros, cara a cara, o colaborar también de manera indirecta mediante donativos para que los pobres puedan sobrevivir y vivir con dignidad. Sin embargo, es más importante la *ayuda para la autoayuda*, es decir, capacitar a los pobres para que ellos mismos se liberen de la pobreza, por ejemplo, dándoles un puesto de trabajo o formándoles mejor. Ahora bien, a nadie se le debe exigir demasiado, pero tampoco se le debe exonerar demasiado deprisa. Los empresarios y las empresarias hacen una importante contribución a la lucha contra la pobreza creando puestos de trabajo y procurando condiciones laborales dignas.

→ 329 → 2447 → 449–450

¿Podemos realizar el «Reino de Dios» mediante el progreso material?

Es mucho cuanto podemos lograr si nos dedicamos con pasión y perseverancia al desarrollo integral del

El gran desafío que tenemos, planteado por las dificultades del desarrollo en este tiempo de globalización y agravado por la crisis económico-financiera actual, es mostrar, tanto en el orden de las ideas como de los comportamientos, que no solo no se pueden olvidar o debilitar los principios tradicionales de la ética social, como la trasparencia, la honestidad y la responsabilidad, sino que en las relaciones mercantiles el principio de gratuidad y la lógica del don, como expresiones de fraternidad, pueden y deben tener espacio en la actividad económica ordinaria.

PAPA BENEDICTO XVI, CV 36

Ya no podemos confiar en las fuerzas ciegas y en la mano invisible del mercado. El crecimiento en equidad exige algo más que el crecimiento económico, aunque lo supone, requiere decisiones, programas, mecanismos y procesos específicamente orientados a una mejor distribución del ingreso, a una creación de fuentes de trabajo, a una promoción integral de los pobres que supere el mero asistencialismo.

PAPA FRANCISCO, EG 204

Mediante el trabajo, el hombre, usando su inteligencia y su libertad, logra dominarla y hacer de ella su digna morada. De este modo, se apropia una parte de la tierra, la que se ha conquistado con su trabajo: he ahí el origen de la propiedad individual.

PAPA JUAN PABLO II, CA 31

ser humano y la conservación de la creación, pero no el paraíso. Jesús dice: «Mi reino no es de este mundo» (Jn 18,36). Por consiguiente, el Reino de Dios no puede confundirse con el progreso material o terrenal. No obstante, el progreso económico tiene una «gran relevancia para el Reino de Dios, en la medida en que puede contribuir a un mejor ordenamiento de la sociedad humana» (GS 39).

→ 55, 323–326 → 2419–2420, 2426

171 *¿Es compatible el capitalismo con la dignidad del ser humano?*

La adoración del antiguo becerro de oro (cf. Ex 32,1-35) ha encontrado una versión nueva y despiadada en el fetichismo del dinero y en la dictadura de la economía sin un rostro y sin un objetivo verdaderamente humano.

PAPA FRANCISCO, EG 55

Ante el fracaso de la planificación económica centralizada en el sistema soviético, escribió Juan Pablo II: «Si por "capitalismo" se entiende un sistema económico que reconoce el papel fundamental y positivo de la empresa, del mercado, de la propiedad privada y de la consiguiente responsabilidad para con los medios de producción, de la libre creatividad humana en el sector de la economía, la respuesta ciertamente es positiva, aunque quizá sería más apropiado hablar de "economía de empresa", "economía de mercado", o simplemente de "economía libre". Pero si por "capitalismo" se entiende un sistema en el cual la libertad, en el ámbito económico, no está encuadrada en un sólido contexto jurídico que la ponga al servicio de la libertad humana integral y la considere como una particular dimensión de la misma, cuyo centro es ético y religioso, entonces la respuesta es absolutamente negativa» (CA 42).

→ 335 → 2425 → 442

El capitalismo es frío, como es frío todo lo que es metálico. No le importan los hombres ni los pueblos. Le importan las ganancias. Y solamente le importan los hombres y los pueblos en la medida en que estos le proporcionan ganancias. Para poder devorar ganancias, devoran hombres y pueblos. Es frío, no tiene corazón.

MONSEÑOR LEONIDAS PROAÑO (1910-1988), obispo y teólogo ecuatoriano

172 *¿Existe un «modelo económico cristiano»?*

No. La Iglesia debe proclamar el Evangelio y no involucrarse en un concurso sobre modelos económicos y soluciones técnicas. La exigencia de la Iglesia, a saber, que la economía sirva al ser humano y al bien común,

es una exigencia de la razón centrada en la dignidad humana.

→ 335 → 2420–2422 → 23

173 *¿Cómo se consigue un ordenamiento económico que esté al servicio del ser humano y del bien común?*

Ante todo, se consigue integrando los factores de la *justicia* y del *amor al prójimo* en la actividad económica diaria. Los cristianos tienen realmente el deber de mejorar las instituciones y las condiciones de vida hasta convertirlas en humanamente justas. El cristiano, sin embargo, antes de querer mejorar a los demás debe mejorarse a sí mismo. Este es el trasfondo que hace creíble su compromiso por optimizar las relaciones económicas y las instituciones sociales.

→ 42 → 1888 → 327–329

174 *¿Es injusta la propiedad privada de las empresas?*

No. El empresario tiene, al igual que cualquier ser humano, el derecho natural a los frutos de su trabajo y a los medios para lograrlos (medios de producción). Este derecho origina la libertad empresarial creativa

Es verdad que hoy algunos sectores económicos ejercen más poder que los mismos Estados. Pero no se puede justificar una economía sin política, que sería incapaz de propiciar otra lógica que rija los diversos aspectos de la crisis actual.

PAPA FRANCISCO, LS 196

Somos como la paja de páramo que se arranca y vuelve a crecer... y de paja de páramo sembraremos el mundo.

DOLORES CACUANGO
(1881-1971), activista indigenista ecuatoriana

¿Cómo podríamos hacer el bien al prójimo si nadie poseyera nada?

CLEMENTE DE ALEJANDRÍA
(ca. 150-215)

Dios ha dado la tierra a todo el género humano para que ella sustente a todos sus habitantes, sin excluir a nadie ni privilegiar a ninguno. He ahí, pues, la raíz primera del destino universal de los bienes de la tierra.

PAPA JUAN PABLO II, CA 31

HIPOTECA Del griego = substrato, prenda, carga. Así como una casa está gravada con el crédito del banco, también lo está su propiedad, que debe usarse teniendo en cuenta las condiciones sociales.

El dinero solo echa a perder el carácter de aquellos que antes no lo tenían.

HANS-PETER ZIMMERMANN (1957), autor suizo

Nunca es pronto para enseñar a tus hijos algo sobre el «instrumento» dinero. Enséñales lo que hay que trabajar para conseguirlo, y aprenderán orgullo y autoestima. Enséñales cómo se ahorra, y aprenderán seguridad y el valor de sí mismos. Enséñales cómo ser generosos con él, y aprenderán a amar.

JUDITH JAMISON (1943), bailarina y coreógrafa norteamericana

de la que se benefician todos los que participan en el proceso económico. El hecho de conseguir una propiedad es motivo de grandes esfuerzos; clarifica las relaciones entre propiedades y contribuye así a la paz (GS 71). Por otra parte, las grandes diferencias entre las propiedades son un detonante de problemas sociales, y, a menudo, son realmente injustas, cuando, por ejemplo, los trabajadores no participan suficientemente en los beneficios. La explotación sigue estando al orden del día en muchos países. La superioridad económica de unos provoca la inferioridad y la discriminación de otros. Por eso la propiedad privada se encuentra bajo una → «HIPOTECA social»: la propiedad debe ser utilizada para el bien general, pues Dios creó los bienes materiales para todos. Es tarea del Estado regular jurídicamente y llevar a cabo esta obligatoriedad social de la propiedad.

→ **176–184, 328–329** → **2403, 2427–2430** → **443**

175 *¿Es el dinero malo en sí mismo?*

No. El dinero no es bueno ni malo. Es un medio de intercambio, una medida de valor; una reserva para el futuro; un medio para proteger lo bueno y poder eliminar lo malo. Pero nunca puede ser un fin en sí mismo. Jesús lo dice explícitamente: «No se puede servir a Dios y al Dinero (→MAMMÓN)» (Mt 6,24). El dinero puede convertirse en un ídolo y en una adicción. Quien lo persigue con codicia se hace esclavo de su avidez.

→ **328** → **2424, 2449** → **355**

176 *¿Es lícito obtener beneficios?*

Sí. Los beneficios son un primer indicador del éxito de una empresa, aunque no son una prueba suficiente de que esté al servicio de la sociedad. Para que una producción económica sea sostenible, la justa aspiración a los beneficios debe armonizarse con la protección irrenunciable de la dignidad de la persona. Son injustos los beneficios obtenidos mediante la explotación, la vulneración de la justicia social y de los derechos de los trabajadores.

→ **340** → **2443–2446** → **449**

177 *¿Es bueno el «libre mercado»?*

En el libre mercado pueden las personas ofrecer y adquirir libremente bienes y servicios. Los consumidores son los que determinan finalmente el precio y la cantidad de lo que se produce, a no ser que los monopolios y los cárteles destruyan la ley de la oferta y la demanda. El «libre mercado» ha demostrado por lo general que sabe poner en marcha y mantener a largo plazo el desarrollo económico, y que además sabe usar mejor los recursos que las economías de planificación. Ahora bien, la eficacia no lo es todo. No pocas veces los más poderosos se aprovechan y explotan a quienes son económicamente más débiles, por ejemplo, mediante una baja remuneración salarial. En estos casos, los más débiles deben ser ayudados, por un lado, por el Estado y sus leyes, y por otro, por las organizaciones sociales como, por ejemplo, los sindicatos. Una economía de libre mercado es solo aceptable si al mismo tiempo se configura como una economía social de mercado. Pero hay también «mercados» que son inmorales, como el tráfico de drogas, la trata de seres humanos en todas sus formas, el tráfico de armas, etc.

→ **347** → **2425–2426** → **442**

MAMMÓN
arameo = *mamona.* Riqueza amasada inmoralmente o ganancia obtenida deshonestamente. Término aplicado peyorativamente al dinero.

El objeto de la economía es la formación de la riqueza y su incremento progresivo, en términos no solo cuantitativos, sino cualitativos: todo lo cual es moralmente correcto si está orientado al desarrollo global y solidario del hombre y de la sociedad en la que vive y trabaja. El desarrollo, en efecto, no puede reducirse a un mero proceso de acumulación de bienes y servicios.

Compendio de la Doctrina Social de la Iglesia, n. 334

Los mercados son como los paracaídas: solo funcionan cuando están abiertos.

HELMUT SCHMIDT (1918-2015), excanciller alemán

Da la impresión de que, tanto a nivel de naciones, como de relaciones internacionales, el *libre mercado* es el instrumento más eficaz para colocar los recursos y responder eficazmente a las necesidades.

PAPA JUAN PABLO II, CA 34

Al igual que existen desigualdades sociales hasta llegar a los niveles de miseria en los países ricos, también, de forma paralela, en los países menos desarrollados se ven a menudo manifestaciones de egoísmo y ostentación desconcertantes y escandalosas.

PAPA JUAN PABLO II, SRS 14

COOPERATIVA
Una agrupación de personas que hace actividades económicas conjuntamente, obteniendo con ello un beneficio social.

Un cambio en los estilos de vida podría llegar a ejercer una sana presión sobre los que tienen poder político, económico y social. Es lo que ocurre cuando los movimientos de consumidores logran que dejen de adquirirse ciertos productos y así se vuelven efectivos para modificar el comportamiento de las empresas, forzándolas a considerar el impacto ambiental y los patrones de producción. Es un hecho que, cuando los hábitos de la sociedad afectan el rédito de las empresas, estas se ven presionadas a producir de otra manera. Ello nos recuerda la responsabilidad social de los consumidores. →

178 *¿No está la competencia en el libre mercado en contra del amor al prójimo?*

Depende del tipo de competencia. Si por «competencia» se entiende la destrucción sistemática del competidor, entonces atenta contra el amor al prójimo. En cambio, si se entiende como intento de superar al otro con deportividad, entonces constituye un medio efectivo para lograr importantes objetivos de justicia: los precios bajan, los empresarios se ocupan mejor de las necesidades de los consumidores, los recursos se usan más prudentemente, se premian el compromiso empresarial y la capacidad de innovación, etc. Además, los cristianos han encontrado en cualquier parte del mundo formas de colaboración que no se basan en la competencia, como, por ejemplo, las → COOPERATIVAS, en las que se aúnan hermandad y eficiencia.

→ 347 → 2423–2425, 2430 → 442

179 *¿Dónde están los límites del libre mercado?*

Muchas personas no tienen ningún acceso al mercado y no pueden satisfacer sus necesidades fundamentales. Son pobres, no tienen nada que ofrecer, no pueden comprar nada. En este contexto tenemos que reiterar constantemente que una persona no es solamente lo que *tiene*, sino, sobre todo, lo *que es* –nuestro hermano o nuestra hermana, con una dignidad inalienable–. «Es un estricto deber de justicia y de verdad impedir que queden sin satisfacer las necesidades humanas fundamentales y que perezcan los hombres oprimidos por ellas» (Juan Pablo II, CA 34). Además, el libre mercado está limitado por numerosos bienes que son valiosos en sí mismos y por tanto no pueden comprarse: el ser humano en cuanto tal (prostitución, explotación, trata), su salud (industrialización y comercialización de los medicamentos), su cuerpo (tráfico de órganos), pero

> No se atenta contra los derechos humanos, sino contra las personas.
>
> **WALTER LUDIN** (1945), fraile capuchino suizo, teólogo y escritor

también la amistad, el perdón, las relaciones familiares, etc.

→ 349 → 2431 → 442

180 *¿Qué significa la globalización para la economía?*

El mundo está cada vez más unido económicamente. La caída de las fronteras después del final de la guerra fría, la mejora de las posibilidades de transporte como también, sobre todo, la revolución digital, han conducido a que actualmente podamos estar comunicados en tiempo real y a producir globalmente. El flujo monetario viaja como un rayo por todo el globo. Los centros de producción se han trasladado a lugares ventajosos. Continuamente se abren nuevos mercados, etc.

→ 361 → 2438–2440 → 446–447

→ «Comprar es siempre un acto moral, y no solo económico». Por eso, hoy «el tema del deterioro ambiental cuestiona los comportamientos de cada uno de nosotros».

PAPA JUAN PABLO II, LS 206

La globalización no debe ser un nuevo tipo de colonialismo. Debe respetar la diversidad de las culturas que, en el ámbito de la armonía universal de los pueblos, son las claves de interpretación de la vida.

PAPA JUAN PABLO II, Discurso a la Academia Pontificia de Ciencias Sociales, 27 de abril de 2001

> Las personas lo suficientemente locas como para pensar que pueden cambiar el mundo son las que lo cambian.
>
> **STEVE JOBS** (1955-2011), empresario estadounidense

181 *¿Es útil la globalización para la economía?*

La globalización que se ha apoderado del mundo no ha seguido un plan preconcebido. No podemos aún hacer del todo justicia a esta nueva realidad, ni ética ni técnicamente. Por un lado, con la globalización se vincula la esperanza de que se produzca un desarrollo mundial y una mejora de las condiciones culturales y materiales de la vida. Por otro lado, asistimos a inmensos movimientos migratorios y de éxodos del campo a la ciudad, por consiguiente, a la pérdida de las identidades culturales. Las grandes ciudades se convierten en megalópolis incontrolables y apenas habitables donde aumentan las desigualdades y la explotación de los pobres. En esta época de globalización debe vivirse con una nueva intensidad la solidaridad entre los pueblos y las generaciones.

> El proyecto de futuro para la Iglesia es dar alma a la globalización.
>
> **RENÉ RÉMOND** (1918-2007), historiador francés

> El desafío consiste en asegurar una globalización *en la solidaridad*, una globalización *sin dejar a nadie al margen*.
>
> **PAPA JUAN PABLO II**, Mensaje de paz de 1998

→ 362–366 → 2438–2440 → 446–447

182 *¿Qué función le corresponde al Estado en el ámbito económico?*

El Estado y las uniones de Estados crean el marco para la economía. En este sentido, el Estado debe orientarse en primer lugar por el principio de subsidiaridad (véanse pp. 93, 98ss) y permitir que los implicados en la economía sean *autónomos*, es decir, lo que las organizaciones económicas pueden hacer por sí mismas no debe ser organizado por el Estado (véase el tema *privatización*). Donde no sea posible esta ayuda a la autoayuda o autonomía, el Estado debe actuar según el *principio de la solidaridad* (véase pp. 101s): los desempleados no deben caer en el vacío y los jubilados y los que necesitan cuidados deben ser

> Hay que hacer lo posible para rozar lo imposible.
>
> **SIMONE WEIL**

> Yo he viajado, he caminado por todos los lugares, pero jamás he negociado con la sangre de mis hermanos.
>
> **TRÁNSITO AMAGUAÑA** (1909-2009), activista indigenista ecuatoriana

atendidos. Se trata sobre todo de proteger a los más débiles. La intervención del Estado debe ser equilibrada: ni demasiado fuerte *(dirigismo)* ni demasiado moderada *(dejar hacer)*. La tarea principal del Estado en el ámbito económico es fijar el marco jurídico y fiscal, y, además, como Estado social, debe ocuparse de aquellos que no están en condiciones de ganarse un salario por sus propias fuerzas.

→ 351–355 → 2430–2431 → 447–448

La política no debe someterse a la economía y esta no debe someterse a los dictámenes y al paradigma eficientista de la tecnocracia. Hoy, pensando en el bien común, necesitamos imperiosamente que la política y la economía, en diálogo, se coloquen decididamente al servicio de la vida, especialmente de la vida humana.

PAPA FRANCISCO, LS 189

183 *¿Qué función tienen los grupos, asociaciones, fundaciones y organizaciones?*

Hay instituciones, fundadas y dirigidas por personas privadas, que no están orientadas a obtener ganancias sino que persiguen intereses comunes: clubes deportivos, agrupaciones regionales, grupos de protección de la naturaleza, etc. Se trata de formas de vivir solidariamente la economía que tienen su origen en la sociedad civil. Crean solidaridad y son muy importantes para la sociedad. Deben ser protegidas y fomentadas por el Estado tanto fiscalmente como legislativamente.

→ 357 → 2429–2433 → 447–448

La proliferación y crecimiento de asociaciones y movimientos predominantemente juveniles pueden interpretarse como una acción del Espíritu que abre caminos nuevos acordes a sus expectativas y búsquedas de espiritualidad profunda y de un sentido de pertenencia más concreto.

PAPA FRANCISCO, EG 105

Búsquense un trabajo adicional, uno poco llamativo, quizá secreto. Abran los ojos y busquen dónde dedicar una actividad a una persona o un pueblo, una actividad que necesita un poco de tiempo, un poco de amistad, un poco de participación, un poco de compañía, un poco de trabajo, dedicados a la persona en cuestión. Quizá sea una persona que está sola, o una que está amargada, o una que es poco hábil. Ahora bien, una obra buena necesita voluntarios que puedan sacrificar una tarde libre o dar un paseo... También hay que incluir las decepciones. Pero no deje escapar el trabajo adicional en el que se entrega a la humanidad como ser humano.

ALBERT SCHWEITZER

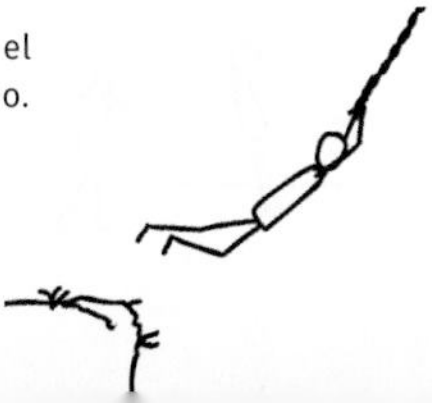

¿Dónde estaríamos hoy si le hubieran dicho a Colón: «Cristóbal, no se mueva de aquí. Espere con sus viajes de descubrimiento hasta que se solucionen nuestros problemas más importantes: guerra y hambruna, pobreza y criminalidad, contaminación del medio ambiente y enfermedades, analfabetismo y odio racial...»?

BILL GATES (1955), empresario estadounidense

Después de un exhaustivo examen de su invento, que ciertamente es una novedad interesante, hemos llegado a la conclusión de que no merece la pena comercializarlo.

De la respuesta por escrito que el banquero **J. P. MORGAN** envió a Alexander Graham Bell, después que este le hubiera enseñado el teléfono

Yo debo vender algo a los demás, a mis clientes. Debo conseguirme colaboradores. Debo convencer a mis proveedores de que soy el socio apropiado. Debo también poder vender mis cosas. Quien no vale para vender, no debería crear empresas.

NORMAN RENTROP (1957), empresario alemán y patrocinador principal de Bibel-TV

184 *¿Qué es una empresa?*

Una empresa es una unidad de producción, que necesita instrumentos, espacios, dinero, etc., y también una comunidad de personas (Juan Pablo II, CA 43). La empresa debe proveer a las personas con bienes que sean realmente buenos y con servicios que sirvan de verdad. Crear una empresa exige una especial osadía, una creatividad innovadora y un gran sentido de responsabilidad.

→ 338 → 2426 → 443

185 *¿Qué cualidades humanas fomenta una buena empresa?*

«Las empresas bien dirigidas promueven la dignidad de los trabajadores y el desarrollo de virtudes como la solidaridad, la sabiduría práctica, la justicia, la precaución, la disciplina y otras muchas. La familia es el primer lugar de aprendizaje de la sociedad, pero también las empresas, como otras muchas instituciones sociales, transmiten un comportamiento de virtud» (Consejo Pontificio «Justicia y Paz», *¡Llamados a ser empresarios! Un impulso para directivos de la economía*, 3).

→ 331–335 → 2426–2428 → 443

186 *¿Por qué la economía es lugar y escuela de humanidad?*

Muchos empleados y empresarios trabajan por encima de sus obligaciones. Lo hacen por su sentido de responsabilidad y por amor a su tarea y a las personas que dependen de sus servicios. Los empresarios no siempre trabajan pendientes de sus beneficios; las inversiones son con frecuencia un acto de generosidad, pues invertir significa renunciar al consumo inmediato y poner los medios para la creación de empleo. Son también cada vez más las personas que trabajan en las llamadas organizaciones sin ánimo de lucro, que persiguen objetivos sociales con un espíritu empresarial. También el voluntariado es una forma de trabajo realizado por amor.

→ 365–367 → 2426–2428 → 443

187 ¿Cuándo trabaja con éxito una empresa?

El éxito consiste principalmente en la obtención eficaz de beneficios, pero no solamente. Una empresa es buena cuando crea algo sostenible que es valioso para los demás y la sociedad. El Estado crea el marco jurídico para esta finalidad. No es suficiente que una empresa haga donativos con sus ganancias, sino que lo verdaderamente importante es que se actúe con justicia, con humanidad, con conciencia social y medioambiental en su propia actividad económica, es decir, en el núcleo de la propia empresa, en sus procesos y en sus objetivos.

→ 332, 340 → 2426–2427 → 443

188 ¿Cómo se actúa con justicia en una economía?

En la vida económica se actúa justamente cuando se da al otro lo que le corresponde. Principalmente se trata del cumplimiento fiel de los contratos, de respetar los convenios, de la entrega puntual y correcta de las mercancías y del pago en el plazo acordado. Para que los contratos sean justos deben hacerse en libertad, es decir, sin artimañas, miedo ni presión. Se comporta injustamente el que contrata cuando de forma prepotente impone al otro sus condiciones.

→ 340 → 2411 → 430

189 ¿Qué es un precio justo?

El precio justo es el que se concierta en una negociación libre teniendo en cuenta la ley de la oferta y de la demanda. Sin embargo, son muchos los factores que

La doctrina social de la Iglesia sostiene que se pueden vivir relaciones auténticamente humanas, de amistad y de sociabilidad, de solidaridad y de reciprocidad, también dentro de la actividad económica y no solamente fuera o «después» de ella.

PAPA BENEDICTO XVI, CiV 36

Cuando se está sediento, es ya demasiado tarde para encontrar un manantial.

PROVERBIO POPULAR

Las empresas deben «proporcionar a las personas bienes que sean realmente buenos, y servicios que verdaderamente sirvan».

Pontificio Consejo «Justicia y paz», *Vocación del líder empresarial*

Tanto el mercado como la política tienen necesidad de personas abiertas al don recíproco.

PAPA BENEDICTO XVI, CiV 36

A diferencia de la economía consumista, basada en una cultura del tener, la economía de comunión es la economía del dar.

CHIARA LUBICH (1943), fundadora del movimiento de los Focolares

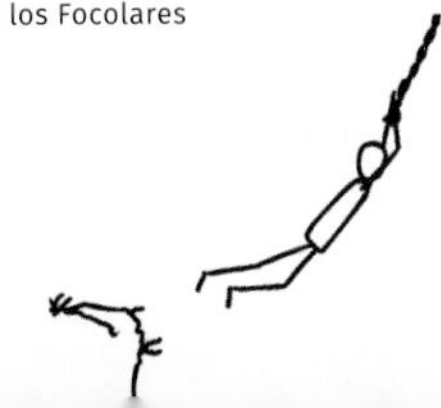

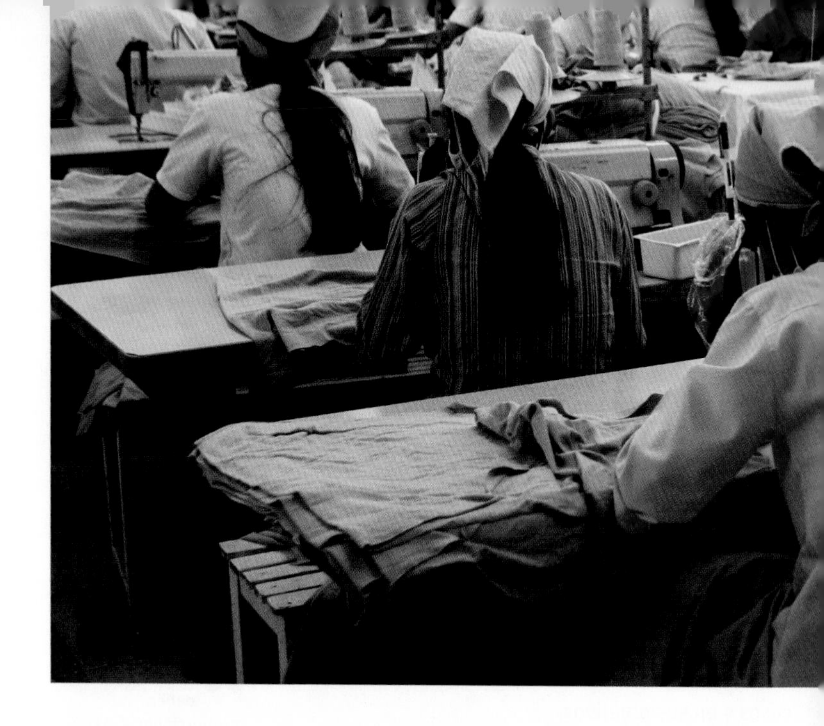

pueden trucar el concierto libre: la estafa, la falta de información, el monopolio de los vendedores o de los compradores, la situación de necesidad de una de las partes o la usura y la explotación son un pecado contra la justicia y la caridad.

→ 340 → 2414, 2434, 2436

> La Tierra necesita una humanidad que deje de considerarla un supermercado y la contemple como hogar.
>
> **YANN ARTHUS-BERTRAND** (1946), activista ecologista

190 *¿Cuáles son los «pecados» de la economía?*

Lamentablemente, también en el ámbito económico son muy frecuentes las mentiras, los engaños, las estafas y los timos. Quienes así actúan, destruyen el capital más importante de la empresa: la confianza. Sin confianza la economía no puede funcionar: hay que poder fiarse de la palabra dada y del contrato firmado. La confianza se adquiere con la fiabilidad y se gana con un comportamiento virtuoso. En la economía hay que tener cuidado ante todo con la codicia, la corrupción y toda forma de injusticia, como el robo, el fraude, la usura, la explotación, etc.

→ 343 → 2408–2414 → 428,430

> La diferencia entre ricos y pobres es que los pobres venden droga para comprarse unas Nike, y los ricos venden sus Nike para comprar droga.
>
> **FRÉDÉRIC BEIGBEDER** (1965), escritor francés

> Hacerse rico no es una vergüenza, pero morir rico es un pecado.
>
> **PROVERBIO ALEMÁN**

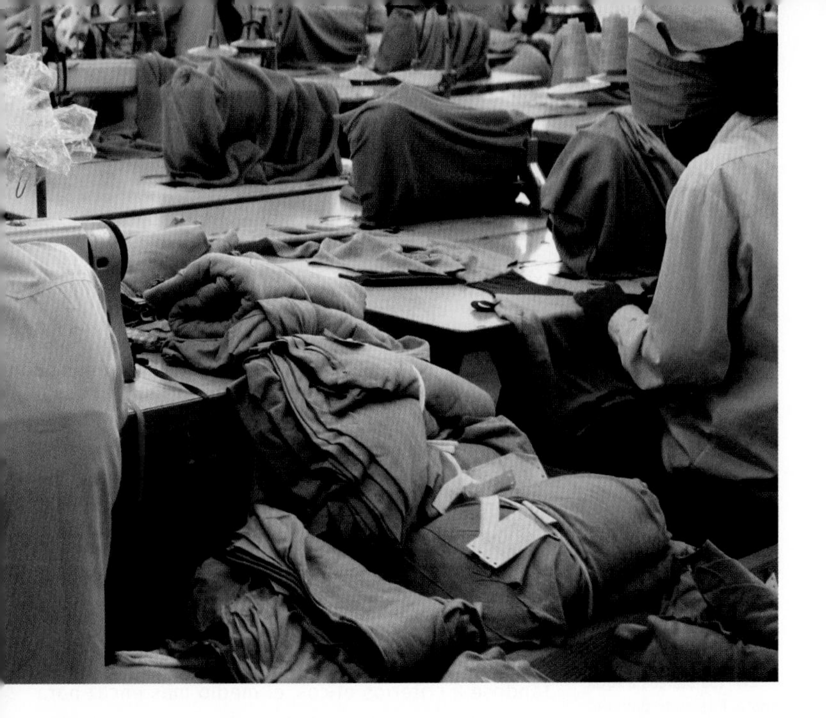

191 *El mercado de especulación financiera ¿no constituye en sí mismo una estructura de pecado?*

No, por principio. Los mercados financieros y los bancos proporcionan un servicio importante cuando se rigen por el bien común, pues ponen a disposición de las empresas y de la economía el capital financiero necesario. El deudor debe pagar los intereses como precio por la liquidez concedida. También el instrumento de la especulación es en sí bueno, pues sirve para equilibrar cantidades y precios entre regiones o entre los momentos de carencia y superávit. Sin embargo, en estos tiempos recientes se ha abusado de estos instrumentos de forma devastadora. El mercado financiero ha experimentado una inflación. Se ha especulado (y se sigue haciendo), sin tener en cuenta el valor real del dinero. En pocos segundos se ganan o se pierden sumas inimaginables, sin que se apoye el trabajo de verdad (es lo que se conoce como mentalidad de casino).

→ 368 → 2426

Los países pobres necesitan tener como prioridad la erradicación de la miseria y el desarrollo social de sus habitantes, aunque deban analizar el nivel escandaloso de consumo de algunos sectores privilegiados de su población y controlar mejor la corrupción.

PAPA FRANCISCO, LS 172

192 ¿Cómo pueden ganarse de nuevo la confianza los mercados financieros?

Además de cumplir con sus propias obligaciones ajustándose a criterios éticos, el medio más eficaz para que los bancos y el mundo financiero salgan de la mayor crisis de su historia es mantener la máxima transparencia en las transacciones. Los mercados financieros internacionales deben ser regulados jurídicamente de un modo uniforme y obligatorio. Para la consecución de estas disposiciones se necesita una autoridad política mundial con competencias específicas.

→ 369–372 → 2430–2432 → 430

La salvación de los bancos a toda costa, haciendo pagar el precio a la población, sin la firme decisión de revisar y reformar el entero sistema, reafirma un dominio absoluto de las finanzas que no tiene futuro y que solo podrá generar nuevas crisis después de una larga, costosa y aparente curación.

PAPA FRANCISCO, LS 189

193 ¿Por qué el «desarrollo» significa algo más que «crecimiento económico»?

El *desarrollo* es un concepto más amplio que el *crecimiento económico*. Además del bienestar y de la seguridad, los seres humanos necesitan una perspectiva de desarrollo global: en la familia, en la fe, mediante la formación y mediante un buen cuidado médico. En los países ricos son muchos los que sueñan aún con una isla de bienestar. Sin embargo, ningún Estado puede enfrentarse solo a los problemas y solucionarlos por sí solo. Una de las tareas de la economía internacional es llevar a cabo *un desarrollo global y solidario para la*

Acrecentar el sentido de Dios y el conocimiento de sí mismo constituye la base de todo desarrollo completo de la sociedad humana.

CIC 2441

humanidad, es decir, para *todos los seres humanos* y para *la totalidad* del ser humano, lo que repercute también en el interés de los países ricos. No es verdad que los ricos tengan que ser siempre más ricos y los pobres más pobres. En un sistema económico humanamente digno, el crecimiento económico de unos lleva a una mejoría de la situación de los otros.

→ 373–374 → 2426–2433 → 443–444, 446–448

194 *¿Qué es la corrupción y cómo puede combatirse?*

La corrupción, es decir, la malversación del poder que ha sido confiado y de los medios disponibles para ello, es un tumor maligno que destruye a la sociedad desde dentro. Y los que carecen de poder se ven obligados a pagar por servicios que les corresponden por derecho, como la seguridad, la formación, la sanidad, el trabajo y el desarrollo profesional. A menudo, quienes sufren la corrupción se convierten en corruptos cuando consiguen una pequeña parte de poder. Forma parte de la corrupción el soborno, la malversación, el abuso de los bienes confiados, el clientelismo, y muchas otras cosas. La corrupción está muy extendida y tiene consecuencias desastrosas. Las mismas instituciones eclesiales no están exentas del «dulce veneno de la corrupción» (papa Francisco). La corrupción está en contra de todos los principios de la doctrina social: defrauda al ser humano en sus derechos naturales, hiere el bien común y pisotea la dignidad de la persona. Luchar contra la corrupción es responsabilidad de todos, pero muy especialmente de los políticos. Un primer medio contra la corrupción es el control social mediante la transparencia máxima en el reparto de derechos y recursos. Los cristianos y las comunidades que no se dejan sobornar y que se conciben como ámbitos libres de corrupción en medio de sociedades corruptas, pueden ser fermento de una renovación de toda la sociedad.

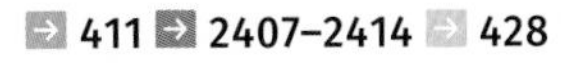
→ 411 → 2407–2414 → 428

Hay pocas cosas más difíciles que abrir una brecha en un corazón corrupto.

PAPA FRANCISCO, 23 de octubre de 2014

La corrupción apesta, la sociedad corrupta apesta, como apesta un animal muerto. Un ciudadano que deja que le invada la corrupción no es cristiano, ¡apesta!

PAPA FRANCISCO, Discurso en Nápoles, 21 de marzo de 2015

La corrupción se ha convertido en algo natural, hasta el punto de llegar a constituir un estado personal y social relacionado con la costumbre, una práctica habitual en las transacciones comerciales y financieras, en los contratos públicos, en toda negociación que implique agentes del Estado. Es la victoria de las apariencias sobre la realidad y de la desfachatez impúdica sobre la discreción respetable. Sin embargo, el Señor no se cansa de llamar a la puerta de los corruptos. La corrupción nada puede contra la esperanza.

PAPA FRANCISCO, 23 de octubre de 2014

Documentos más importantes de la Iglesia

LA ECONOMÍA

Rerum Novarum

Advertencia a los ricos

Así pues, quedan avisados los ricos de que las riquezas no aportan consigo la exención del dolor, ni aprovechan nada para la felicidad eterna, sino que más bien la obstaculizan; de que deben imponer temor a los ricos las tremendas amenazas de Jesucristo y de que pronto o tarde se habrá de dar cuenta severísima al divino juez del uso de las riquezas.

Papa León XIII, Encíclica *Rerum Novarum* (1891), 17

Rerum Novarum

La riqueza es de todos

El hombre no debe considerar las cosas externas como propias, sino como comunes; es decir, de modo que las comparta fácilmente con otros en sus necesidades. De donde el Apóstol dice: «Manda a los ricos de este siglo... que den, que compartan con facilidad». A nadie se manda socorrer a los demás con lo necesario para sus usos personales o de los suyos. [...] No son estos [...] deberes de justicia, salvo en los casos de necesidad extrema, sino de caridad cristiana, la cual, ciertamente, no hay derecho de exigirla por la ley.

Papa León XIII, Encíclica *Rerum Novarum* (1891), 17

Centesimus Annus

Los límites del Estado del bienestar

Al intervenir directamente y quitar responsabilidad a la sociedad, el Estado asistencial provoca la pérdida de energías humanas y el aumento exagerado de los aparatos públicos, dominados por lógicas burocráticas más que por la preocupación de servir a los usuarios, con enorme crecimiento de los gastos.

Papa Juan Pablo II, Encíclica *Centessimus Annus* (1991), 48

Vida humana digna y cooperación para el bien común

Hay que crear, por tanto, estructuras que permitan al individuo la participación responsable en la vida social y económica. Pertenece a ello, junto con los derechos de participación política, el acceso a las posibilidades de trabajo y empleo, que facilitan una vida humanamente digna similar a la de la mayoría de la población y una colaboración efectiva en el bien común.

Para un futuro en solidaridad y justicia (1997), palabras del Consejo de la Iglesia evangélica de Alemania y de la Conferencia Episcopal alemana acerca de la situación social y económica en Alemania, 113

La esencia de la democracia social

Es, por ello, esencial para la democracia la participación de las ciudadanas y ciudadanos –en parte gestionada de manera representativa– en la regulación de todas las cuestiones que les afectan. La característica de la democracia como «social» acentúa que esta participación de las ciudadanas y ciudadanos debe garantizarse no solo de manera formal por el Estado de derecho, sino también de manera material por el Estado social.

Para un futuro en solidaridad y justicia (1997), palabras del Consejo de la Iglesia evangélica de Alemania y de la Conferencia Episcopal alemana acerca de la situación social y económica en Alemania, 137

Caritas in Veritate

Los peligros de la globalización

El mercado, al hacerse global, ha estimulado, sobre todo en países ricos, la búsqueda de áreas en las que emplazar la producción a bajo coste con el fin de reducir los precios de muchos bienes, aumentar el poder de adquisición y acelerar por tanto el índice de crecimiento, centrado en un mayor consumo en el propio mercado interior. Consiguientemente, el mercado ha estimulado nuevas formas de competencia entre los estados con el fin de atraer centros productivos de empresas extranjeras, adoptando diversas medidas, como una fiscalidad favorable y la falta de reglamentación del mundo del trabajo. Estos procesos han llevado a la *reducción de la red de seguridad social* a cambio de la búsqueda de mayores ventajas competitivas en el mercado global, con grave peligro para los derechos de los trabajadores, para los derechos fundamentales del hombre y para la solidaridad en las tradicionales formas del Estado social. Los sistemas de seguridad social pueden perder la capacidad de cumplir su tarea, tanto en los países pobres, como en los emergentes, e incluso en los ya desarrollados desde hace tiempo. En este punto, las políticas de balance, con los recortes al gasto social, con frecuencia promovidos también por las instituciones financieras internacionales, pueden dejar a los ciudadanos impotentes ante riesgos antiguos y nuevos; dicha impotencia aumenta por la falta de protección eficaz por parte de las asociaciones de los trabajadores. El conjunto de los cambios sociales y económicos hace que las *organizaciones sindicales* tengan mayores dificultades para desarrollar su tarea de representación de los intereses de los trabajadores, también porque los gobiernos, por razones de utilidad económica, limitan a menudo las libertades sindicales o la capacidad de negociación de los sindicatos mismos. Las redes de solidaridad tradicionales se ven obligadas a superar mayores obstáculos.

Papa Benedicto XVI, Encíclica *Caritas in Veritate* (2009), 25

Caritas in Veritate

El principio de la gratuidad y la lógica del don

El gran desafío que tenemos, planteado por las dificultades del desarrollo en este tiempo de globalización y agravado por la crisis económico-financiera actual, es mostrar, tanto en el orden de las ideas como de los comportamientos, que no solo no se pueden olvidar o debilitar los principios tradicionales de la ética social, como la transparencia, la honestidad y la responsabilidad, sino que en las *relaciones mer-*

cantiles el *principio de gratuidad* y la lógica del don, como expresiones de fraternidad, pueden y deben *tener espacio en la actividad económica ordinaria*. Esto es una exigencia del hombre en el momento actual, pero también de la razón económica misma. Una exigencia de la caridad y de la verdad al mismo tiempo.

Papa Benedicto XVI, Encíclica *Caritas in Veritate* (2009), 36

Caritas in Veritate

Los pobres y la vida en abundancia

En la actualidad, muchos pretenden pensar que no deben nada a nadie, si no es a sí mismos. Piensan que solo son titulares de derechos y con frecuencia les cuesta madurar en su responsabilidad respecto al desarrollo integral propio y ajeno. Por ello, es importante urgir una nueva reflexión sobre los *deberes que los derechos presuponen, y sin los cuales estos se convierten en algo arbitrario*. Hoy se da una profunda contradicción. Mientras, por un lado, se reivindican presuntos derechos, de carácter arbitrario y superfluo, con la pretensión de que las estructuras públicas los reconozcan y promuevan, por otro, hay derechos elementales y fundamentales que se ignoran y violan en gran parte de la humanidad. Se aprecia con frecuencia una relación entre la reivindicación del derecho a lo superfluo, e incluso a la transgresión y al vicio, en las sociedades opulentas, y la carencia de comida, agua potable, instrucción básica o cuidados sanitarios elementales en ciertas regiones del mundo subdesarrollado y también en la periferia de las grandes ciudades.

Papa Benedicto XVI, Encíclica *Caritas in Veritate* (2009), 43

Evangelii Gaudium

La dictadura de una economía sin rostro

Una de las causas de esta situación se encuentra en la relación que hemos establecido con el dinero, ya que aceptamos pacíficamente su predominio sobre nosotros y nuestras sociedades. La crisis financiera que atravesamos nos hace olvidar que en su origen hay una profunda crisis antropológica: ¡la negación de la primacía del ser humano! Hemos creado nuevos ídolos. La adoración del antiguo becerro de oro (cf. Ex 32,1-35) ha encontrado una versión nueva y despiadada en el fetichismo del dinero y en la dictadura de la economía sin un rostro y sin un objetivo verdaderamente humano. La crisis mundial, que afecta a las finanzas y a la economía, pone de manifiesto sus desequilibrios y, sobre todo, la grave carencia de su orientación antropológica que reduce al ser humano a una sola de sus necesidades: el consumo.

Papa Francisco, Exhortación apostólica *Evangelii Gaudium* (2013), 55

Evangelii Gaudium

Bienestar para todos

Mientras las ganancias de unos pocos crecen exponencialmente, las de la mayoría se quedan cada vez más lejos del bienestar de esa minoría feliz. Este desequilibrio proviene de ideologías que defienden la autonomía absoluta de los mercados y la especulación financiera. De ahí que nieguen el derecho de control de los Estados, encargados de velar por el bien común. Se instaura una nueva tiranía invisible, a veces virtual, que impone, de forma unilateral e implacable, sus leyes y sus reglas. Además, la deuda y sus intereses alejan a los países de las posibilidades viables de su economía y a los ciudadanos de su poder adquisitivo real. A todo ello se añade una corrupción ramificada y una evasión fiscal egoísta, que han asumido dimensiones mundiales. El afán de poder y de tener no conoce límites. En este sistema, que tiende a fagocitarlo todo en orden a acrecentar beneficios, cualquier cosa que sea frágil, como el medio ambiente, queda indefensa ante los intereses del mercado divinizado, convertidos en regla absoluta.

Papa Francisco, Exhortación apostólica *Evangelii Gaudium* (2013), 56

” El ser humano es el centro de la economía

Las medidas de gran alcance para garantizar un marco adecuado de legalidad que guíe todas las acciones económicas, como las medidas coyunturales urgentes para resolver la crisis económica mundial, deben ser guiadas por la ética de la verdad, que comprende, ante todo, el respeto a la verdad del hombre, quien no es un factor económico más, o un bien de descarte, sino que tiene una naturaleza y una dignidad no reducible a simples cálculos económicos. Por ello, la preocupación por el bienestar material y espiritual básico de todo hombre es el punto de partida de toda solución política y económica y la medida última de su eficacia y de su ética. Por otra parte, el fin de la economía y la política es precisamente el servicio a la humanidad, comenzando por los más pobres y débiles, dondequiera que se encuentren, incluso en el seno de su madre. Toda teoría o acción económica y política debe emplearse para suministrar a cada habitante de la tierra ese mínimo de bienestar que consienta vivir con dignidad, en la libertad, con la posibilidad de sostener una familia, educar a los hijos, alabar a Dios y desarrollar las propias capacidades humanas. Esta es la cuestión principal. Sin esta visión, toda la actividad económica no tendría sentido. En esta línea, los diversos y graves desafíos económicos y políticos que afronta el mundo de hoy requieren un cambio valiente de actitudes, que devuelva a la finalidad (la persona humana) y a los medios (la economía y la política) el lugar que les es propio. El dinero y los demás medios políticos y económicos deben servir y no regir, teniendo presente que la solidaridad gratuita y desinteresada es, de modo aparentemente paradójico, la clave del buen funcionamiento económico global. He querido compartir con usted, Primer Ministro, estos pensamientos, con el deseo de contribuir a poner de relieve lo que está implícito en todas las decisiones políticas, pero que a veces se puede olvidar: la importancia primordial de poner a la humanidad, a cada hombre y a cada mujer, en el centro de toda actividad política y económica nacional e internacional, porque el hombre es el recurso más auténtico y profundo de la política y de la economía y, al mismo tiempo, el fin primordial de las mismas.

Carta del Santo Padre Francisco al Primer Ministro del Reino Unido David Cameron con ocasión de la cumbre del G8, 15 de junio de 2013

PREGUNTAS
195–228

Poder y moral

LA COMUNIDAD POLÍTICA

El Estado es una obra de la naturaleza y el hombre es por naturaleza un ser social.

ARISTÓTELES

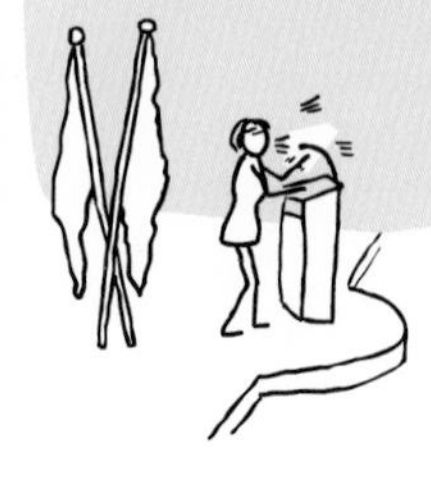

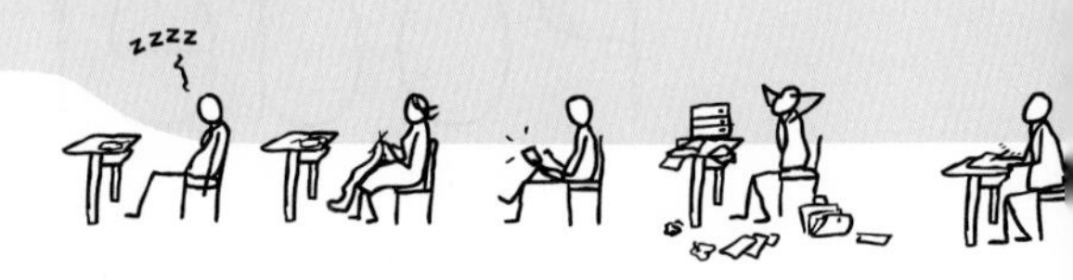

El presupuesto del Estado debe ser equilibrado. Las deudas públicas deben reducirse. Debe moderarse y controlarse la arrogancia de la autoridad. Deben disminuirse los pagos a los gobiernos extranjeros para evitar que quiebre el Estado.

MARCO TULIO CICERÓN

La protección del Estado va dirigida a la utilidad no de quien la ejerce, sino de los que están sometidos a ella.

MARCO TULIO CICERÓN

195 *¿Qué es una comunidad política?*

Una comunidad política regula los asuntos públicos de una sociedad, la *res publica*, como la describían los romanos en oposición a los intereses privados. En la Antigüedad se consideraba honorables a quienes se dedicaban a lo público como si fuera algo propio. El ser humano es para Aristóteles un «ser político», de modo que se es auténticamente humano cuando se participa en la vida pública y se vive en ella como un *ciudadano*.

→ 47, 68, 106 → 1880–1882, 1910 → 139

196 *¿En qué medida es «político» el ser humano en el cristianismo?*

En contraste con los autores antiguos, el cristianismo resalta ante todo el valor incondicional de la persona humana, independientemente de sus contribuciones a la vida pública y política. También la persona minusválida o anciana posee esta dignidad, pues ha sido creada a imagen y semejanza de Dios. El pensamiento político del cristianismo se mide en su totalidad de acuerdo con la dignidad del ser humano otorgada por Dios. El ser humano es un ser *individual* y *social*. Vive en un triple círculo de relaciones: consigo mismo, con los demás y con Dios. El ser humano es la medida y la finalidad de la política.

→ **384, 388** → **1879, 1881** → **440**

197 *¿Qué importancia tiene la política?*

La persona o la comunidad de personas, que hoy se denomina *sociedad civil*, constituyen para los cristianos una entidad siempre previa al «Estado». En primer lugar, el ser humano se encuentra a sí mismo y su dignidad en la relación con Dios (ámbito de la → TRASCENDENCIA); a continuación, se realiza en la relación con los demás (ámbito social). Estas dos dimensiones están estrechamente unidas entre sí. En todo caso, quien posee el derecho es primero la persona humana, luego la sociedad, y, finalmente, la organización política del Estado.

→ **417–420** → **1883–1885** → **440**

198 *¿Cuánto Estado necesita el ser humano?*

Pese a la primacía de la persona, no se puede vivir sin el Estado. Este tiene un significado subsidiario, por consiguiente, de ayuda, pero es imprescindible para crear y garantizar una forma de ordenamiento en la sociedad. Sería extraordinario que los deseos y exigencias de los individuos y de los grupos sociales se combinaran automáticamente desde el punto de vista del bien común. Pero la sociedad se ve desgarrada continuamente por los diversos intereses particulares. Se producen enconadas luchas, conflictos, rivalidades y competitividades. El más fuerte intenta imponerse al más débil. ¿Quién debería poner orden si no son las

> Soy albanesa por nacimiento; india por nacionalización; soy una monja católica. Por mi misión pertenezco al mundo entero, pero mi corazón solo pertenece a Jesús.
>
> **MADRE TERESA**

> La democracia es la libertad constituida en gobierno, pues el verdadero gobierno no es más ni menos que la libertad organizada.
>
> **JUAN BAUTISTA ALBERDI** (1810-1884), estadista argentino

TRASCENDENTAL Lo que sobrepasa lo pasado, y, en última instancia, Dios, que sobrepasa todo.

> Las masas humanas más peligrosas son aquellas en cuyas venas ha sido inyectado el veneno del miedo... del miedo al cambio.
>
> **OCTAVIO PAZ** (1914-1998), poeta y ensayista mexicano

> La política consiste en una prolongada y ardua lucha contra tenaces resistencias para vencer, requiriendo al mismo tiempo pasión y mesura.
>
> **MAX WEBER** (1864-1920), sociólogo y economista alemán

> Entregar por amor hasta la vida es la prueba mayor de amistad, es morir y vivir por Jesucristo: la solidaridad.
>
> **MONSEÑOR LEONIDAS PROAÑO** (1910-1988), obispo y teólogo ecuatoriano

instituciones estatales? Su instrumento más importante es el *derecho*. El Estado de derecho, sin recortar arbitrariamente o más de lo necesario la libertad humana, crea un ordenamiento marco que está al servicio del *bien común*. En el mejor de los casos, el Estado es el espacio seguro en el que la persona humana puede desarrollarse libremente.

→ **418** → **1880, 1882** → **326, 376–377**

> Nunca dudes de que un pequeño grupo de personas puede cambiar el mundo. Realmente, son ellos los que verdaderamente lo han hecho.
>
> **MARGARET MEAD** (1901-1978), etnóloga norteamericana

199 *¿Cómo está estructurada la sociedad civil?*

La sociedad civil se manifiesta frecuentemente solo como un «mercado», en el que mandan la oferta, la demanda y la competitividad. Pero también se producen iniciativas sociales (clubes, asociaciones, fundaciones, agrupaciones) que no están orientadas a obtener beneficios económicos. Se nutren de solidaridad y de voluntariado, y mantienes valores en la sociedad que son indispensables para su cohesión: el afecto, la cercanía, la humanidad, la implicación en el destino

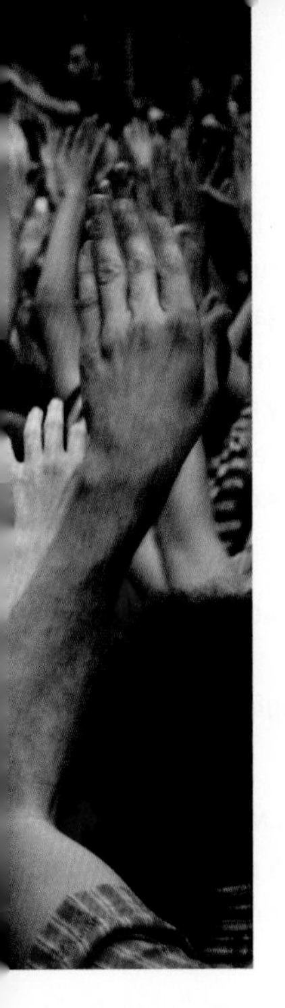

El destino más elevado del ser humano es servir más que gobernar.

ALBERT EINSTEIN

de los débiles, la fraternidad. A estas agrupaciones se les llama también el *tercer* sector, para diferenciarlas así del sector privado y público teniendo en cuenta su compromiso voluntario. Un Estado solo puede ejercer de «Estado» si puede contar con individuos comprometidos y asociaciones leales que contribuyan a él activamente.

¿Cuándo, si no es ahora? ¿Dónde, si no es aquí? ¿Quién, sino nosotros?

JOHN F. KENNEDY

419, 420 → 1880 → 447

200 ¿Dónde hunde sus raíces la comprensión cristiana del Estado y de la autoridad?

La idea cristiana del Estado, de la autoridad y del poder tiene sus raíces en el Antiguo Testamento. En este el pensamiento político gira en torno al eje formado por *Dios y «su pueblo»*. El centro lo ocupa Yahveh y el cumplimiento de la alianza. La existencia del «rey» se explica como una concesión divina. Sin embargo, el rey no tenía su propio poder, sino que estaba obligado a procurar la justicia social, a dictar sentencias jus-

Los salvaré de sus pecados de apostasía y los purificaré: ellos serán mi Pueblo y yo seré su Dios.

EZ 37,23b

tas, a atender a los pobres, etc. Las acciones debían ser reguladas «según la voluntad de Dios». La pregunta sobre cómo configurar racionalmente los asuntos públicos surgió en la filosofía griega con Heródoto y Platón. Jesús enseñó una relación leal con el Estado: «Den al César lo que es del César, y a Dios, lo que es de Dios» (Mt 22,21). Solo después del giro constantiniano y con Agustín comenzó a reflexionarse sobre la relación de la Iglesia con el Estado.

> Y ahora, Israel, esto es lo único que te pide el Señor, tu Dios: que le temas y sigas todos sus caminos, que ames y sirvas al Señor, tu Dios, con todo tu corazón y con toda tu alma.
>
> **DT 10,12**

→ 377, 378 → 1897, 1900, 1904 → 140, 376

¿Cuáles son las raíces teológicas del bien común?

Desde el antiguo Israel hasta la Edad Media cristiana, el *bonum commune* (= bien común) era más un concepto teológico que político. Para Tomás de Aquino, el bien común consistía principalmente en la comunión de los santos con Dios. El orden divino y el orden humano están relacionados recíprocamente. Tomás parte aquí de realidades políticas, por ejemplo, de la determinación de qué es una ley. La preocupación pragmática por la realidad, que paulatinamente iba dejando en la penumbra la relación exclusiva con Dios, buscó otros ordenamientos sociales en los que pudiera llevarse a cabo la vida de los individuos en comunión con Dios. Dicho esto, el «bien» que persigue la comunidad política no puede estar en contraposición con el «bien» de las personas, sino que más bien debe poner a disposición de estas las condiciones adecuadas para su desarrollo. En este sentido, el «bien común político» asume la función de servir a la persona o a la sociedad civil.

> La política, tan denigrada, es una altísima vocación, es una de las formas más preciosas de la caridad, porque busca el bien común. ¡Ruego al Señor que nos regale más políticos a quienes les duela de verdad la sociedad, el pueblo, la vida de los pobres! Es imperioso que los gobernantes y los poderes financieros levanten la mirada y amplíen sus perspectivas, que procuren que haya trabajo digno, educación y cuidado de la salud para todos los ciudadanos.
>
> **PAPA FRANCISCO**, EG 205

→ 389 → 1905–1912 → 296, 327–328

¿Depende la comunidad política de valores fundamentales?

Las democracias actuales no se fundamentan ya en el intento de ser fieles a Dios y a su alianza. Neutralmente religiosas, las democracias modernas se nutren del respeto a la dignidad de la persona humana y de los derechos individuales de libertad, que se basan en la libertad religiosa y de expresión. Ahora bien, los Estados modernos no pueden prescindir de unas premisas morales fundamentales, que, en última instancia, son asumidas y promovidas por las convicciones religiosas. El aprecio actual por la persona humana y sus libertades solo pudo desarrollarse porque el cristianismo hizo posible que el ser humano se liberara del sometimiento absoluto a la comunidad política. El cristianismo espera del Estado que defienda y proteja a cada persona en su valor intrínseco. Asimismo, espera que haga frente al → RELATIVISMO DE LOS VALORES y que asegure jurídicamente los valores morales y religiosos.

→ 386,407 → 333

RELATIVISMO DE LOS VALORES
La opinión según la cual no existen valores absolutos y que los valores son el resultado de un acuerdo social o cultural.

203 *¿En qué se fundamenta el poder político?*

Si la *persona humana* es el *valor fundamental* de la comunidad política, entonces solo ella constituye la única legitimación del poder político. El poder político no se identifica con la arbitrariedad individual del gobernante de turno que piensa que es el único responsable de todo, sino que es más bien el poder de una soberanía *legitimada por el pueblo*. Los gobernantes, como las personas que los legitiman, *están capacitados para saber la verdad* gracias a su razón; con la conciencia pueden reconocer la importancia de los valores y también a Dios, que es el que garantiza que el bien sea absolutamente bueno. La doctrina social católica rechaza el → ESCEPTICISMO general que difunde la imposibilidad de conocer la verdad y los valores morales comunes.

→ 395–397 → 2236–2237

Nunca la humanidad tuvo tanto poder sobre sí misma y nada garantiza que vaya a utilizarlo bien... ¿En manos de quiénes está y puede llegar a estar tanto poder?
PAPA FRANCISCO, LS 104

La libertad no es poder hacer lo que queramos, sino el derecho a poder hacer lo que debemos.
LORD ACTON (1834-1902), historiador y periodista inglés

ESCEPTICISMO
La posición intelectual que sostiene la imposibilidad de conocer la verdad y los valores.

¿Qué son los ricos, cuando falta la justicia, sino una pandilla de ladrones?
SAN AGUSTÍN

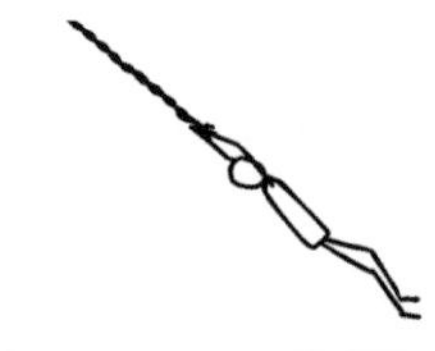

¿Cuánto debe la democracia a los antiguos griegos?

> La democracia es el peor sistema de gobierno diseñado por el hombre. Con excepción de todos los demás.
>
> **WISTON CHURCHILL**

Mucho; de hecho, fueron ellos solos los que inventaron la palabra «democracia» (*démos* = pueblo, *kratía* = gobierno). A menudo se vincula el origen de la democracia exclusivamente con los antiguos griegos. Aparte de que solo tenía derecho a votar una cuarta parte de la población (los varones griegos «libres»), casi todos los filósofos y estadistas griegos la consideraban inferior a la monarquía y a la aristocracia. Para ellos el ideal era el «rey filósofo», que podía conocer mejor el bien común político que la «masa ciega». El valor fundamental de la persona humana no estaba aún definido en el pensamiento político.

> Nada soy, nada valgo, nada pretendo, nada quiero para mí, todo para vosotros, que sois el pueblo que se ha hecho digno de ser libres.
>
> **JOSÉ ELOY ALFARO DELGADO** (1842-1912), expresidente de la República del Ecuador

¿Es la democracia un resultado del cristianismo?

En gran medida sí. Solo en el cristianismo *la dignidad*, que se había tenido menos en cuenta en Grecia, se democratizó radicalmente y se reconoció como elemento fundamental del ser humano, es decir, la dignidad que cada hombre posee independientemente de su origen y de su nacimiento. El ser humano se encuentra en relación directa con Dios, lo que le sustrae al dominio absoluto de cualquier comunidad política. La dignidad de cada ser humano es el fundamento ético real de la democratización de la participación política. Además, la democracia moderna se basa en los derechos humanos,

> Las instituciones democráticas son establecimientos de cuarentena contra la vieja peste de los caprichos de los tiranos: en cuanto tal, son muy útiles y muy aburridas.
>
> **FRIEDRICH NIETZSCHE** (1844-1900), filósofo alemán

que garantizan que no se destruya la vida humana por decisiones arbitrarias de la mayoría o se reprima a las minorías.

→ 395–399 → 140

206 ¿Quién tiene la autoridad última, el Estado o el ciudadano?

En el cristianismo se ha resaltado siempre que la última autoridad vinculante es la conciencia de cada uno. No es obligatorio cumplir las leyes contrarias al orden moral, aun cuando sean decretadas por el Estado. La democracia no es mejor que la monarquía o la aristocracia porque sea más eficiente, sino porque posee un → *ETHOS* diferente que se basa en los derechos humanos y constituye un ordenamiento mejor para la realización de la persona humana.

→ 398, 399, 1881, 1892 → 2242, 2288 → 322

207 ¿Es el cristianismo una «religión política»?

Jesús no se dejó acaparar en ningún momento por la política. Así, no se unió a los zelotes, los fanáticos políticos que querían liberar a Israel de la opresión política romana mediante la violencia. Jesús quería la salvación y la libertad de todas las personas. Lo fundamental para él era restablecer la relación del ser humano con su creador. Por eso su Evangelio fue algo más que política, aun cuando constituya un referente político extraordinario tanto para los individuos como para la comunidad. Sin embargo, hay que separar la dimensión política de la religiosa, como hizo Jesús al decir: «Den al César lo que es el César, y a Dios, lo que es de Dios» (Mt 22,21). La diferenciación entre política y religión fue una separación difícil de comprender para el mundo antiguo, y aún sigue siéndolo para amplios sectores del mundo musulmán.

→ 49–51 → 2244–2246 → 376

Se construye más fácilmente una ciudad en el aire que un Estado sin Dios.

PLATÓN (427-348 a.C.), filósofo griego

ETHOS
Sistema de valores del que surge la conciencia de la convicción impregnada de valores morales.

Mi profundo respeto a la verdad me llevó a la política; y puedo decir sin duda alguna, pero con toda humildad, que la persona que dice que la religión no tiene nada que ver con la política, no sabe lo que significa la religión.

MAHATMA GANDHI

Que nadie piense que puede escudarse en Dios cuando proyecta y realiza actos de violencia y abusos. Que nadie tome la religión como pretexto para las propias acciones contrarias a la dignidad del hombre y sus derechos fundamentales, en primer lugar el de la vida y el de la libertad religiosa de todos.

PAPA FRANCISCO, 21 de septiembre de 2014 en Tirana, Albania (Encuentro con las autoridades)

208 ¿Cómo «reinó» Jesús?

> Las condiciones de vida de muchos abandonados, excluidos e ignorados en su miseria y su dolor, contradicen el proyecto del Padre e interpelan a los creyentes a un mayor compromiso a favor de la cultura de la vida. El Reino de vida que Cristo vino a traer es incompatible con esas situaciones inhumanas.
>
> **APARECIDA,** 358

El Antiguo Testamento esperaba al Mesías como un salvador político. Cuando finalmente llegó el Mesías en la forma de Jesucristo, Israel no vio en él la imagen de un soberano que alardeara de su poder, sino a un «rey» que, con su ejemplo y su palabra, denunció las injusticias, y con la entrega de su cuerpo mostró lo que provocan la tortura y la injusticia estatal y religiosa, cómo mediante ellas pueden ser destruidos los hombres. ¿Poder, riqueza e influencia? Jesús dio la vuelta a estas categorías de la carrera política: él no vino para gobernar, sino para servir. De esta manera, Jesús se convierte en una nueva norma para todos los que asumen una responsabilidad: «El que quiera ser grande, que se haga servidor de ustedes» (Mt 20,26).

→ **13, 379, 382–383** → **450, 668, 840, 1884**

Yo he recibido todo poder en el cielo y en la tierra.

MT 28,18

209 ¿Fracasó Jesús en la cruz?

> Dios ha muerto.
>
> **FRIEDRICH NIETZSCHE**

> La religión es el opio del pueblo.
>
> **KARL MARX**

> ¡Marx ha muerto! ¡Jesús vive!
>
> **NORBERT BLÜM** (1989)

PARADOJA
Una afirmación que constituye una contradicción aparentemente insoluble.

Jesús fue crucificado porque fue malinterpretado política y religiosamente. Las autoridades judías vieron en él a un blasfemo, mientras que los romanos interpretaron políticamente sus pretensiones a la realeza. Ahora bien, la crucifixión no fue el fracaso de su misión, sino su realización plena. Jesús definió de forma novedosa las bases del ejercicio del poder político. En la → PARADOJA de la cruz el poder de Dios se manifiesta en la impotencia de su Hijo torturado, cuestionando así todas las pretensiones de poder en el mundo. Se necesita un ordenamiento político que asegure la paz, pero que se legitima solo cuando la cumple y protege a sus ciudadanos. El ejercicio cristiano del poder se realiza además como caridad y servicio.

→ **379, 410** → **439, 664, 711–714, 840** → **101**

210 ¿Qué cambia cuando la política «sirve»?

La doctrina social pone de relieve la *función de servicio de la administración pública*. El que sirve al bien común no busca en primer lugar su propio bien, sino el de la comunidad política que se le ha confiado, y ejerce su función política según unos criterios éticos. El que sirve no se enriquece. Esto es determinante para la lucha contra la corrupción. El que sirve tiene además en su punto de mira a la persona concreta en su necesidad. La burocratización excesiva de los Estados o de las uniones de Estados no sirve al desarrollo subsidiario y libre de las personas ni de las pequeñas unidades sociales. Las personas sencillas son las que a menudo tienen que sufrir los perjuicios, porque no están a la altura de todo el enredo del aparato burocrático. Una buena administración es un gran bien; una buena administración sirve. La burocracia (= el gobierno de las oficinas) deshumaniza también, por otro lado, a quienes la ejercen, porque hace «de los seres humanos funcionarios y meras ruedas del engranaje burocrático» (Hannah Arendt).

→ 411, 412 → 1888–1889 → 448

> Cada partido está al servicio del pueblo, no al servicio de sí mismo.
>
> **KONRAD ADENAUER** (1876-1967), primer canciller de la República Federal de Alemania

211 ¿Para qué y cómo «sirven» los partidos?

Los partidos tienen la tarea de organizar la formación de la opinión política y de ser instrumentos de la participación política de todos los ciudadanos. Pero solo la cumplen cuando, en primer lugar, ellos mismos se constituyen democráticamente y, en segundo lugar, cuando asumen una *función de servicio*, es decir, con la mirada puesta en el bien común. La Iglesia aprecia que los creyentes se comprometan en partidos democráticos y defiendan en ellos la realización de los valores cristianos. Ahora bien, «la actividad caritativa

> Ante la necesidad de un cambio global en las estructuras latinoamericanas, juzgamos que dicho cambio tiene como requisito la reforma política.
> El ejercicio de la autoridad política y sus decisiones tienen como única finalidad el bien común. En Latinoamérica tal ejercicio y decisiones con frecuencia aparecen apoyando sistemas que atentan contra el bien común o favorecer a grupos privilegiados.
>
> **MEDELLÍN**, Sobre la reforma política

> Los poderosos no necesitan de la política porque ya tienen el poder, ya sea a través del dinero, de las armas, de las influencias o de las corporaciones. El pueblo sí necesita de la política porque es la única manera que tiene para construir poder y cambiar las cosas.
>
> **GERMÁN ABDALA** (1955-1993), sindicalista y político argentino

> La intolerancia política y el indiferentismo frente a la situación del empobrecimiento generalizado muestran un desprecio a la vida humana concreta que no podemos callar.
>
> **SANTO DOMINGO**, Conclusiones 166

cristiana ha de ser independiente de partidos e ideologías. No es un medio para transformar el mundo de manera ideológica y no está al servicio de estrategias mundanas, sino que es la actualización aquí y ahora del amor que el hombre siempre necesita» (Benedicto XVI, *Deus Caritas est* 31b).

→ 413 → 898–900 → 447–448

Hoy, que las redes y los instrumentos de la comunicación humana han alcanzado desarrollos inauditos, sentimos el desafío de descubrir y transmitir la mística de vivir juntos, de mezclarnos, de encontrarnos, de tomarnos de los brazos, de apoyarnos, de participar de esa marea algo caótica que puede convertirse en una verdadera experiencia de fraternidad, en una caravana solidaria, en una santa peregrinación. De este modo, las mayores posibilidades de comunicación se traducirán en más posibilidades de encuentro y de solidaridad entre todos. Si pudiéramos seguir ese camino, ¡sería algo tan bueno, tan sanador, tan liberador, tan esperanzador!

PAPA FRANCISCO, EG 87

212 ¿Por qué debe cumplir la información política ciertas normas éticas?

La genuina formación de la opinión democrática se garantiza solamente cuando se dan la *objetividad y libertad de la información*. Cuando el poder político controla la información y la manipula para fines ideológicos o propagandísticos vulnera un derecho fundamental de la persona humana, a saber, su derecho inalienable a la participación. La información política independiente y el derecho a la libertad de expresión son elementos fundamentales del bien común, no solo porque sin ellos no funciona la política, sino también porque el ser humano como persona tiende a la verdad. Además, también es importante que se tenga en cuenta en la comunicación pública a todos los grupos sociales, también a las minorías.

→ 414–416 → 2494 → 459

213 ¿Se perjudican los cristianos a sí mismos cuando defienden el orden básico de la democracia?

El orden básico de la democracia es el ordenamiento en el que mejor se pueden recoger los principios cris-

tianos fundamentales. En su moral política, el cristianismo no defiende unas opiniones religiosas especiales, sino los principios generales del Estado fundados en la razón. «En fin, mis hermanos, todo lo que es verdadero y noble, todo lo que es justo y puro, todo lo que es amable y digno de honra, todo lo que haya de virtuoso y merecedor de alabanza, debe ser el objeto de sus pensamientos» (Flp 4,8). Esto vale también para cuando los cristianos se encuentran en una situación aparentemente contradictoria. Por un lado, desean el logro máximo de los valores fundamentales, entre los que se encuentran la libertad de conciencia y de religión. Por otro, tienen que contar con que posiblemente una mayoría no se oriente, piense, actúe y se decida por esos valores. Solo mediante un trabajo paciente podrán los cristianos convencer e inducir a sus prójimos a tener actitudes diferentes.

→ **421–423** → **2105ss** → **440**

214 *¿Qué significa el principio de la laicidad?*

La Iglesia se muestra crítica con el → LAICISMO porque quiere excluir la religión de la vida pública. En cambio, aprecia una laicidad cooperativa, que distingue cuidadosamente entre las competencias del Estado y las de la Iglesia, pero se esfuerza por una colaboración positiva a favor del bien del ser humano. Los cristianos están llamados a defender de manera especial la libertad como derecho fundamental, la participación política, los principios fundamentales del Estado social, la libertad de conciencia y la tolerancia religiosa. Los laicistas afirman constantemente que los principios democráticos tuvieron que imponerse, en no pocas ocasiones, en contra de la oposición cristiana y eclesial. Sin embargo, el principio de la dignidad individual, que es sobre el que se erige la democracia moderna, se basa en la imagen cristiana del ser humano.

→ **396, 421, 422** → **2105, 2442** → **440**

Hoy quiero decir tres cosas. La primera: Mientras dormían esta noche, 30.000 niños han muerto de hambre o como consecuencia de la desnutrición. La segunda: A la mayoría de ustedes, eso les importa una mierda. Y la peor es la tercera, a saber, que les molestará que haya dicho que «les importa una mierda» que esta noche hayan muerto 30.000 niños.

TONY CAMPOLO (1935), sociólogo y predicador bautista norteamericano

LAICISMO (del griego *láos* = pueblo) es una corriente política que sostiene una separación estricta entre Iglesia y Estado. La religión es un asunto totalmente «privado» y no puede ser fomentada por el Estado.

La convivencia pacífica entre las diferentes religiones se ve beneficiada por la laicidad del Estado, que, sin asumir como propia ninguna posición confesional, respeta y valora la presencia de la dimensión religiosa en la sociedad, favoreciendo sus expresiones más concretas.

PAPA FRANCISCO (encuentro con la clase dirigente de Brasil), 27 de julio de 2013

> Vi lo que es el poder: una mirada de tigre que te hace bajar los ojos y sentir miedo y vergüenza.
>
> **CARLOS FUENTES,** ensayista mexicano, en *La voluntad y la fortuna*

Si el Estado no cumple su rol en una región, algunos grupos económicos pueden aparecer como benefactores y detentar el poder real, sintiéndose autorizados a no cumplir ciertas normas, hasta dar lugar a diversas formas de criminalidad organizada, trata de →

→ personas, narcotráfico y violencia muy difíciles de erradicar. Si la política no es capaz de romper una lógica perversa, y también queda subsumida en discursos empobrecidos, seguiremos sin afrontar los grandes problemas de la humanidad.

PAPA FRANCISCO, LS 197

215 *¿Cuál es el fin de la moral política?*

«La persona humana es el fundamento y el fin de la convivencia política» (CDSI 384). Esta es la afirmación central de la moral política cristiana. No hay valores políticos ni ideológicos por los que se pueda degradar al ser humano a un «medio» mediante el que se alcancen objetivos de mayor rango. En todos los totalitarismos del siglo XX se sacrificaron las personas a las ideologías. Ni siquiera el mismo principio de la religiosidad está a salvo de este abuso. Es decir, existen ideologías y terrorismos de motivación religiosa, tal y como sabemos por lo menos desde el 11 de septiembre de 2001. Hay que defender de nuevo constantemente la prioridad de la persona humana.

→ 384 → 1881 → 322

216 *¿Cómo funciona la autoridad verdadera?*

Sin autoridad se desintegra toda comunidad humana. Pero la autoridad no puede actuar arbitrariamente, sino que está al servicio de orientar en libertad a las personas hacia el bien común. Tampoco el bien común puede determinarse arbitrariamente, sino que más bien debe ser aquello a lo que todos tienden (deberían) a partir de los propios intereses racionalmente justificados, porque es lo bueno para todos. Dadas estas condiciones, los cristianos están obligados en conciencia a obedecer a la autoridad. Toda autoridad política tiene su base en la dignidad de la conciencia humana. Por ello, toda política que se rige por principios éticos hace del concepto de conciencia la categoría central del ejercicio del poder político.

→ 393, 394 → 1897–1899 → 325

LEY MORAL NATURAL

Todos los seres humanos saben distinguir por naturaleza el bien y el mal. Solo puede exponerse y fundamentarse mediante el conocimiento racional.

217 *¿A qué está sujeta la autoridad?*

La autoridad está sujeta a la → LEY MORAL NATURAL, que se expresa en los valores éticos fundamentales y que son comprensibles racionalmente por cualquiera. Si una autoridad promulga leyes y órdenes que contradicen estos valores, crea un «derecho» injusto, un derecho, por consiguiente, que no obliga a nadie. Gracias a la validez de la ley moral natural, los criminales de guerra del nacionalsocialismo no pudieron defenderse apelando a que solamente habían actuado según la ley y cumpliendo las órdenes de una autoridad legítima. Actualmente, estas razones se aplican en el derecho internacional de los pueblos.

→ **394–398, 407** → **1902** → **325–326**

En todas las culturas se dan singulares y múltiples convergencias éticas, expresiones de una misma naturaleza humana, querida por el Creador, y que la sabiduría ética de la humanidad llama ley natural. Dicha ley moral universal es fundamento sólido de todo diálogo cultural, religioso y político, ayudando al pluralismo multiforme de las diversas culturas a que no se alejen de la búsqueda común de la verdad, del bien y de Dios.

PAPA BENEDICTO XVI, CiV 59

218 *¿Por qué es legítima la objeción de conciencia?*

Ningún ordenamiento jurídico o político puede reivindicar para sí mismo una vinculación absoluta. La responsabilidad de la conciencia sobrepasa el horizonte del poder político. Nadie puede ser obligado a hacer algo que está radicalmente en contra de sus convicciones fundamentales. Este derecho abarca tanto la objeción de conciencia al servicio militar como la pregunta de si se puede legitimar el asesinato de un gobernante que solo es formalmente legítimo. Importantes autores cristianos, como Agustín y Tomás de Aquino, respondían afirmativamente, si bien con muchas reservas y bajo la consideración de situaciones y condiciones extremas.

→ **399–401** → **2242** → **377**

Su conciencia estaba limpia. Nunca la usaba.

STANISLAW JERZY LEC (1909-1989), escritor de aforismos polaco

La desconfianza con respecto al humor es el comienzo de la tiranía.

EDWARD ABBEY (1927-1989), escritor norteamericano

Nuestra democracia tiene un gran fallo: no es democrática.

GILBERT KEITH CHESTERTON (1874-1936), escritor y periodista inglés

219 *¿Se puede ser político y cristiano al mismo tiempo?*

Es un honor para los cristianos servir a la sociedad comprometiéndose en la política. Ahora bien, la política siempre trata de lo «factible», es decir, no siempre dispone de los medios para llevar cabo lo necesa-

rio, y a menudo las mayorías no quieren convertir en política las opciones cristianas fundamentales. Por ello no puede reprocharse a los políticos cristianos que tengan que hacer concesiones para llegar a ciertos acuerdos. No obstante, hay decisiones que un político cristiano no puede aceptar nunca por motivos de conciencia. Los valores fundamentales de la persona –la vida, la libertad, la dignidad– no son opcionales para un político cristiano. Por ejemplo, ningún político puede presentarse como cristiano y al mismo tiempo contribuir a que se destruyan los medios de subsistencia de su país.

→ 394–399, 407 → 899, 2242

> Cuando los hombres se alejan de Dios, los gobiernos se desorientan, las mentiras crecen sin límites, las deudas se vuelven impagables y las conversaciones dejan de ser fructíferas. Entonces, la ilustración se muestra desatinada, los políticos sin carácter, los cristianos sin oración, la Iglesia sin fuerzas, los pueblos sin paz, las costumbres sin freno, la moda sin vergüenza, los crímenes sin medida, los discursos sin fin y las esperanzas sin consuelo.
>
> **ANTOINE DE SAINT-EXUPÉRY**

220 *¿Debe aceptar la Iglesia todas las decisiones democráticas?*

El hecho de que la Iglesia opte por la democracia no significa que deba aceptar todas las decisiones que se toman en una comunidad democrática. El juicio moral de la Iglesia está a veces incluso en contra de las decisiones de los parlamentos legislativos. ¿Puede la Iglesia, por ejemplo, aprobar que se legalice el aborto, que se investigue con embriones humanos o que se practique la pena de muerte? La Iglesia tiene la tarea de criticar estos supuestos desarrollos, pero no tiene la posibilidad de impedir estas decisiones. En este campo se exige la implicación política de los cristianos, para defender los valores de la vida y el derecho del ser humano, y plasmarlos así en las decisiones políticas.

→ 407 → 1922 → 441

> ¿Por qué se sigue a la mayoría? ¿Porque tiene razón? No, porque es más fuerte.
>
> **BLAISE PASCAL** (1626-1662), filósofo, físico y matemático francés

> En una democracia de verdad, el pueblo no debe conformarse con elegir a sus gobernantes, debe gobernar a sus elegidos.
>
> **JOSÉ BATLLE Y ORDÓÑEZ**, político y periodista uruguayo

221 *¿Tiene la Iglesia sus reservas con respecto a la democracia?*

La Iglesia se reserva el derecho a distanciarse críticamente de todas las formas de organización política. Prefiere y apoya las formas de gobierno demo-

> No tenemos ninguna receta secreta para el tercer milenio, no tenemos que inventar nada nuevo, sino solamente no dejar de proclamar el antiguo mensaje, no tanto con palabras cuanto mediante el testimonio de una vida de amor.
>
> **FRANZ KÖNIG** (1905-2004), arzobispo de Viena y cardenal

> Cuando te des cuenta de que perteneces a la mayoría, es el momento de replantearte tu actitud.
>
> **MARK TWAIN** (1835-1910), escritor norteamericano

cráticas, pero no las idealiza. También la democracia es un sistema que no está exento de fallos y de errores. La doctrina social aborda los principios morales fundamentales de la convivencia, pero no las «cuestiones técnicas» de la organización política.

→ 407 → 1920–1923

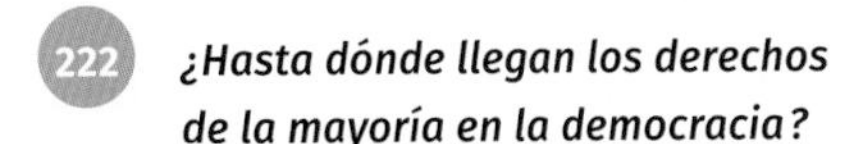

222 *¿Hasta dónde llegan los derechos de la mayoría en la democracia?*

Si el valor fundamental de toda comunidad política es la persona humana, las mayorías democráticas o parlamentarias no pueden tomar una decisión según su gusto. La política está subordinada al derecho y a la ley, principalmente a los derechos fundamentales de

> El verdadero espíritu de 1789 consiste en pensar no que lo que algo es justo porque el pueblo lo quiere, sino que, bajo ciertas condiciones, la voluntad del pueblo tiene más posibilidades que ninguna otra voluntad de ser conforme a la justicia.
>
> **SIMONE WEIL**

JUDICIAL (del latín *ius*: derecho) = el Poder Judicial en el Estado.

LEGISLATIVO (del latín *lex* = ley): el Poder Legislativo en el Estado.

EJECUTIVO (del latín *exercere*: ejecutar): el Poder Ejecutivo en el Estado.

Dios no está de parte del poder, solo está de parte de la verdad.

FIÓDOR DOSTOYEVSKI

En los tribunales de justicia deben hablar las leyes, y el gobernante debe callar.

FEDERICO EL GRANDE (1712-1786), rey de Prusia

El orden justo de la sociedad y del Estado es una tarea principal de la política y no de la Iglesia. Pero la Iglesia no puede ni debe quedarse al margen en la lucha por la justicia.

BENEDICTO XVI, *Deus Caritas est*, 28

las personas y de los ciudadanos. Las minorías no pueden ni deben ser privadas de estos derechos. Lógicamente, de este reconocimiento surgen también las obligaciones de las minorías, aun cuando no se sientan representadas en las decisiones políticas.

→ **387, 407**

223 *¿Qué dice la Iglesia sobre la separación de poderes y la legalidad?*

La Iglesia se pronuncia explícitamente a favor del principio de la separación de poderes. Solo es posible un Estado de derecho cuando se mantienen independientes los poderes → JUDICIAL, → LEGISLATIVO y → EJECUTIVO. Por otra parte, el Estado de derecho es la condición previa para que las personas puedan desarrollar su dignidad, gozando, por ejemplo, de la libertad de conciencia y de religión. En particular, la existencia de una justicia independiente es para la moral social católica la garantía de un ordenamiento político éticamente justificado. Este principio de legitimidad es considerado tan fundamental que la misma Iglesia se somete a él: la doctrina social católica sostiene que la libertad religiosa no puede aplicarse unilateralmente a favor de la Iglesia católica, sino que debe reconocerse a todas las comunidades religiosas.

→ **408, 422**

224 *¿Qué une y qué separa al Estado y a la Iglesia?*

La Iglesia se define como parte de la sociedad civil al integrarse en el principio del Estado de derecho. De este modo deja de estar políticamente vinculada con el Estado, a diferencia de lo que sucedía en los tiempos de la «alianza entre el altar y el trono». En este sentido se resalta ante todo la autonomía y la independencia entre el Estado y la Iglesia. El bien común

político y espiritual pueden separarse hasta cierto grado, puesto que constantemente existen puntos de intersección. A partir de este fundamento deben trabajar conjuntamente la Iglesia y el Estado. Pese a la obediencia a las leyes, la Iglesia se reserva el derecho a intervenir como un correctivo moral y a ejercer su crítica allí donde ve que se vulneran principios morales fundamentales.

→ 424, 425, 427 → 2244–2245 → 140

225 *¿Cuál es el fundamento moral en que debe basarse la vida de la Iglesia dentro del Estado?*

La Iglesia exige lo que está de acuerdo con los principios generales de la libertad religiosa: libertad de expresión y de enseñanza; libertad de ejercer el culto públicamente y de organización; libertad de nombrar a sus propios ministros; libertad de construir edificios religiosos; derecho de propiedad privada y libertad de asociarse para diversos fines, culturales, de salud y caritativos.

→ 426 → 2246

Por respeto a la libertad, la ley permite que el pobre entable la lucha por la vida sin más armas que su debilidad y su hambre.

IGNACIO PRUDENCIO BUSTILLO (1895-1928), pensador boliviano

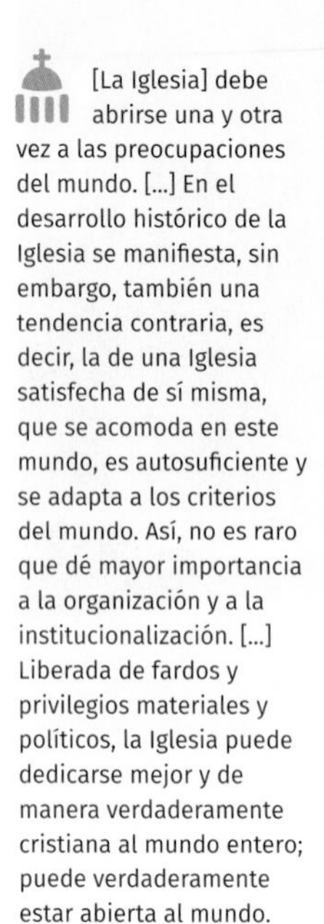

[La Iglesia] debe abrirse una y otra vez a las preocupaciones del mundo. [...] En el desarrollo histórico de la Iglesia se manifiesta, sin embargo, también una tendencia contraria, es decir, la de una Iglesia satisfecha de sí misma, que se acomoda en este mundo, es autosuficiente y se adapta a los criterios del mundo. Así, no es raro que dé mayor importancia a la organización y a la institucionalización. [...] Liberada de fardos y privilegios materiales y políticos, la Iglesia puede dedicarse mejor y de manera verdaderamente cristiana al mundo entero; puede verdaderamente estar abierta al mundo.

PAPA BENEDICTO XVI, Discurso en Friburgo el 25 de septiembre de 2011

¿Cómo es posible que miles y miles de personas pasen aburridas por delante de la Iglesia? ¿Por qué hemos llegado a esta situación en la que el cine es realmente más interesante, más emocionante, más humano y más cautivador que la Iglesia? ¿Es solo culpa de los otros o es también nuestra?

DIETRICH BONHOEFFER (1906-1945), teólogo evangélico alemán, asesinado por los nazis en un campo de concentración

Ningún problema se solucionará si esperamos apáticos a que sea Dios el único que se ocupe de ellos.

MARTIN LUTHER KING

226 *¿Es suficiente la ley como marco de orientación para la convivencia social?*

No. Para que las personas convivan bien y las instituciones colaboren bien nunca es suficiente definir la «justicia social» únicamente partiendo de principios, derechos y deberes. Se necesita algo así como una «amistad civil», una «ciudadanía» o un «amor social». Una moral social cristiana digna de este nombre no se mantiene en el orden de los principios, de los derechos y de los deberes. Llama a los cristianos a dedicarse con todo el corazón al prójimo con todos sus problemas y necesidades, y a seguir el mandamiento de Cristo, amar «al prójimo como a uno mismo» con la misma intensidad que se ama a Dios.

→ 390 → 2212–2213 → 332

Con violencia no se consigue el amor.

BORIS PASTERNAK (1890-1960), Premio Nobel de Literatura ruso

227 *¿En qué consiste la «amistad civil»?*

La amistad civil consiste ante todo en vivir solidariamente. Una sociedad que solo se preocupe por la «justicia» en abstracto es una sociedad fría e inhumana. Ya sabía Tomás de Aquino que la justicia sin amor es, en última instancia, cruel. La justicia, de hecho, solo se fija en lo general; no defiende al ser humano en su particularidad. Pero esto es exactamente lo específicamente cristiano, a saber, que los cristianos no deben emitir un juicio sobre sus semejantes. Ellos saben que el otro tiene un nombre, un rostro, una historia totalmente personal y una necesidad completamente propia.

→ 390–392 → 2212–2213 → 327–329

228 ¿Cómo hay que comportarse con quienes infringen la ley?

Puesto que el ser humano es siempre persona, tampoco se le puede negar la solidaridad al delincuente. La pena no debe humillar ni degradar. Está al servicio del restablecimiento y la protección del orden público, de la recuperación del culpable, y es una forma de reparación. La Iglesia está en contra de todas las medidas estatales que desprecian la dignidad del autor de un delito, sobre todo la tortura y la pena de muerte. Además, aboga por la reducción de la duración del proceso.

→ 402–405 → 2266–2267 → 331–332

«Estuve preso, y me vinieron a ver». [...] Entonces los justos le responderán: «Señor, ¿cuándo te vimos hambriento, y te dimos de comer; sediento, y te dimos de beber? ¿Cuándo te vimos de paso, y te alojamos; desnudo, y te vestimos? ¿Cuándo te vimos enfermo o preso, y fuimos a verte?». Y el Rey les responderá: «Les aseguro que cada vez que lo hicieron con el más pequeño de mis hermanos, lo hicieron conmigo».

A partir de **MT 25,35-40**

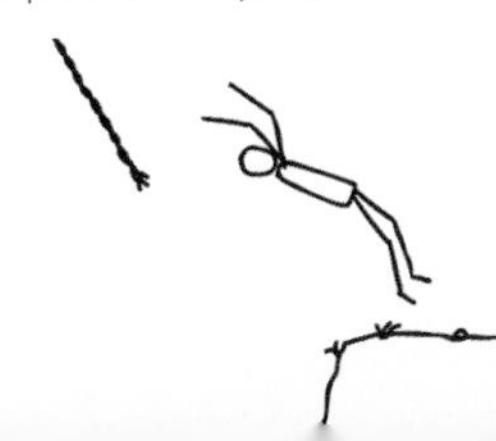

Documentos más importantes de la Iglesia

LA COMUNIDAD POLÍTICA

Rerum Novarum

La persona y el Estado

La naturaleza tiene que haber dotado al hombre de algo estable y perpetuamente duradero, de que pueda esperar la continuidad del socorro. Ahora bien: esta continuidad no puede garantizarla más que la tierra con su fertilidad. Y no hay por qué inmiscuir la providencia de la república, pues que el hombre es anterior a ella, y consiguientemente debió tener por naturaleza, antes de que se constituyera comunidad política alguna, el derecho de velar por su vida y por su cuerpo.

Papa León XIII, Encíclica *Rerum Novarum* (1891), 5-6

Rerum Novarum

Iglesia y Estado: juntos para servir a las personas

[La Iglesia] quiere y desea ardientemente que los pensamientos y las fuerzas de todos los órdenes sociales se alíen con la finalidad de mirar por el bien de la causa obrera de la mejor manera posible, y estima que a tal fin deben orientarse, si bien con justicia y moderación, las mismas leyes y la autoridad del Estado.

Papa León XIII, Encíclica *Rerum Novarum* (1891), 12

Rerum Novarum

El Estado debe ocuparse de todos

Pero también ha de tenerse presente, punto que atañe más profundamente a la cuestión, que la naturaleza única de la sociedad es común a los de arriba y a los de abajo. Los proletarios, sin duda alguna, son por naturaleza tan ciudadanos como los ricos, es decir, partes verdaderas y vivientes que, a través de la familia, integran el cuerpo de la nación, sin añadir que en toda nación son inmensa mayoría. Por consiguiente, siendo absurdo en grado sumo atender a una parte de los ciudadanos y abandonar a la otra, se sigue que los desvelos públicos han de prestar los debidos cuidados a la salvación y al bienestar de la clase proletaria; y si tal no hace, violará la justicia, que manda dar a cada uno lo que es suyo. Sobre lo cual escribe sabiamente santo Tomás: «Así como la parte y el todo son, en cierto modo, la misma cosa, así lo que es del todo, en cierto modo, lo es de la parte». De ahí que entre los deberes, ni pocos ni leves, de los gobernantes que velan por el bien del pueblo, se destaca entre los primeros el de defender por igual a todas las clases sociales, observando inviolablemente la justicia llamada distributiva.

Papa León XIII, Encíclica *Rerum Novarum* (1891), 24

Pacem in Terris

¿Hasta qué punto obligan las leyes del Estado?

El derecho de mandar constituye una exigencia del orden espiritual y dimana de Dios. Por ello, si los gobernantes promulgan una ley o dictan una disposición cualquiera contraria a ese orden espiritual y, por consiguiente, opuesta a la voluntad de Dios, en tal caso ni la ley promulgada ni la disposición dictada pueden obligar en conciencia al ciudadano, ya que *es necesario obedecer a Dios antes que a los hombres* (Hch 5,29); más aún, en semejante situación, la propia autoridad se desmorona por completo y se origina una iniquidad espantosa. Así lo enseña santo Tomás: *En cuanto a lo segundo, la ley humana tiene razón de ley solo en cuanto se ajusta a la recta razón. Y así considerada, es manifiesto que procede de la ley eterna. Pero, en cuanto se aparta de la recta razón,* es una *ley injusta,* y así no *tiene carácter de ley, sino más bien de violencia.*

Papa Juan XXIII, Encíclica *Pacem in Terris* (1963), 51

Pacem in Terris

¿De qué tiene que ocuparse el Estado?

Es por ello necesario que los gobiernos pongan todo su empeño para que el desarrollo económico y el progreso social avancen al mismo tiempo y para que, a medida que se desarrolla la productividad de los sistemas económicos, se desenvuelvan también los servicios esenciales, como son, por ejemplo, carreteras, transportes, comercio, agua potable, vivienda, asistencia sanitaria, medios que faciliten la profesión de la fe religiosa y, finalmente, auxilios para el descanso del espíritu. Es necesario también que las autoridades se esfuercen por organizar sistemas económicos de previsión para que al ciudadano, en el caso de sufrir una desgracia o sobrevenirle una carga mayor en las obligaciones familiares contraídas, no le falte lo necesario para llevar un tenor de vida digno. Y no menor empeño deberán poner las autoridades en procurar y en lograr que a los obreros aptos para el trabajo se les dé la oportunidad de conseguir un empleo adecuado a sus fuerzas; que se pague a cada uno el salario que corresponda según las leyes de la justicia y de la equidad; que en las empresas puedan los trabajadores sentirse responsables de la tarea realizada; que se puedan constituir fácilmente organismos intermedios que hagan más fecunda y ágil la convivencia social; que, finalmente, todos, por los procedimientos y grados oportunos, puedan participar en los bienes de la cultura.

Papa Juan XXIII, Encíclica *Pacem in Terris* (1963), 64

Centesimus Annus

Política como religión

Donde el interés individual es suprimido violentamente, queda sustituido por un oneroso y opresivo sistema de control burocrático que esteriliza toda iniciativa y creatividad. Cuando los hombres se creen en posesión del secreto de una organización social perfecta que hace imposible el mal, piensan también que pueden usar todos los medios, incluso la violencia o la mentira, para realizarla. La política se convierte entonces en una «religión secular», que cree ilusoriamente que puede construir el paraíso en este mundo. De ahí que cualquier sociedad política, que tiene su propia autonomía y sus propias leyes, nunca podrá confundirse con el Reino de Dios.

Papa Juan Pablo II, Encíclica *Centessimus Annus* (1991), 25

CHICAGO
BULLS

PREGUNTAS
229–255

Un mundo, una humanidad

LA COMUNIDAD INTERNACIONAL

> El mundo siente con viveza su propia unidad y la mutua interdependencia.
>
> **CONCILIO VATICANO II,** GS 4

> Dados los lazos tan estrechos y recientes de mutua dependencia que hoy se dan entre todos los ciudadanos y entre todos los pueblos de la tierra, [...] la comunidad de las naciones [ha de darse] a sí misma un ordenamiento que responda a sus obligaciones actuales.
>
> **CONCILIO VATICANO II,** GS 84

> Si la globalización tiene éxito, este debe ser tanto para los pobres como para los ricos. Debe asegurar los derechos humanos y la distribución de la riqueza. Debe proporcionar justicia y equidad social, como también prosperidad económica, y mejorar la comunicación.
>
> **KOFI ANNAN** (1938), Secretario General de las Naciones Unidas 1997-2006

229 *¿Qué significa exactamente la «globalización»?*

En los últimos cien años han cambiado muchas cosas. El mundo actual nos ofrece a muchos de nosotros unas mejores condiciones de vida y gracias al progreso técnico se ha convertido en «un único mundo»; así, por ejemplo, podemos viajar a cualquier parte en unas pocas horas en avión y comunicarnos con todas las personas del mundo mediante internet de forma sencilla y casi gratuita. Con la aceleración de los cambios la industria puede producir más productos mucho más baratos. Dados los buenos precios y la rapidez de los medios de transporte, merece la pena, por ejemplo, para fabricar unos tejanos, cultivar el algodón en los Estados Unidos, elaborar el tejido en la India, coserlos en Camboya y venderlos en América Latina. Así que es frecuente que el producto más sencillo haya dado la vuelta al mundo hasta llegar a nosotros.

→ 1911 → 446

230 ¿Qué problemas sociales trae consigo la globalización?

La acelerada globalización no implica que todos los países estén igual de desarrollados ni que todas las personas puedan beneficiarse de su interconexión. Más bien la realidad es todo lo contrario: todavía persisten problemas como la pobreza, el hambre, la falta de formación o una pésima sanidad y la vulneración de los derechos humanos. Con frecuencia, la globalización incluso aumenta aún más estos problemas. Los países más pobres dependen altamente de lo que los países más desarrollados quieran producir en ellos o comprarles. Asimismo, los salarios que ganan los trabajadores en los países pobres son bajísimos. Por ejemplo, una costurera de Bangladesh recibe unos dos o tres centavos por coser una camiseta que en América Latina cuesta cinco dólares. Surgen así injusticias que a menudo son culpables de que se prive a muchas personas de los *derechos humanos* fundamentales. Todo esto se ve intensificado por el *cambio climático*, que agrava aún más los problemas de los países menos desarrollados del Sur. Así pues, la globalización no solo tiene ventajas, sino que también intensifica muchos problemas o deja incluso que aparezcan otros nuevos.

→ 442 → 446

231 ¿Es la globalización un destino ciego?

No. La globalización no es un destino ciego. Es producto de los seres humanos y, por tanto, ellos la pueden configurar mediante unas bases morales.

→ 448

El gran problema del mundo es la pobreza vinculada a una falta de formación. Debemos ocuparnos de que la formación llegue a todos.

NELSON MANDELA

De diversas maneras, los pueblos en vías de desarrollo, donde se encuentran las más importantes reservas de la biosfera, siguen alimentando el desarrollo de los países más ricos a costa de su presente y de su futuro. La tierra de los pobres del Sur es rica y poco contaminada, pero el acceso a la propiedad de los bienes y recursos para satisfacer sus necesidades vitales les está vedado por un sistema de relaciones comerciales y de propiedad estructuralmente perverso.

PAPA FRANCISCO, LS 52

En efecto, la cooperación al desarrollo de todo el hombre y de cada hombre es un deber de *todos para con todos.*

PAPA JUAN PABLO II, SRS 32

> Estamos viviendo una transformación tal que en el próximo siglo veremos surgir nuevas formas de política y de economía. Dejará de haber productos y tecnologías nacionales, empresas e industrias nacionales. Es el fin de la economía nacional.

ROBERT B. REICH (1946), exsecretario de Trabajo de los Estados Unidos

> Ningún efecto en la naturaleza carece de un fundamento racional. Conoce este fundamento y no necesitarás el experimento.

LEONARDO DA VINCI (1452-1519), pintor, arquitecto y científico italiano

> Cuando se entiende la globalización de manera determinista, se pierden los criterios para valorarla y orientarla. Es una realidad humana y puede ser fruto de diversas corrientes culturales que han de ser sometidas a un discernimiento.

PAPA BENEDICTO XVI, CiV 42

> Esta sociedad tiene que seguir manejándose sobre la base de la esperanza y la solidaridad. Tenemos que aprender a ser unitarios, incluir a todos, sin diferencias, sean estas de origen étnico, religioso, de género o por discapacidades físicas o mentales. Solo así lograremos una gran Nación.

ELIANE KARP, antropóloga y economista belga-peruana-estadounidense

232 *¿Participamos en la transformación del mundo?*

Puesto que en el mundo globalizado todo está interconectado y todos estamos relacionados, nuestras acciones diarias tienen consecuencias de gran alcance. Por ejemplo, con cada compra entramos indirectamente en contacto con los que han producido nuestro producto en cualquier parte del mundo o con los que lo han embalado para su transporte. Con el pago de un producto pagamos también el trabajo de todas estas personas. De esta manera, se amplía nuestra corresponsabilidad rebasando el círculo de nuestros conocidos, de nuestros amigos y de nuestra familia. Gracias a una mejor información sabemos fácilmente más unos de otros, y podemos informarnos de forma independientemente de temas y opiniones de todo el mundo. Los problemas medioambientales, que se originan en cualquier parte del mundo, tienen repercusiones en todo el globo. Todo esto nos hace ver más claramente que nuestro mundo no funciona solamente teniendo en cuenta los propios límites nacionales, sino que estamos viviendo juntos en un mundo formado por muchas culturas y religiones diferentes.

→ **446, 447**

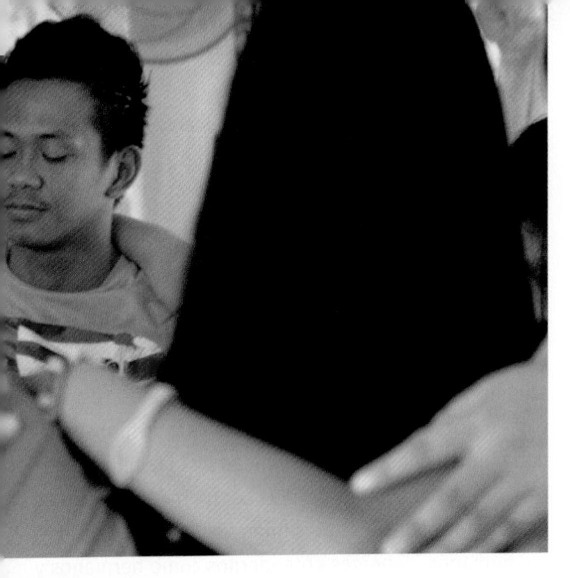

233 ¿Se ocupa la Iglesia de todos estos problemas?

La Iglesia tiene la tarea de «escrutar a fondo los signos de la época e interpretarlos a la luz del Evangelio, de forma que, acomodándose a cada generación, pueda la Iglesia responder a los perennes interrogantes de la humanidad sobre el sentido de la vida presente y de la vida futura y sobre la mutua relación de ambas. Es necesario por ello conocer y comprender el mundo en que vivimos, sus esperanzas, sus aspiraciones y el sesgo dramático que con frecuencia le caracteriza» (GS 4). Así pues, la Iglesia trata constantemente de analizar la situación actual del mundo y recomendar las formas de actuar teniendo en cuenta el mensaje del amor fraterno proclamado por Jesús. En particular, se preocupa por los pobres, los débiles y los oprimidos. La Iglesia recuerda a los políticos de todos los Estados que no solo deben asumir la responsabilidad con respecto a sus propias naciones, sino con respecto a toda la humanidad. Ella se decanta por una política que tiene como objetivo la paz y el desarrollo. Para llevar a cabo esta política se necesita la cooperación de los diversos Estados. Por eso apoya la Iglesia a las organizaciones internacionales como

La Iglesia puede influir en el pensamiento, y es lo que también procuramos nosotros. En algunos foros mundiales intentamos defender una transformación. No podemos ir a Nueva York y decir a la ONU: Esto es lo que hay que hacer. No podemos elaborar leyes o controlar. Pero esperamos, junto con ellos, elaborar y lograr leyes que tengan una gran visión de la realidad, e intentamos influir en la legislación según nuestro punto de vista.

PETER TURKSON

Un pueblo que anteponga sus privilegios a sus principios pierde los dos.

DWIGHT DAVID EISENHOWER (1890-1969), expresidente de los Estados Unidos

Hay en la naturaleza tres causas de conflicto: la primera es la competencia, la segunda, la desconfianza, y la tercera, la ambición de gloria.

THOMAS HOBBES (1588-1679), filósofo inglés

Naciones Unidas, donde puede acrecentarse con toda confianza la cooperación internacional.

433–455 1927

234 ¿Por dónde comienza la ayuda global?

La humanidad solo puede hacer frente a los numerosos problemas cuando actúa en común. Para ello deben aumentar la *solidaridad* y la *responsabilidad* recíprocas. La doctrina social fundamenta esta responsabilidad mutua en la idea de la «unidad de la familia humana». Dios es el creador de cada ser humano; por eso es el Padre de todos los seres humanos. Nosotros, los seres humanos, debemos entendernos como hermanos y hermanas que están unidos recíprocamente en una *familia*. La familia es una comunidad en la que se confía, en la que unos están al servicio de los otros y todos se ayudan mutuamente. Así es como deberían sentirse unidos entre sí todos los pueblos del mundo.

1947–1948

235 ¿Cómo fundamenta la Biblia la unidad de la humanidad?

El libro del Génesis muestra a Dios como el creador que hace existir el mundo entero y la humanidad entera a partir de la nada. El ser humano no solo aparece como individuo, sino que emerge, más bien, en relación con sus semejantes y con los demás seres vivos, con la posibilidad de comportarse responsablemente. Dios da a los seres humanos lo que necesitan para vivir dignamente. En la alianza con Noé (cf. Gn 9,1-17) es evidente que, pese al pecado, la violencia y la injusticia, Dios actúa a favor de los seres huma-

Al hambriento le pertenece el pan que tú retienes, al desnudo el vestido que guardas en el armario, al descalzo los zapatos que se pudren contigo... Así pues, son muchas las injusticias que haces a quienes habrías podido ayudar.

SAN BASILIO MAGNO (330-379), obispo capadocio y Doctor de la Iglesia

Conocemos al hombre teórico, genérico, eterno, pero estamos incapacitados para el conocimiento del primero que pasa por la calle o de nosotros mismos.

GUSTAVO ADOLFO OTERO (1896-1958), pensador boliviano

Y [el Señor] dijo: «Si esta es la primera obra que realizan, nada de lo que se propongan hacer les resultará imposible, mientras formen un solo pueblo y todos hablen la misma lengua. Bajemos, y una vez allí, confundamos su lengua, para que ya no se entiendan unos a otros». Así el Señor los dispersó de aquel lugar, diseminándolos por toda la tierra, y ellos dejaron de construir la ciudad. Por eso se llamó Babel [confusión]: allí, en efecto, el Señor confundió la lengua de los hombres y los dispersó por toda la tierra.

GN 11,6-9

nos. También en la alianza con Abrahán encontramos la idea de la familia humana. Abrahán es considerado como padre de todos los pueblos (Gn 17). Todas las personas son descendientes de Abrahán; Dios ha hecho también esta alianza con nosotros. La diversidad y la variedad de pueblos es valorada en el libro del Génesis como resultado de la acción creadora de Dios. Sin embargo, el relato de la torre de → BABEL (cf. Gn 11,1-9) nos muestra la dificultad que pueden tener los seres humanos para hacerse cargo de esta diversidad.

→ 428–430

236 *¿Cómo deben comportarse los seres humanos entre sí?*

Los seres humanos deben entenderse como comunidad y aceptar la diferencia de individuos y de pueblos, es más, considerar esta diversidad como una riqueza. Esto cobra cada vez más importancia en la época de la globalización. Somos «habitantes de una y la misma casa», escribe el papa Juan XXIII (MM 157). Con esto quiere decir que nuestras relaciones han llegado a ser tan estrechas como quienes habitan en una misma casa. Valores como la verdad, la solidaridad y la libertad, que son fundamentales en nuestras relaciones cotidianas, adquieren globalmente cada vez más importancia con el aumento de la interconexión de las relaciones y de las dependencias. Una buena convivencia solo es concebible en un

Donde haya un árbol que plantar, plántalo tú. Donde haya un error que enmendar, enmiéndalo tú. Donde haya un esfuerzo que todos esquivan, hazlo tú. Sé tú el que aparta la piedra del camino.

GABRIELA MISTRAL (1889-1957), poetisa y diplomática chilena

BABEL es una palabra que significa «confusión o caos», quizá una alusión a la confusión o el caos en las relaciones de la población mundial.

Las relaciones internacionales deben regularse por las normas de la justicia, lo cual exige dos cosas: el reconocimiento de los mutuos derechos y el cumplimiento de los respectivos deberes.

PAPA JUAN XXIII, PT 91

Busquen primero el Reino y su justicia, y todo lo demás se les dará por añadidura.

MT 6,33

Cada año desaparecen miles de especies vegetales y animales que ya no podremos conocer, que nuestros hijos ya no podrán ver, perdidas para siempre. La inmensa mayoría se extinguen por razones que tienen que ver con alguna acción humana. Por nuestra causa, miles de especies ya no darán gloria a Dios con su existencia ni podrán comunicarnos su propio mensaje. No tenemos derecho.

PAPA FRANCISCO, LS 33

mundo en el que no haya violencia, guerra, discriminación, intimidación o engaño. Por eso la Iglesia exige que la globalización social y económica vaya acompañada de una globalización de la justicia. Jesucristo, que fue quien trajo la justicia fundamental a nuestro mundo, nos recuerda la obligación especial que tenemos al respecto en nuestras acciones.

→ **431, 433** → **1912**

237 *¿Qué significa esto cuando se aplica al tratamiento de los recursos del mundo?*

La doctrina social católica remite constantemente a la «unidad de la familia humana» y al «destino universal de los bienes», un principio que está vinculado con el anterior. Con ello quiere decir que Dios, en cuanto creador del mundo, ha destinado los recursos de la tierra para que todos los seres humanos vivan y satisfagan sus

10 MANDAMIENTOS PARA UN FUTURO SIN POBREZA

1. Cooperarás para que todas las personas del mundo tengan suficiente para comer.
2. No especularás con el pan de tu prójimo.
3. No llenarás tu depósito con lo que las personas hambrientas necesitan comer.
4. Honrarás a la tierra y lucharás contra el cambio climático, para que prosperéis tú, tus hijos y toda la humanidad.
5. Vivirás de manera que tu estilo de vida no sea a costa del de los demás.
6. No codiciarás las tierras de tu prójimo.
7. No aumentarás, sino que reducirás el hambre con tu política agraria.
8. Lucharás contra los gobiernos corruptos y sus cómplices.
9. Ayudarás a evitar los conflictos armados y las guerras.
10. Lucharás eficazmente contra el hambre con ayudas para el desarrollo.

CARITAS DE AUSTRIA

EXCURSO

¿QUÉ ES LA POBREZA?

En la pobreza *absoluta* viven, según la definición más común que se remonta al que fuera presidente del Banco Mundial R. McNamara, todas las personas con unos ingresos diarios por debajo de una determinada cantidad de dólares estadounidenses. Según el Banco Mundial esta cantidad es de 1,25 dólares por día. El 17,6% de la humanidad (1290 millones en 2011) vivía, por consiguiente, por debajo de unas condiciones humanas dignas. Otras mediciones (como la de la Asociación Internacional de Desarrollo) no solo tienen en cuenta los ingresos por persona, sino también el consumo de calorías, el promedio de la esperanza de vida, la mortalidad infantil y la tasa de nacimientos de un país.

En contraposición, encontramos también el concepto de pobreza *relativa*. En este caso se evalúa la situación de vida de una persona con respecto al abastecimiento de recursos materiales y no materiales en relación con la prosperidad de la sociedad en la que vive. Según la Organización Mundial de la Salud, las personas que se encuentra en una situación de pobreza relativa son aquellas que tienen ingresos mensuales por debajo del sesenta por ciento del salario medio de su país.

necesidades. Por eso la distribución desigual de los bienes de la tierra constituye un escándalo. Los cristianos y las cristianas no pueden aceptar que la pobreza y el hambre sean el destino inexorable para millones de seres humanos, mientras que otros viven en la abundancia y en el despilfarro. En este sentido, sirven de ejemplo los alimentos de la tierra, que no son una propiedad incuestionable de quienes más puedan pagar por ellos, sino el fundamento vital de todas las personas.

> Por la ignorancia se desciende a la servidumbre, por la educación se asciende a la libertad.
>
> **DIEGO LUIS CÓRDOBA** (1907-1964), abogado y político colombiano

→ 447, 448 → 2407, 2415 → 436

¿Por qué merecen los pobres una atención especial?

> La saciedad contiene, como cualquier otro poder, una determinada cantidad de desfachatez, y esta se manifiesta ante todo en que el saciado da lecciones al hambriento.
>
> **ANTÓN CHÉJOV** (1860-1904), escritor ruso

Cristo se dedicó especialmente a los marginados de la sociedad. Por eso también la Iglesia se declara a favor de una especial «opción por los pobres». Los pobres son, a menudo, quienes menos posibilidades tienen para configurar la sociedad y sus propias condiciones de vida. La Iglesia se pone de su lado y se preocupa por eliminar la injusticia, la discriminación y la opresión. En el sentido de la doctrina social católica, la justicia exige que todos los seres humanos participen en todas las actividades fundamentales para la vida, en los ámbitos sociales, políticos, culturales y económicos. El compromiso con los pobres no puede darse de arriba abajo, pues ellos saben mejor lo que necesitan. Por eso debe hacérseles participar en las soluciones de sus problemas. Ante las complejas relaciones de dependencia y la creciente interconexión de la sociedad mundial, no resulta fácil encontrar soluciones concretas que eliminen a largo plazo las causas de la pobreza.

> Cuando mi hijo me pide algo para comer, le digo que se está cociendo el arroz, pero tarda tanto que se duerme por el hambre. En realidad, no hay arroz.
>
> **MADRE JOVEN DEL SUDESTE ASIÁTICO**, en el estudio *Voices of the Poor*

→ 449 → 2443–2446 → 449

¿Cómo llega a hacerse vinculante, en general, la solidaridad global?

Para los cristianos, que creen que Dios es el creador del mundo y el Padre de todos los seres humanos, debería ser evidente que la solidaridad y la justicia no solo pueden relacionarse con «nuestra familia», «nuestro país», «nuestra cultura» o «nuestra religión». Cuando se quiera explicar esta actitud cristiana a otras culturas y religiones, y no pueda argumentarse partiendo de la fe, el mejor modo de clarificar la exigencia universal de solidaridad y justicia es remitiendo al ser humano a su derecho a libertad: soy libre cuando puedo determinar por mí mismo qué hacer y cómo vivir. Ahora bien, si quiero ser libre debo admitir también, desde la perspectiva de la igualdad fundamental de todos los seres humanos y de la justicia, la libertad de mi prójimo. Al igual que no quiero que nadie disponga de mí, debo reconocer también que nadie quiere que se disponga de él. En este contexto se habla de un derecho general a la justificación: todo ser humano tiene el derecho a que se le justifiquen de forma comprensible y racional las leyes que debe acatar.

→ 437 → 1939–1942 → 332

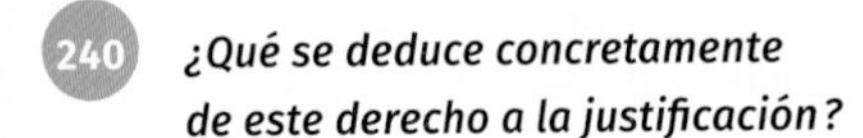

240 ¿Qué se deduce concretamente de este derecho a la justificación?

Cuando les reconozco a los demás sus derechos, también estoy asumiendo al mismo tiempo sus obligaciones. Por un lado, son obligaciones negativas, por tanto, obligaciones que no permiten realizar determinadas acciones, como esclavizar o explotar de otra manera a los demás. Por otro lado, hay también obligaciones positivas: en determinados casos no solo debo abstenerme de algo, sino hacerlo, por ejemplo, ayudar a quien pasa necesidad a mi lado. En otras situaciones tal vez no sé inmediatamente cómo puedo ayudar, por ejemplo, a un niño africano que pasa hambre. Lógicamente, también tengo el deber moral de ayudar a quien pasa necesidades y está lejos de mí. Pero ¿cómo debo hacerlo? ¿Tengo también esta obligación incluso con todos los que necesitan

> La Iglesia Latinoamericana convierte la dimensión de los pobres en algo esencial para el cristianismo.
>
> **VÍCTOR CODINA**, teólogo y misionero jesuita en Bolivia

> No hagas a los demás lo que no quieres que te hagan a ti.
>
> **REGLA DE ORO**

> Nos fastidia que existan los necesitados y los miramos con cierto desprecio. Pensamos que ellos mismos deberían ser capaces de salir de la necesidad que los atenaza.
>
> **NÉSTOR MORA NÚÑEZ**, ingeniero y comunicador costarricense

> Solo con una ardiente paciencia conquistaremos la espléndida ciudad que dará luz, justicia y dignidad a todos los hombres, así la poesía no habrá cantado en vano.
>
> **PABLO NERUDA** (1904-1973), poeta chileno

> Estoy convencido de que a esta sociedad consumista, cegada por el mercado, la sucederá otra que se caracterizará por el hecho trascendente de que no dejará de lado la justicia social y la solidaridad.
>
> **RENÉ FAVALORO,** educador y cardiocirujano argentino

ayuda? Es evidente que eso me desbordaría. A menudo, no puedo ayudar directamente. Pero sí que tengo la posibilidad de apoyar a organizaciones e instituciones que pueden hacerse cargo de esta tarea. A través del apoyo moral o económico a las organizaciones de ayuda se puede contribuir mucho a mejorar en general las condiciones de vida de los seres humanos. Cuantas más personas piensen así, mucho más puede hacerse para combatir la pobreza en el mundo.

→ 1934–1935 → 330

> Siempre he creído que lo contrario al amor no es el odio, sino la indiferencia. Lo contrario a la fe no es la soberbia, sino la indiferencia. Lo contrario a la esperanza no es la desesperación, sino la indiferencia. La indiferencia no es el comienzo de un proceso, es el final de un proceso.
>
> **ELIE WIESEL** (1928), estadounidense, Premio Nobel de la Paz

241 *¿Cómo puede movilizarse el interés particular de las personas?*

Donde no existe una conciencia de solidaridad global puede ser útil apelar al interés particular de las personas o de las naciones, por consiguiente, al provecho que se obtiene. Se habla aquí de interés particular «bien entendido», es decir, que la cooperación internacional es, en última instancia, beneficiosa para todos. Pongamos como ejemplo la prevención del cambio climático. Un país solo no puede impedirlo. Centrarse en el propio país para mejorar el clima y

Si ves caídos en el camino al asno o al buey de tu hermano, no te despreocupes de ellos y ayúdalo a levantarlos. **DT 22,4**

afirmar que no importa lo que hagan los demás, no es ninguna solución. El clima es un bien público global (patrimonio mundial); su protección necesita una cooperación global. La cooperación internacional en la protección del clima repercute en el interés particular de todos los países. En efecto, solo si todos los países se implican en la prevención del cambio climático, por ejemplo, mediante la reducción de la emisión de gases de

EXCURSO

BIENES PÚBLICOS GLOBALES / BIENES INTERNACIONALES

Son bienes cuyo provecho redunda mundialmente en interés de todos, sobre los que nadie tiene un derecho específico o un derecho de propiedad, porque de su provecho nadie puede ni debe ser exclusividad (no exclusividad). Estas características hacen muy difícil la disposición de estos bienes. Hay diversas opiniones sobre qué se entiende concretamente por bienes internacionales. Unos los entienden solamente como los bienes del medio ambiente. Otros amplían la definición e integran también como bienes los derechos humanos o el patrimonio cultural de la humanidad. Las Naciones Unidas han desarrollado un concepto común de los bienes públicos globales que son responsabilidad de todas las personas: la paz y la seguridad internacional, la protección de los derechos humanos, la justicia internacional, la salud, el conocimiento y la información como también la protección del clima, de la diversidad biológica, de los bosques y de los mares, como un consenso mínimo. A todo esto debería añadirse la estabilidad económica, la disposición de alimentos y de bienestar para todos, el desarme y la no proliferación de armas atómicas como también la lucha contra el terrorismo.

> En la Edad Media se quejaban los hombres cuando tenían que entregar el diezmo, es decir, una décima parte de sus ingresos o de sus productos a los propietarios de los campos. Hoy pagamos más de un tercio de interés solo por los bienes y servicios que adquirimos a los propietarios del dinero y del capital real. Es verdad en todo caso, al menos entre nosotros, que vivimos económicamente mucho mejor que en la Edad Media, gracias a la Revolución industrial, a la progresiva automatización de la economía, a una explotación monstruosa de las materias primas existentes y a la explotación del tercer mundo.
>
> **MARGRIT KENNEDY** (1939-2013), ecologista y arquitecta alemana

Para gobernar la economía mundial, para sanear las economías afectadas por la crisis, para prevenir su empeoramiento y mayores desequilibrios consiguientes, para lograr un oportuno desarme integral, la seguridad alimenticia y la paz, para garantizar la salvaguardia del ambiente y regular los flujos migratorios, urge la presencia de una verdadera *Autoridad política mundial*, como fue ya esbozada por mi Predecesor, el Beato Juan XXIII. Esta Autoridad deberá estar regulada por el derecho, atenerse →

efecto invernadero, puede esta impulsarse, y puede conducir a una mejora climática en cada país. De igual modo, la lucha contra la pobreza repercute en el interés general, pues de este modo se reduce la migración, se frenan los conflictos violentos y puede estimularse la economía.

→ 481–484 → 1911, 1913–1914

242 *¿Cómo puede llevarse a cabo la cooperación internacional?*

En el caso de los problemas globales, que no pueden ya solucionarse por cada país a nivel nacional, se necesitan organizaciones e instituciones cooperativas que se hagan cargo de la gestión del patrimonio común, que establezcan normas para todos los países, que controlen su cumplimiento y que castiguen su incumplimiento o vulneración. La Iglesia habla constantemente de la construcción de una comunidad internacional, pues solo así podría realizarse también políticamente la idea de la *unidad de la familia humana*. Esta comunidad debe, en todo caso, ser querida por todos los países que participan en ella, y no puede imponerse, en ningún caso, por la fuerza. Debe ser una comunidad con autoridad, que, por un lado, respete, en el sentido del principio de subsidiaridad, la responsabilidad propia de cada Estado, y, por otro, pueda reaccionar a los grandes problemas internacionales, «con poder eficaz para garantizar la seguridad, el cumplimiento de la justicia y el respeto de los derechos» (GS 82). Ya se dio un primer paso en 1945 con la creación de *Naciones Unidas* (ONU). Desde entonces, la Iglesia católica defiende el proyecto de Naciones Unidas, respalda su política y aboga por su desarrollo.

→ **434, 435, 441** → **1919** → **325, 326**

243 *¿Cuáles son los criterios éticos mínimos para la cooperación internacional?*

Si los países quieren convivir en una comunidad global de forma responsable y vinculante, es importante ante todo que confíen entre ellos, y, después, que compartan un mínimo de valores y de normas comunes, entre los que se encuentran los derechos humanos, pero también valores como la justicia, la solidaridad y la libertad. La comunidad internacional debe procurar que mediante las decisiones tomadas conjuntamente todas las personas tengan la posibilidad de poder participar de igual modo en el desarrollo mundial. Son valores fundamentales, que no solo obligan a los cristianos, sino que valen para todos los seres humanos.

→ **433, 439, 448** → **1924, 1925**

→ de manera concreta a los principios de subsidiaridad y de solidaridad, estar ordenada a la realización del bien común.

PAPA BENEDICTO XVI, CiV 67

Urge la necesidad de que, por medio de una plena e intensa cooperación de todos los países, [...] se halle el modo de disponer y de facilitar a toda la comunidad humana aquellos bienes que son necesarios para el sustento y para la conveniente educación del hombre.

CONCILIO VATICANO II, GS 87

La justicia del más fuerte es la más fuerte injusticia.

MARIE VON EBNER-ESCHENBACH

La gente de distintas partes del mundo podrá tener diferentes costumbres, idiomas extraños. Pero hay algo más hondo en común: la afinidad que nos da saber que todos somos miembros de la familia humana. Todos somos hermanos.

CARLOS GARDEL, cantor de tango argentino, nacido en Francia

244 ¿Cómo llegan a ser aceptables estos valores en la comunidad internacional?

Los valores fundamentales reconocidos en general y los derechos humanos deben constituir el fundamento tanto de las decisiones como de la comunicación de la comunidad internacional. Para su construcción deben formularse normas en las que pueda confiarse para actuar y negociar. En efecto, las normas son necesarias cuando las personas quieren negociar algo y tomar decisiones conjuntamente. Especialmente en nuestros días, a nivel internacional, debe sustituirse el *derecho de la fuerza* por la *fuerza del derecho*.

→ 436, 438 → 1929–1930, 1954 → 333

> La ley tiene su fuerza en la medida en que sea justa. Ahora bien, en los asuntos humanos se dice que una cosa es justa cuando es recta en función de la regla de la razón. Mas la primera regla de la razón es la ley natural. Luego la ley positiva humana en tanto tiene fuerza de ley en cuanto deriva de la ley natural. Y si en algo está en desacuerdo con la ley natural, ya no es ley, sino corrupción de la ley.
>
> **SANTO TOMÁS DE AQUINO,** *Summa Theologiae* I-II, q. 95, a. 2

245 ¿Quién necesita esta comunidad internacional?

Todos. Sin embargo, cada país depende en diferente medida de la comunidad internacional. Los países desarrollados la necesitan más para poder conseguir acuerdos económicos más seguros o para tener acceso a las materias primas, que para hacer posible una vida mejor para su población. En cambio, los países en vías de desarrollo la necesitan justo para esto último. Al fin y al cabo, todas las personas tienen el mismo derecho al desarrollo y al acceso a los bienes necesarios para vivir (comida, formación, ropa, etc.). Todas tienen también el derecho a vivir en paz y en libertad. Por eso es necesario un apoyo recíproco. La necesidad de una comunidad internacional no puede servir de pretexto para crear nuevas dependencias y mecanismos de explotación más complejos entre los países ricos y los países pobres.

→ 446, 447

> Es incomprensible que los pueblos ricos quieran justificar su acceso a los bienes de la tierra e incluso intensificarlo aún más, cuando los otros pueblos no salen nunca de su lamentable situación de necesidad o incluso corren el peligro de ver destruidos los fundamentos físicos de la vida en la tierra.
>
> Sínodo de los Obispos de 1971 «Sobre la justicia en el mundo»

246 ¿Qué organizaciones considera la Iglesia que contribuyen al camino mejor?

Desde 1940, el mundo se decidió a construir una comunidad internacional. En 1945 se fundó la Organización de Naciones Unidades y unos pocos años después se promulgó la Declaración Universal de los Derechos Humanos. A principios de 1990 se creó la Organización Mundial del Comercio. Muchas otras organizaciones, que siguen más o menos vinculadas al sistema de Naciones Unidas, intentan resolver problemas globales. La Iglesia ve a estas organizaciones, en general, como un paso en la dirección correcta hacia una → GOBERNANZA GLOBAL.

GOBERNANZA GLOBAL describe los procesos políticos a nivel internacional para resolver los problemas que afronta el mundo entero y que en parte han surgido por la globalización. Para ello deben formarse estructuras y organizaciones de cooperación que se encarguen de la resolución de los problemas. El concepto de gobernanza global no incluye un gobierno mundial. Cada Estado continúa siendo un Estado independiente.

247 ¿Qué función desarrolla el Vaticano en la política internacional?

En cuanto *Iglesia universal*, la Iglesia católica tiene una estructura global, además de contar con una experiencia global centenaria. La Santa Sede (= el Papa) puede participar en la política internacional puesto que es un Estado. También puede enviar embajadores, hacer tratados con otros Estados, participar en orga-

nizaciones intergubernamentales (como, por ejemplo, Naciones Unidas y los organismos pertenecientes a ella) y mediar en los conflictos. Toda su actividad tiene la finalidad de fomentar la construcción de la comunidad internacional, apoyándola en su camino hacia el bien común de la familia humana, de exigir los derechos humanos y la dignidad humana para todos, y de acompañar servicialmente a toda la humanidad en el camino de la justicia y de la paz.

→ 444, 445

> Son los primeros conatos de echar los cimientos internaciones de toda la comunidad humana para solucionar los gravísimos problemas de hoy, señaladamente para promover el progreso en todas partes y evitar la guerra en cualquiera de sus formas.
>
> **CONCILIO VATICANO II,** GS 84, sobre las instituciones internacionales

Problemática de la migración

> La interdependencia, cada vez más estrecha, y su progresiva universalización hacen que el bien común [...] se universalice cada vez más, e implique por ello derechos y obligaciones que miran a todo el género humano. Todo grupo social debe tener en cuenta las necesidades y las legítimas aspiraciones de los demás grupos; más aún, debe tener muy en cuenta el bien común de toda la familia humana.
>
> **CONCILIO VATICANO II,** GS 26

248 *¿Por qué es la migración un problema?*

Las razones para dejar su patria pueden ser variadas: la pobreza y la indigencia de la población, la falta de libertad y de democracia, la persecución política como también los conflictos y las guerras. Además de los inmigrantes que viven legalmente en los países de destino, existen también ciento de miles de «ilegales» que, al no tener un permiso de residencia, viven a escondidas en la sociedad. La vida de estas personas está marcada permanentemente por el miedo a ser descubiertas, detenidas y expulsadas. Por eso se les prohíben los derechos fundamentales. Muchas de estas personas viven en condiciones infrahumanas. Las personas sin permiso de residencia no se atreven a acudir a un médico, a oponerse a unas condiciones laborales

> Mientras que no comprendas al otro en su diferencia, aún te encuentras lejos del camino de la sabiduría.
>
> **REFLEXIÓN CHINA**

de explotación o enviar a sus hijos a la escuela –el miedo a ser descubiertas y expulsadas es muy grande–. La Iglesia, no obstante, afirma contundentemente: también las personas sin permiso de residencia tienen derechos humanos que no les pueden ser negados.

«¿Dónde está la sangre de tu hermano?». [...] Hoy nadie en el mundo se siente responsable de esto; hemos perdido el sentido de la responsabilidad fraterna; hemos caído en la actitud hipócrita del sacerdote y del servidor del altar, de los que hablaba Jesús en la parábola del Buen Samaritano: vemos al hermano medio muerto al borde del camino, quizás pensamos «pobrecito», y seguimos nuestro camino, no nos compete; y con eso nos quedamos tranquilos, nos sentimos en paz.

PAPA FRANCISCO, en Lampedusa el 8 de julio de 2013

249 *¿Cómo deberían actuar los países ricos con los emigrantes desde la perspectiva de la unidad de la familia humana?*

Los Estados, frecuentemente, rechazan a los emigrantes, o, incluso, vulneran los derechos humanos. Por eso muchos mueren en su travesía desde África hasta Europa o desde México hasta Estados Unidos, y a los que llegan se los interna en campos indignos de un ser humano, y, a menudo, son repatriados sin pruebas suficientes sobre sus pretensiones legales. Ahora

Todos somos extranjeros en casi todas partes.

PEGATINA

bien, según la concepción cristiana, los seres humanos no son solamente ciudadanos de un país, sino también miembros de la familia humana. Por esta razón es un deber moral acoger a quienes en su patria son perseguidos o sufren miseria. Las personas no abandonan su país sin alguna razón. Mientras no se produzca una verdadera cooperación internacional para el desarrollo justo de todos los pueblos, seguirán llegando emigrantes a los países ricos buscando una vida mejor.

A los huéspedes que llegan se los acoge a todos como a Cristo, porque él mismo dirá: Fui forastero y me acogisteis. Que entre todas las grandes ocupaciones y atenciones reine la acogida de los pobres y de los peregrinos, pues más que en otros acogemos en ellos al mismo Cristo.

BENITO DE NURSIA (480-547), monje y fundador de la Orden de los Benedictinos, «Padre del monacato occidental»

→ 297, 298 → 1911

Ante un mundo globalizado y cada vez más complejo, América Latina debe aunar esfuerzos para hacer frente al fenómeno de la emigración [...]. La emigración ha existido siempre, pero en los últimos años se ha incrementado de una manera nunca antes vista. Nuestra gente, impulsada por la necesidad, va en busca de «nuevos oasis», donde puedan encontrar mayor estabilidad y un trabajo que dé mayor dignidad a sus vidas. Pero en esa búsqueda, muchas personas sufren la violación de sus derechos; muchos niños y jóvenes son víctimas de la trata y son explotados, o caen en las redes de la criminalidad y la violencia organizada. [...] Se necesita fomentar una política conjunta de cooperación para abordar este tema. No se trata de buscar culpables y de eludir la responsabilidad, sino que todos estamos llamados a trabajar de manera coordinada y conjunta.

PAPA FRANCISCO,
Discurso a la Organización Internacional Italo-Latinoamericana, 30 de junio de 2017

Yo creo firmemente que el respeto a la diversidad es un pilar fundamental en la erradicación del racismo, la xenofobia y la intolerancia.

RIGOBERTA MENCHÚ TUM
(1959), indígena guatemalteca, Premio Nobel de la Paz

250 *¿Cómo se compromete la Iglesia católica en este campo?*

Desde hace muchos años, la Iglesia católica defiende globalmente a los emigrantes y especialmente al grupo de los «sin papeles» o «ilegales». Se basa para ello en la opción por los pobres y en la identificación de Jesús con los marginados y los olvidados. La Comisión Episcopal de Migraciones en Alemania critica, por ejemplo, que los derechos humanos no lleguen a formar parte totalmente del actual derecho de extranjería. Por esta razón la Comisión creó el «Foro Católico Ilegalidad», que está formado por diferentes organizaciones eclesiales y se dedica a trabajar por los «ilegales» estableciendo con ellos una relación verdaderamente humana. Los éxitos procedentes de este Foro muestran la importancia de que los aliados se unan por una causa común, ya que así se puede

> Señor, Dios mío, en ti me refugio: sálvame de todos los que me persiguen.
>
> SAL 7,2

luchar mejor por algo. No es suficiente con ayudar en casos individuales. También es tarea de la Iglesia promover que el poder legislativo apruebe leyes más humanas.

> Cuando sueño con la Iglesia, sueño con una Iglesia con las puertas abiertas a los extraños, que hablan, comen y huelen de forma diferente. No quiero que mi casa sea una fortaleza inaccesible a los demás, sino con muchas puertas. La casa que poseemos solo para nosotros mismos, nos estrecha las miras y hace que olamos a moho. Cada huésped trae a la casa algo que nosotros mismos no tenemos.
>
> **DOROTHEE SÖLLE**
> (1929-2003), teóloga evangélica alemana

La problemática del comercio justo

251 *¿Qué problemas se aprecian en el comercio internacional?*

Como consecuencia de la globalización se han estrechado aún más las relaciones comerciales entre los Estados en todo el mundo. Algunos países se han visto beneficiados, pero en otros se han intensificado los problemas sociales y ecológicos. En cuanto consumidor particular puedo elegir mis productos, pero tengo escasas posibilidades de influir en la configuración

> El comercio justo (también denominado «comercio equitable», «comercio equitativo» o «comercio alternativo») es una forma alternativa de comercio promovida por varias organizaciones no gubernamentales, por la Organización de las Naciones Unidas y por los movimientos sociales y políticos (como el pacifismo y el ecologismo) que promueven una relación comercial voluntaria y justa entre productores y consumidores.
>
> **WIKIPEDIA**

del comercio. De ahí la importancia que tiene que los Estados se ocupen de esta problemática creando organismos que se impliquen en la construcción de estructuras de comercio que sean justas.

→ 362–364

252 *¿Qué es el comercio justo?*

Por comercio justo se entiende una actividad comercial que se rige por determinados principios de la justicia. Las diferentes organizaciones de comercio justo establecen estos principios y coordinan las relaciones comerciales. Se preocupan de que exista más *justicia*

en el comercio internacional, apoyando los derechos de los productores (pequeños agricultores o propietarios de plantaciones) y contribuyendo a un desarrollo *sostenible* en los correspondientes países. Para conseguirlo, se comprometen a un *diálogo* entre las partes implicadas en el comercio, a exigir más *transparencia* en las relaciones entre productores y comerciantes, y a demandar *respeto* por todos los involucrados en las transacciones.

> El principal objetivo de la economía no es ofrecer el producto mejor, sino que el consumidor se sienta bien. El consumo se convierte en una pseudoterapia y el consumidor en un paciente.
>
> **NEIL POSTMAN** (1931-2003), estadounidense experto en ciencias de la información

> Sé tú mismo el camino que quieres para el mundo.
>
> **MAHATMA GANDHI**

253 ¿Con qué medidas opera el comercio justo?

En primer lugar se crean las oportunidades para que los productores económicamente más discriminados participen activamente en el sistema comercial y sean independientes. Así a los productores se les aseguran unos precios mínimos que les garantizan un salario suficiente y seguro, que le sirve para cubrir los costes de producción, y que en estos casos están por encima del precio del mercado internacional. De este modo se hacen posibles una producción socialmente justa, unas condiciones laborales buenas (remuneración,

> Todo es relativo, menos Dios y el hambre.
>
> **PEDRO CASALDÁLIGA** (1928), obispo y poeta en Brasil

> Hace tiempo que los inventos han alcanzado sus límites, y no espero ulteriores desarrollos.
>
> **JULIO SEXTO FRONTINO**

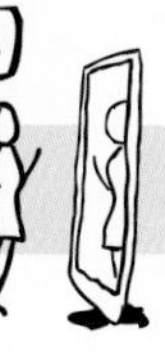

jornada laboral, prohibición del trabajo infantil, etc.), y la igualdad de derechos de las mujeres. Al mismo tiempo se cumplen las exigencias medioambientales. Deben construirse relaciones «de colaboración» entre los países a largo plazo.

> La historia nos enseña que la unión hace la fuerza, y nos advierte que hay que sumergirse y superar nuestras diferencias en la búsqueda de objetivos comunes.
>
> **BOB MARLEY** (1945-1981), músico jamaicano

254 ¿Qué efecto tiene el comercio justo?

El comercio justo sirve para luchar contra la pobreza en diferentes continentes, sobre todo en las regiones rurales. Se mejoran y se dignifican las condiciones de vida de los productores y de los trabajadores en los diversos países en vías de desarrollo. Además, puede producir cambios en las fuertemente asimétricas relaciones de poder y contribuir así a reducir las dependencias.

> Solo quien tiene el corazón para ayudar, tiene el derecho a criticar.
>
> **ABRAHAM LINCOLN**

255 *¿Es suficiente el comercio justo para solucionar los problemas de la pobreza?*

Aún estamos lejos de que lo sea. El comercio justo debe seguir desarrollándose para que puedan mostrarse sus resultados positivos. Para ello no es suficiente que las organizaciones y las empresas se comprometan puntualmente con los correspondientes principios. A largo plazo, las relaciones comerciales internacionales deben regirse por los criterios del comercio justo. Para conseguirlo es indispensable que la comunidad internacional se implique políticamente y apoye con fuerza el comercio justo, es decir, que se comprometa en la construcción de unas relaciones comerciales solidarias, responsables y humanas. Ya se ha dado el primer paso, y durante los años siguientes todo dependerá de que las personas presionen a las fuerzas políticas y económicas, porque exijan, compren y usen productos procedentes del comercio justo.

Un sociólogo norteamericano dijo hace más de treinta años que la propaganda era una formidable vendedora de sueños, pero resulta que yo no quiero que me vendan sueños ajenos, sino sencillamente que se cumplan los míos.

MARIO BENEDETTI (1920-2009), escritor y poeta uruguayo

Para ver con claridad basta a menudo con un cambio de perspectiva.

ANTOINE DE SAINT-EXUPÉRY

Nosotros siempre tenemos noticias de gente que cae en la desesperación y hace cosas feas [...]. En estos casos, la cercanía y el calor de toda la Iglesia deben hacerse todavía más intensos y cariñosos [...]. El mismo Apóstol de las gentes, en la Carta a los Romanos, afirma con el corazón en la mano: «Nosotros, los fuertes –que tenemos la fe, la esperanza, o no tenemos muchas dificultades–, debemos sobrellevar las flaquezas de los débiles, y no buscar nuestro propio agrado» (15,1). [...] Este testimonio después no permanecerá cerrado dentro de los confines de la comunidad cristiana: resuena con todo su vigor incluso fuera, en el contexto social y civil, como un llamamiento a no crear muros sino puentes, a no recambiar el mal con el mal, a vencer al mal con el bien, la ofensa con el perdón [...] ¡Esta es la Iglesia!

PAPA FRANCISCO, en la Audiencia General del miércoles 8 de febrero de 2017

Documentos más importantes de la Iglesia

LA COMUNIDAD INTERNACIONAL

Pacem in Terris

Derecho a la inmigración y a la emigración

Ha de respetarse íntegramente también el derecho de cada hombre a conservar o cambiar su residencia dentro de los límites geográficos del país; más aún, es necesario que le sea lícito, cuando lo aconsejen justos motivos, emigrar a otros países y fijar allí su domicilio. El hecho de pertenecer como ciudadano a una determinada comunidad política no impide en modo alguno ser miembro de la familia humana y ciudadano de la sociedad y convivencia universal, común a todos los hombres.
Papa Juan XXIII, Encíclica *Pacem in Terris* (1963), 25

Pacem in Terris

Derechos de los refugiados

No está de más recordar aquí a todos que los exiliados políticos poseen la dignidad propia de la persona y se les deben reconocer los derechos consiguientes, los cuales no han podido perder por haber sido privados de la ciudadanía en su nación respectiva. Ahora bien, entre los derechos de la persona humana debe contarse también el de que pueda lícitamente cualquiera emigrar a la nación donde espere que podrá atender mejor a sí mismo y a su familia. Por lo cual es un deber de las autoridades públicas admitir a los extranjeros que llegan y, en cuanto lo permita el verdadero bien de su comunidad, favorecerlos propósitos de quienes pretenden incorporarse a ella como nuevos miembros.
Papa Juan XXIII, Encíclica *Pacem in Terris* (1963), 105-106

Centesimus Annus

Desarrollo solidario para todos

En fin, el desarrollo no debe ser entendido de manera exclusivamente económica, sino bajo una dimensión humana integral. No se trata solamente de elevar a todos los pueblos al nivel del que gozan hoy los países más ricos, sino de fundar sobre el trabajo solidario una vida más digna, hacer crecer efectivamente la dignidad y la creatividad de toda persona, su capacidad de responder a la propia vocación y, por tanto, a la llamada de Dios. El punto culminante del desarrollo conlleva el ejercicio del derecho-deber de buscar a Dios, conocerlo y vivir según tal conocimiento.
Papa Juan Pablo II, Encíclica *Centesimus Annus* (1991), 29

Centesimus Annus

Acceso justo al mercado

En años recientes se ha afirmado que el desarrollo de los países más pobres dependía del aislamiento del mercado mundial, así como de su confianza exclusiva en las propias fuerzas. La historia reciente ha puesto de manifiesto que los países que se han marginado han experimentado un estancamiento y retroceso; en cambio, han experimentado un desarrollo los países que han logrado introducirse en la interrelación general de las actividades económicas a nivel internacional. Parece, pues, que el mayor problema está en conseguir un acceso equitativo al mercado internacional, fundado no sobre el principio unilateral de la explotación de los recursos naturales, sino sobre la valoración de los recursos humanos.

Papa Juan Pablo II, Encíclica *Centesimus Annus* (1991), 33

Centesimus Annus

Posibilidad de una gran riqueza

El amor por el hombre y, en primer lugar, por el pobre, en el que la Iglesia ve a Cristo, se concreta en la *promoción de la justicia*. Esta nunca podrá realizarse plenamente si los hombres no reconocen en el necesitado, que pide ayuda para su vida, no a alguien inoportuno o como si fuera una carga, sino la ocasión de un bien en sí, la posibilidad de una riqueza mayor. Solo esta conciencia dará la fuerza para afrontar el riesgo y el cambio implícitos en toda iniciativa auténtica para ayudar a otro hombre. En efecto, no se trata solamente de dar lo superfluo, sino de ayudar a pueblos enteros –que están excluidos o marginados– a que entren en el círculo del desarrollo económico y humano. Esto será posible no solo utilizando lo superfluo que nuestro mundo produce en abundancia, sino cambiando sobre todo los estilos de vida, los modelos de producción y de consumo, las estructuras consolidadas de poder que rigen hoy la sociedad.

Papa Juan Pablo II, Encíclica *Centesimus Annus* (1991), 58

Caritas in Veritate

Verdad y desarrollo

La verdad preserva y expresa la fuerza liberadora de la caridad en los acontecimientos siempre nuevos de la historia. Es al mismo tiempo verdad de la fe y de la razón, en la distinción y la sinergia a la vez de los dos ámbitos cognitivos. El desarrollo, el bienestar social, una solución adecuada de los graves problemas socioeconómicos que afligen a la humanidad, necesitan esta verdad. Y necesitan aún más que se estime y dé testimonio de esta verdad. Sin verdad, sin confianza y amor por lo verdadero, no hay conciencia y responsabilidad social, y la actuación social se deja a merced de intereses privados y de lógicas de poder, con efectos disgregadores sobre la sociedad, tanto más en una sociedad en vías de globalización, en momentos difíciles como los actuales.

Papa Benedicto XVI, Encíclica *Caritas in Veritate* (2009), 5

Caritas in Veritate

En camino hacia la globalización

En una sociedad en vías de globalización, el bien común y el esfuerzo por él, han de abarcar necesariamente a toda la familia humana, es decir, a la comunidad de los pueblos y naciones, dando así forma de unidad y de paz a la *ciudad del hombre*, y haciéndola en cierta medida una anticipación que prefigura la ciudad de Dios sin barreras.

Papa Benedicto XVI, Encíclica *Caritas in Veritate* (2009), 7

PREGUNTAS
256–269

Cuidar la creación

EL MEDIO AMBIENTE

> Dios mismo es el Creador del mundo, y la creación todavía no ha concluido.
>
> **PAPA BENEDICTO XVI,** 12 de septiembre de 2008

No somos Dios. La tierra nos precede y nos ha sido dada. [...] Cada comunidad puede tomar de la bondad de la tierra lo que necesita para su supervivencia, pero también tiene el deber de protegerla y de garantizar la continuidad de su fertilidad para las generaciones futuras.

PAPA FRANCISCO, LS 67

256 *¿Qué pueden aportar los cristianos a un entorno medioambiental que sea justo para el ser humano?*

Los cristianos no son respetuosos con el medio ambiente si limitan su compromiso a hacer un llamamiento moral a los demás. Asimismo, de poco vale hablar continuamente de los problemas ecológicos globales en lugar de prestar específicamente atención al propio medio ambiente y a las posibilidades que surgen en él. La moral cristiana del medio ambiente no confía por eso en hacer proclamaciones pedantes. En su lugar, intenta dar una orientación en las decisiones conflictivas individuales y sociales. Para ello es necesario analizar con precisión las conexiones causa-efecto, los riesgos y las oportunidades, pues solo así pueden obtenerse modelos positivos de orientación. Los cristianos hacen una contribución valiosa a la conservación de los sistemas ecológicos cuando apuestan «por disfrutar de la creación en lugar de destruir el medio ambiente». El valor para mantener la esperanza debe vincularse con la búsqueda de la sabiduría y con disposición a actuar. Sin riesgo a exagerar, puede decirse que «si la actual tendencia continúa, este siglo podría ser testigo de cambios climáticos inauditos y de una destrucción sin precedentes de los ecosistemas, con graves consecuencias para todos nosotros» (papa Francisco, LS 24).

→ 180 → 373, 2415–2418 → 50

Todavía no se ha logrado adoptar un modelo circular de producción que asegure recursos para todos y para las generaciones futuras, y que supone limitar al máximo el uso de los recursos no renovables, moderar el consumo, maximizar la eficiencia del aprovechamiento, reutilizar y reciclar.

PAPA FRANCISCO, LS 22

257 *¿Qué significa cuidar la creación?*

El imperativo «cuidar la creación» no puede significar que como cristianos tengamos que conservar la natu-

raleza en su totalidad como un objeto delicado. La naturaleza es un orden abierto que se desarrolla evolutivamente, y no un almacén con objetos que hay que conservar sin tocar. Solo cuando se haya descrito con precisión qué merece conservarse en la creación desde el punto de vista teológico, ecológico, económico, estético y cultural, tendremos reflexiones sensatas sobre qué, en qué caso y por qué hay cosas que deben protegerse y conservarse.

→ **166, 180, 461, 465–468** → **344, 354, 2415–2418**
→ **57, 288**

258 *¿No es más bien la ecología un desafío técnico para los especialistas?*

No. Como el papa Juan Pablo II resaltó en la Cumbre Mundial sobre el Desarrollo Sostenible, celebrada en Johannesburgo en 2002, cada cristiano tiene una «vocación ecológica», que «en nuestros días es más urgente que nunca». Su principio guía fue el de la «humanidad ecológica», en cuyo centro se encuentra la dignidad del ser humano. En correlación con ello se encuentran los temas del «respeto a la vida», el «trabajo» y la «responsabilidad» con Dios, como el buen Creador que creó un mundo bueno en sí mismo. «La paz con Dios» significa «la paz con toda la creación» (papa Juan Pablo II, Mensaje para la Jornada Mundial de la Paz, 1990). Todo cristiano debe saber que la falta de una atención apropiada a la naturaleza y la explotación de los recursos naturales que de ella se deriva, son una amenaza para la paz mundial.

→ **472** → **2415–2418** → **436–437**

En América Latina y El Caribe, se está tomando conciencia de la naturaleza como una herencia gratuita que recibimos para proteger, como espacio precioso de la convivencia humana y como responsabilidad cuidadosa del señorío del hombre para bien de todos. Esta herencia se manifiesta muchas veces frágil e indefensa ante los poderes económicos y tecnológicos. Por eso, como profetas de la vida, queremos insistir que en las intervenciones sobre los recursos naturales no predominen los intereses de grupos económicos que arrasan irracionalmente las fuentes de vida, en perjuicio de naciones enteras y de la misma humanidad.

APARECIDA, 471

Si una persona, aunque la propia economía le permita consumir y gastar más, habitualmente se abriga un poco en lugar de encender la calefacción, se supone que ha incorporado convicciones y sentimientos favorables al cuidado del ambiente.

PAPA FRANCISCO, LS 211

> Nos comportamos con este mundo como si tuviéramos otro en el baúl.
>
> **JANE FONDA** (1937), actriz estadounidense

Respetando la independencia y la cultura de cada nación, hay que recordar siempre que el planeta es de toda la humanidad y para toda la humanidad, y que el solo hecho de haber nacido en un lugar con menores recursos o menor desarrollo no justifica que algunas personas vivan con menor dignidad.

PAPA FRANCISCO, EG 190

El relampagueo del Mediterráneo, la magnificencia del desierto norteafricano, la exuberante selva de Asia, la inmensidad del océano Pacífico, el horizonte sobre el que surge y se pone el sol, el majestuoso esplendor de la belleza natural de Australia, todo eso que he podido disfrutar durante un par de días, suscita un profundo sentido de temor reverencial.

PAPA BENEDICTO XVI, durante el viaje a Sidney el 17 de julio de 2008

259 *¿Qué aporta la Iglesia al tema de la ecología?*

La Iglesia no tiene una competencia específica en ecología. No obstante, en su encíclica *Laudato si'* habla el papa Francisco de la Tierra como «casa común» de todos los hombres: él alaba los esfuerzos de todas las personas que asumen la responsabilidad de mantener esta casa, y pide a los cristianos una conversión ecológica radical: «El desafío urgente de proteger nuestra casa común incluye la preocupación de unir a toda la familia humana en la búsqueda de un desarrollo sostenible e integral, pues sabemos que las cosas pueden cambiar. El Creador no nos abandona, nunca hizo marcha atrás en su proyecto de amor, no se arrepiente de habernos creado. La humanidad aún posee la capacidad de colaborar para construir nuestra casa común» (LS 13).

→ **166, 473** → **283, 2456** → **57**

260 *¿En qué consiste un desarrollo ecológico integral?*

Dice el papa Francisco al respecto: «No hay dos crisis separadas, una ambiental y otra social, sino una sola y compleja crisis socio-ambiental. Las líneas para la solución requieren una aproximación integral para combatir la pobreza, para devolver la dignidad a los

excluidos y simultáneamente para cuidar la naturaleza» (LS 139). Y en otro pasaje comenta: «Ya no basta hablar solo de la integridad de los ecosistemas. Hay que atreverse a hablar de la integridad de la vida humana, de la necesidad de alentar y conjugar todos los grandes valores» (LS 224).

→ 166, 481 → 282, 354, 2456 → 426–437

261 *¿Dónde se encuentra lo que dice la Iglesia sobre el medio ambiente?*

El texto central de la Iglesia sobre la ecología es la encíclica *Laudato si'* del papa Francisco (2015). En ella encontramos un análisis científico exhaustivo de la amenaza ecológica y describe las causas de la crisis, que no solo consiste en una manifiesta debilidad de la política («el sometimiento de la política a la tecnología y al mercado financiero») ni en la despiadada explotación de la Tierra que se sigue de ella. La causa esencial de la catástrofe debe buscarse en el mismo ser humano, en una completa alteración de su modo de relacionarse («... mi relación interior conmigo mismo, con los demás, con Dios y con la tierra»). La conversión salva al ser humano, que debe aprender «que el auténtico cuidado de nuestra propia vida y de nuestras relaciones con la naturaleza es inseparable de la fraternidad, la justicia y la fidelidad a los demás» (LS 70). Así pues, la verdadera ecología es al mismo tiempo protección del medio ambiente, ecología humana, ecología social y ecolo-

> El ambiente humano y el ambiente natural se degradan juntos, y no podremos afrontar adecuadamente la degradación ambiental si no prestamos atención a causas que tienen que ver con la degradación humana y social. De hecho, el deterioro del ambiente y el de la sociedad afectan de un modo especial a los más débiles del planeta: «Tanto la experiencia común de la vida ordinaria como la investigación científica demuestran que los más graves efectos de todas las agresiones ambientales los sufre la gente más pobre».
>
> **PAPA FRANCISCO,** LS 48

> Invito a todos a respetar y cuidar la creación, a prestar atención y cuidado a toda persona, a contrarrestar «la cultura del descarte» y del desecho para promover una cultura de la solidaridad y del encuentro.
>
> **PAPA FRANCISCO,** 5 de junio de 2013

La fe nos enseña también que somos criaturas de Dios, hechas a su imagen y semejanza, dotadas de una dignidad inviolable y llamadas a la vida eterna. Allí donde se empequeñece al hombre, el mundo que nos rodea queda mermado, pierde su significado último y falla su objetivo. Lo que brota de ahí es una cultura no de la vida, sino de la muerte. ¿Cómo se puede considerar a esto un «progreso»?

PAPA BENEDICTO XVI,
19 de julio de 2008

> El paraíso se cuida cuando se reconoce como tal, es decir, después de haber sido expulsados de él.
>
> **HERMANN HESSE** (1877-1962), escritor alemán

El consumo brutal de la creación comienza donde no está Dios, donde la materia es solo material para nosotros, donde nosotros mismos somos las últimas instancias, donde el conjunto es simplemente una propiedad nuestra y el consumo es solo para nosotros mismos [...] donde debemos poseer todo lo que es posible poseer.

PAPA BENEDICTO XVI,
6 de agosto de 2008

Cuando el alimento se comparte de modo equitativo, con solidaridad, nadie carece de lo necesario, cada comunidad puede ir al encuentro de las necesidades de los más pobres. Ecología humana y ecología medioambiental caminan juntas.

PAPA FRANCISCO,
5 de junio de 2013

gía cultural, todo en uno. «La libertad humana», dice el papa Francisco, «es capaz de limitar la técnica, orientarla y colocarla al servicio de otro tipo de progreso más sano, más humano, más social, más integral» (LS 112). Además de *Laudato si'*, las encíclicas POPULORUM PROGRESSIO (1967) y CARITAS IN VERITATE son documentos importantes para relacionar la responsabilidad social y la autodestrucción ecológica de la tierra.

→ **466–471** → **282, 454** → **436–437**

262 *¿No están arrebatando las generaciones actuales lo que las venideras necesitarían para vivir?*

Sí, en efecto, y esto solo puede cambiarse con un giro solidario. Dice al respecto el papa Francisco: «Cuando pensamos en la situación en que se deja el planeta a las generaciones futuras, entramos en otra lógica, la del don gratuito que recibimos y comunicamos. Si la tierra nos es donada, ya no podemos pensar solo desde un criterio utilitarista de efi-

ciencia y productividad para el beneficio individual» (LS 159).

319, 470, 478 299 56–57

263 *¿Es la sostenibilidad un nuevo principio social?*

Con la ayuda de los principios sociales fundamentales de la → PERSONA HUMANA, la → SOLIDARIDAD y la → SUBSIDIARIDAD (véase capítulo 4) pueden entenderse las estructuras de la sociedad y regirse por criterios éticos. Sin embargo, dados los especiales desafíos del presente, parece aconsejable añadir a estos principios otro, a saber, el principio de la sostenibilidad. Este principio se une a los principios tradicionales de la ética social y los actualiza con la vista puesta en las condiciones de supervivencia (en) de la tierra. Cuando hablamos de sostenibilidad nos referimos a que pasa el tiempo y tenemos que asegurar de forma estable el ecosistema de la tierra y la capacidad de regeneración natural de sus recursos.

160–163 2415–2418 436

Buenas noticias: la tierra se recupera en un millón de años. Somos nosotros los que desaparecemos.

NICANOR PARRA, poeta chileno

... cuanto he vivido y he aprendido no ha sido extraído de las aulas universitarias de mi país o de algún otro país del mundo, sino de la cantera del pueblo, porque mi Universidad ha sido el pueblo y mis mejores maestros han sido los pobres en general y particularmente los indígenas del Ecuador y de América Latina, considerados en Puebla como «los más pobres entre los pobres».

MONSEÑOR LEONIDAS PROAÑO (1910-1988), obispo y teólogo ecuatoriano

La humanidad tiene el deber de proteger este tesoro y evitar un uso indiscriminado de los bienes de la tierra.

PAPA BENEDICTO XVI, 27 de septiembre de 2008

Desearía que todos asumiéramos el grave compromiso de respetar y custodiar la creación, de estar atentos a cada persona, de contrarrestar la cultura del desperdicio y del descarte, para promover una cultura de la solidaridad y del encuentro.

PAPA FRANCISCO, 5 de junio de 2013

» Los costes para recuperar los ecosistemas dañados son diez veces superiores a los dedicados a la protección de la naturaleza.

TIM KASTEN, director interino del Programa de las Naciones Unidas para el Medio Ambiente (PNUMA= UNEP en inglés), Informe de UNEP junio 2010

» No entiendo por qué cuando destruimos algo creado por humanos lo llamamos vandalismo, pero cuando destruimos algo creado por la naturaleza lo llamamos progreso.

ED BEGLEY JR (1949), actor estadounidense

El afán de poder y de tener no conoce límites. En este sistema, que tiende a fagocitarlo todo en orden a acrecentar beneficios, cualquier cosa que sea frágil, como el medio ambiente, queda indefensa ante los intereses del mercado divinizado, convertidos en regla absoluta.

PAPA FRANCISCO, EG 56

Y la tarea de custodiar la tierra, Dios Nuestro Padre la ha dado no al dinero, sino a nosotros: a los hombres y a las mujeres, ¡nosotros tenemos este deber! En cambio hombres y mujeres son sacrificados a los ídolos del beneficio y del consumo: es la «cultura del descarte».

PAPA FRANCISCO, 5 de junio de 2013

264 *¿Por qué necesita una «personalidad» la sostenibilidad?*

La preocupación por el ecosistema terrestre no es un fin en sí mismo, sino que, en última instancia, todo debe girar en torno a la dignidad incondicional de la persona humana. El ser humano es el centro del mundo, no la naturaleza ni los animales, si bien sabemos que al ser humano le beneficia que se conserve intacta la naturaleza y los animales vivan en los hábitats propios de su especie. Para la ética cristiana constituyen una unidad la protección de la naturaleza y la protección del ser humano.

→ **456–457; 473** → **354** → **57**

265 *¿Por qué necesita «solidaridad» la sostenibilidad?*

La sostenibilidad es una exigencia que solo puede llevarse a cabo conjuntamente. Sin una solidaridad concreta en el entorno cercano, la sostenibilidad se convierte en un tema frustrante para unos pocos idealistas, mientras que los demás consumen descaradamente los recursos («¡y luego caiga quien caiga!»). Y sin todas las numerosas instituciones que han sido creadas para luchar solidariamente contra la pobreza o para garantizar los recursos de la naturaleza, la sostenibilidad se convierte en una palabra hueca y políticamente no vinculante. La Iglesia posee en sus obras de caridad internacionales una gran tradición de solidaridad que puede aún ampliarse.

→ **103, 193–195, 449, 474–478, 580** → **344** → **332**

266 *¿Por qué necesita «subsidiaridad» la sostenibilidad?*

Sin el principio de subsidiaridad carecería el desarrollo sostenible de su núcleo de estructuración: lo que la forma de organización pequeña puede realizar por

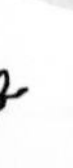

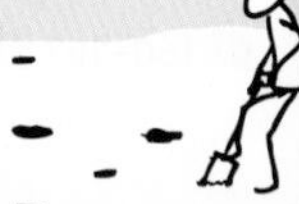

sí misma, debe hacerlo *ella misma*. No debe ser reglamentada ni organizada desde arriba. Por esta razón la ecología degenera fácilmente cuanto más exige la intervención del Estado, más normas y más centralización, en lugar de promover estructuras de libertad y de ajuste según los correspondientes ámbitos socioculturales y naturales.

→ 186–188, 299, 449 → 1883, 2241 → 323

> Empeñar nuestros esfuerzos en la promulgación de políticas públicas y participaciones ciudadanas que garanticen la protección, conservación y restauración de la naturaleza.
>
> **APARECIDA**, 474d

267 *¿En qué puede contribuir la fe a la «sostenibilidad»?*

La «sostenibilidad» puede convertirse también en una ideología; no raramente aparece como algo que puede hacerse so-

> «¿Tendría la amabilidad de decirme cómo puedo volver a salir de aquí?», preguntó Alicia. «Eso depende en gran medida del lugar al que quieras ir», dijo el gato.
>
> **LEWIS CARROLL** (1832-1898), escritor inglés, autor de *Alicia en el país de las maravillas*

> Hay otros seres frágiles e indefensos, que muchas veces quedan a merced de los intereses económicos o de un uso indiscriminado. Me refiero al conjunto de la creación. Los seres humanos no somos meros beneficiarios, sino custodios de las demás criaturas. Por nuestra realidad corpórea, Dios nos ha unido tan estrechamente al mundo que nos rodea, que la desertificación del suelo es como una enfermedad para cada uno, y podemos lamentar la extinción de una especie como si fuera una mutilación. No dejemos que a nuestro paso queden signos de destrucción y de muerte que afecten nuestra vida y la de las futuras generaciones.
>
> **PAPA FRANCISCO,** EG 215

cial y técnicamente, como un plan político, que debe imponerse por la fuerza. La fe cristiana es crítica con las ideologías, pues no cree en las soluciones perfectas. Es verdad que pone en movimiento todas las fuerzas para lograr unas condiciones de vida sostenibles justas y humanas; pero, en última instancia, vive de la esperanza de que Dios cumpla una vez lo que los seres humanos, aun con nuestra mejor voluntad, no podemos crear, a saber, un paraíso que funcione de verdad. La sostenibilidad es una previsión de futuro, cuya esperanza fundamental no se encuentra en el optimismo del progreso, sino en la visión de una vida lograda dentro de los límites de la naturaleza.

→ 100 → 285

268 *¿Cómo pueden vivir bien los cristianos dentro de los límites de la naturaleza?*

La sostenibilidad (como garantía de la estabilidad ecológica, social y económica de los espacios vitales humanos) no puede consistir en el permanente aumento de bienes y de la velocidad para conseguirlos, pues entonces los ricos vivirían desvergonzadamente a costa de quienes no pueden seguirles en la carrera. Solo un *bienestar ligero en recursos*, es decir, un bienestar que no siga acabando con los recursos limitados de la tierra, abre a muchos la oportunidad de la *participación*. Solo este tipo de bienestar está justificado cristianamente, porque es un bienestar justo, lo que define de nuevo la «renuncia»: ¡renunciar a lo que quitas a otro para siempre!

172, 359, 470 **339–340** **45**

269 *¿Dónde está «Dios» en la crisis ecológica?*

La crisis ecológica no surge en el despacho de teólogos y de sociólogos, sino en las experiencias existenciales de los agricultores perjudicados por el cambio climático y de los pobres temporeros que viven en los barrios de chabolas de las grandes metrópolis. ¿Dónde está Dios ahí? Dios está, en primer lugar, en las personas que comparten sistemáticamente, porque han encontrado en Jesucristo a un Dios solícito que participa en el sufrimiento humano. Dios está también en los variados esfuerzos de quienes ven de nuevo la tierra saqueada como *creación* y posibilitan espacios de vida regenerativos. La imagen cristiana del ser humano no determina su valor a partir de la cantidad de bienes producidos y consumidos, y, por eso, puede capacitarlo para que tenga una relación moderada, justa y responsables con ellos. La Iglesia es además el actor global más antiguo, lo que la capacita, de forma especial, para asumir una responsabilidad global. Y es que solo la *responsabilidad* trae consigo el cambio en la crisis ecológica.

465, 470, 480 **2415–2418** **57, 427, 436**

En efecto, no se trata solo de encontrar técnicas que prevengan los daños, aunque es importante descubrir energías alternativas y otras cosas. Todo eso no bastará si nosotros mismos no asumimos un nuevo estilo de vida, una disciplina, hecha también de renuncias; una disciplina que nos obligue a reconocer a los demás, a los que pertenece la creación tanto como a nosotros.

PAPA BENEDICTO XVI, 6 de agosto de 2008

Debemos prepararnos para cambiar nuestra actual forma de vida. O bien planificamos y llevamos a cabo este cambio nosotros mismos, o bien nos será impuesto por las implacables leyes de la naturaleza, acompañado de caos y de sufrimiento.

JIMMY CARTER (1924), expresidente de los Estados Unidos, discurso en 1976

Dios de amor,
[...]
Ilumina a los dueños
del poder y del dinero
para que se guarden
del pecado de la
indiferencia,
amen el bien común,
promuevan a los débiles,
y cuiden este mundo que
habitamos. [...]
Alabado seas.
Amén.

PAPA FRANCISCO, oración de LS 246

Documentos más importantes de la Iglesia

EL MEDIO AMBIENTE

Evangelium Vitae

Responsables de la creación

El hombre, llamado a cultivar y custodiar el jardín del mundo (cf. Gn 2,15), tiene una responsabilidad específica sobre el *ambiente de vida,* o sea, sobre la creación que Dios puso al servicio de su dignidad personal, de su vida: respecto no solo al presente, sino también a las generaciones futuras. Es la *cuestión ecológica* –desde la preservación del «hábitat» natural de las diversas especies animales y formas de vida, hasta la «ecología humana» propiamente dicha– que encuentra en la Biblia una luminosa y fuerte indicación ética para una solución respetuosa del gran bien de la vida, de toda vida. En realidad, «el dominio confiado al hombre por el Creador no es un poder absoluto, ni se puede hablar de libertad de "usar y abusar", o de disponer de las cosas como mejor parezca. La limitación impuesta por el mismo Creador desde el principio, y expresada simbólicamente con la prohibición de "comer del fruto del árbol" (cf. Gn 2,16-17), muestra claramente que, ante la naturaleza visible, estamos sometidos a las leyes no solo biológicas sino también morales, cuya transgresión no queda impune».

Papa Juan Pablo II, Encíclica *Evangelium Vitae* (1995), 42

Evangelium Vitae

Colaboradores del Creador

En la biología de la generación está inscrita la genealogía de la persona. Al afirmar que los esposos, en cuanto padres, son colaboradores de Dios Creador en la concepción y generación de un nuevo ser humano, no nos referimos solo al aspecto biológico; queremos subrayar más bien que *en la paternidad y maternidad humanas Dios mismo está presente* de un modo diverso de como lo está en cualquier otra generación «sobre la tierra». En efecto, solamente de Dios puede provenir aquella «imagen y semejanza», propia del ser humano, como sucedió en la creación. La generación es, por consiguiente, la continuación de la creación.

Papa Juan Pablo II, Encíclica *Evangelium Vitae* (1995), 43

Jornada Mundial de la Paz 2010

¡Encontrar estrategias communes!

Es indudable que uno de los principales problemas que ha de afrontar la comunidad internacional es el de los recursos energéticos, buscando estrategias compartidas y sostenibles para satisfacer las necesidades de energía de esta generación y de las futuras. Para ello, es necesario que las sociedades tecnológicamente avanzadas estén dispuestas a favorecer comportamientos caracterizados por la sobriedad, disminuyendo el propio consumo de energía y mejorando las condiciones de su uso. Al mismo tiempo, se ha de promover la búsqueda y las aplicaciones de energías con menor impacto ambiental, así como la «redistribución planetaria de los recursos energéticos, de manera que también los países que no los tienen puedan acceder a ellos». La crisis ecológica, pues, brinda una oportunidad histórica para elaborar una respuesta colectiva orientada a cambiar el modelo de desarrollo global siguiendo una dirección más respetuosa con la creación y de un desarrollo humano integral, inspirado en los valores propios de la caridad en la verdad. Por tanto, desearía que se adoptara un modelo de desarrollo basado en el papel central del ser humano, en la promoción y participación en el bien común, en la responsabilidad, en la toma de conciencia de la necesidad de cambiar el estilo de vida y en la prudencia, virtud que indica lo que se ha de hacer hoy, en previsión de lo que puede ocurrir mañana.

Papa Benedicto XVI, Mensaje para la Jornada Mundial por la Paz, enero de 2010, 9

Documento de Aparecida

No permanecer indiferentes

Buscar un modelo de desarrollo alternativo, integral y solidario, basado en una ética que incluya la responsabilidad por una auténtica ecología natural y humana, que se fundamenta en el evangelio de la justicia, la solidaridad y el destino universal de los bienes, y que supere la lógica utilitarista e individualista, que no somete a criterios éticos los poderes económicos y tecnológicos (474c).

El ser humano está amenazado

¿Qué quiere decir cultivar y custodiar la tierra? [...] El verbo «cultivar» me recuerda el cuidado que tiene el agricultor de su tierra para que dé fruto y este se comparta: ¡cuánta atención, pasión y dedicación! Cultivar y custodiar la creación [...] quiere decir hacer crecer el mundo con responsabilidad, transformarlo para que sea un jardín, un lugar habitable para todos. [...] Nosotros en cambio nos guiamos a menudo por la soberbia de dominar, de poseer, de manipular, de explotar; no la «custodiamos», no la respetamos, no la consideramos como un don gratuito que hay que cuidar. [...] Pero «cultivar y custodiar» no comprende solo la relación entre nosotros y el medio ambiente, entre el hombre y la creación; se refiere también a las relaciones humanas.

Papa Francisco, Audiencia general del 5 de junio de 2013

Laudato si'

Las víctimas del cambio climático

Muchos pobres viven en lugares particularmente afectados por fenómenos relacionados con el calentamiento, y sus medios de subsistencia dependen fuertemente de las reservas naturales y de los servicios ecosistémicos, como la agricultura, la pesca y los recursos forestales. No tienen otras actividades financieras y otros recursos que les permitan adaptarse a los impactos climáticos o hacer frente a situaciones catastróficas, y poseen poco acceso a servicios sociales y a protección. Por ejemplo, los cambios del clima originan migraciones de animales y vegetales que no siempre pueden adaptarse, y esto a su vez afecta los recursos productivos de los más pobres, quienes también se ven obligados a migrar con gran incertidumbre por el futuro de sus vidas y de sus hijos.

Papa Francisco, Encíclica *Laudato si'* (2015), 25

PREGUNTAS
270–304

Vivir en libertad y sin violencia

LA PAZ

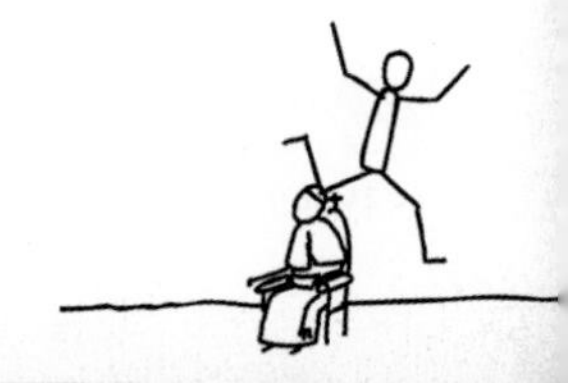

Les dejo la paz,
les doy mi paz,
pero no
como la da
el mundo.
¡No se inquieten
ni teman!

JN 14,27

Señor, haz de mí un instrumento de tu paz.
Que allá donde hay odio, yo ponga el amor.
Que allá donde hay ofensa, yo ponga el perdón.
Que allá donde hay discordia, yo ponga la unión.
Que allá donde hay error, yo ponga la verdad.
Que allá donde hay duda, yo ponga la Fe.
Que allá donde hay desesperación, yo ponga la esperanza.
Que allá donde hay tinieblas, yo ponga la luz.
Que allá donde hay tristeza, yo ponga la alegría.

Oración por la paz de
SAN FRANCISCO DE ASÍS

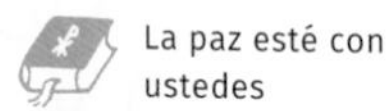

La paz esté con ustedes

LC 24,36

270 *¿Para qué necesita el hombre a Dios cuando quiere la paz?*

Antes que una *tarea dada a nosotros, los seres humanos*, la paz es un *atributo de Dios*. El que quiera lograr la paz sin Dios, olvida que no vivimos ya en el paraíso, sino que somos pecadores. Nuestra condición, caracterizada por la falta de paz, es una señal de que está dividida la unidad de Dios y de la humanidad. La historia de la humanidad está marcada por la violencia, las divisiones y el derramamiento de sangre. Los seres humanos anhelan la paz que perdieron por el pecado, y también anhelan, en silencio, a Dios.

→ **488, 491–494** → **374–379, 400, 410–412**
→ **66, 70, 395**

271 ¿Qué tiene que ver Jesús con la paz?

Jesucristo «es nuestra paz» (Ef 2,14). Ya los profetas del Antiguo Testamento profetizaron la llegada de un Mesías («Ungido», en hebreo, «Cristo», en griego) poderoso. Y este Mesías/Cristo traería la profundamente anhelada era de la paz, un mundo nuevo en el que «el lobo» vive «con el cordero» y «el leopardo... con el cabrito» (Is 11,6). El Mesías llegaría a ser el «Príncipe de la paz» (Is 9,5). Los cristianos creen que Jesús es este gran signo y el comienzo de un mundo nuevo. Él es el fundamental portador de la paz, pues al liberarnos de la esclavitud del pecado llegó al fondo de todas las discordias. Mediante su muerte en la cruz, Jesucristo nos reconcilia con Dios y derriba también el muro de la enemistad entre las personas (cf. Ef 2,14-16).

→ 488–492 → 2305 → 395

272 ¿Por qué deben los cristianos difundir la paz?

Jesucristo estableció la paz entre el cielo y la tierra, y abrió las puertas a una vida basada en la reconciliación y en la alegría interior. Pero su paz no se difunde por sí sola. Los seres humanos son libres de aceptar con fe el don de la reconciliación de Dios o de rechazarlo. Pero para eso deben haber oído primero que la paz es posible en Dios, tanto en la vida personal como entre grupos y naciones enfrentadas. Esto puede experimentarse en el encuentro con personas reconciliadas, personas que *no* devuelven el golpe, que *no* se vengan, que *no* recurren a la violencia. La proclamación del Evangelio de la paz, con palabras y obras, crea siempre nuevos comienzos de verdadera paz.

→ 490–493 → 2304 → 332

Cuando Jesús vino al mundo se proclamó la paz. Al dejarlo, nos la dejó en herencia.

FRANCIS BACON (1561-1626), filósofo inglés

Los hombres levantan muros; Cristo dice: «Yo soy la puerta».

SIMONE WEIL

Nosotros somos, entonces, embajadores de Cristo, y es Dios el que exhorta a los hombres por intermedio nuestro. Por eso, les suplicamos en nombre de Cristo: Déjense reconciliar con Dios.

2 COR 5,20

El perdón es la clave de la acción y de la libertad.

HANNAH ARENDT

¡Da una oportunidad a la paz!

JOHN LENNON (1940-1980), músico británico, miembro de Los Beatles. **YOKO ONO** (1933), artista japonesa-estadounidense

zzzzz....
¡LA POBREZA APESTA!
PAX

¿Solo los cristianos tienen una misión de paz?

La paz es un valor que todas las personas conocen y un deber que tiene validez universal. Nadie puede eximirse de la paz. Además, la paz es un bien valioso y también frágil que debe construirse día a día. Solo puede existir cuando, tanto los cristianos como quienes no lo son, reconocemos nuestra responsabilidad para lograr una convivencia basada en la buena voluntad, la justicia y la reconciliación.

→ 494–495 → 2304–2305 → 327, 395

¿Cómo comienza un cristiano a instaurar la paz?

La paz no comienza en las mesas de negociaciones. La paz, que viene de lo alto, comienza siempre en el corazón de cada ser humano, y se propaga partiendo de él. El cristiano encuentra la paz en sí mismo y consigo mismo orando y escuchando la Palabra de Dios. También son importantes los sacramentos, en particular la confesión, que es un verdadero sacramento de la paz. La paz interior se encuentra también cuando se da el primer paso y se sale al encuentro del prójimo con un amor verdadero. Para vivir en paz unos con otros, los cristianos no conocen un medio más eficaz que la permanente disposición activa al perdón y la reconciliación. La paz de cada uno se irradia en la familia, en el círculo de amigos, y, finalmente, en toda la sociedad.

→ 95, 517–518 → 1723 → 279, 284, 311

275 ¿Qué es la paz?

Algunos dicen que la paz es la ausencia de guerra; otros opinan que es un equilibrio estable entre poderes hostiles. Ahora bien, estas definiciones son insuficientes. La paz es ser feliz en el orden bueno de Dios. Este tipo de paz es nuestra meta. Nos encontramos caminando hacia la paz cuando trabajamos con justi-

Siempre que des amor a los demás, sentirás la paz, una paz que te inunda a ti y a ellos.

MADRE TERESA

No hay paz en el mundo sin paz entre los pueblos; no hay paz entre los pueblos sin paz en la familia; no hay paz en la familia si no la hay en mi interior; no hay paz en mí si no estoy en paz con Dios.

PROVERBIO CHINO

Felices los que trabajan por la paz, porque serán llamados hijos de Dios.

MT 5,9

Es normal que los esposos discutan. Es normal. Siempre se ha hecho. Pero les doy un consejo a ustedes: que sus jornadas jamás terminen sin hacer las paces. Jamás.

PAPA FRANCISCO, 14 de septiembre de 2014, durante una Santa Misa en la que el Papa casó a varias parejas jóvenes

El destino histórico de ustedes consiste en construir la *civilización del amor*, de la fraternidad y la solidaridad.

PAPA JUAN PABLO II, Jornada Mundial de la Juventud en Manila 1995

> La paz no se reduce a una ausencia de guerra, fruto del equilibrio siempre precario de las fuerzas. La paz se construye día a día, en la instauración de un orden querido por Dios, que comporta una justicia más perfecta entre los hombres.
>
> **PAPA PABLO VI,** PP 76

cia y amor en el mundo según el orden querido por Dios, y también cuando nos encontramos al lado de quienes buscan la verdad con un corazón sincero, se preocupan con justicia por el bienestar y la seguridad de sus prójimos y les ofrecen desinteresadamente su amor. Cuando fomentamos los derechos de todas las personas y los defendemos siempre, estamos practicando al mismo tiempo la propia voluntad de Dios.

→ **494** → **2304–2305** → **66, 395**

276 *¿En qué lugar se sitúa Iglesia cuando se compromete por la paz?*

> Ya que *el camino de la paz pasa en definitiva a través del amor* y tiende a crear la civilización del amor, la Iglesia fija su mirada en aquel que es el amor del Padre y del Hijo y, a pesar de las crecientes amenazas, no deja de tener confianza, no deja *de invocar y de servir a la paz del hombre sobre la tierra.*
>
> **PAPA JUAN PABLO II,** *Dominum et vivificantem* 67

El ofrecimiento de paz de la Iglesia se vincula a la paz de Cristo y se diferencia de otras estrategias encaminadas a la resolución de conflictos: «Les dejo la paz, les doy mi paz, pero no como la da el mundo. ¡No se inquieten ni teman!» (Jn 14,27). La paz de Cristo es el amor que le hace dirigirse a la cruz: «Gracias a sus llagas, ustedes fueron curados» (1 Pe 2,24). La Iglesia vive de la fe y del amor incondicional que Dios tiene para cada ser humano. De la fe liberadora en este amor de Dios surge una forma nueva de acercarse a

¡No se inquieten ni teman! JN 14,27

> La reconciliación es más bella que la victoria.
>
> **VIOLETA CHAMORRO** (1929), política y periodista nicaragüense

los demás, tanto a los individuos como a pueblos enteros o grupos sociales. Donde están los cristianos, debe reinar la paz.

→ **516** → **2302–2307** → **284**

277 *¿Qué es el perdón?*

Los seres humanos pueden hacer cosas terribles: se mofan unos de otros, se ignoran, se mienten y se engañan. En lugar de amargarse por algo que creamos nosotros, no el mundo, tienen los cristianos otra posibilidad para crear paz y estar en paz interiormente: el perdón. El perdón no quita importancia al mal cometido y no deshace lo hecho. Perdonar significa introducir a Dios en la relación, al Dios que «perdona todas tus culpas y cura todas tus dolencias» (Sal 103,3). Con Dios a nuestro lado tenemos la fuerza para perdonar y hacernos posible un nuevo comienzo donde parecía humanamente imposible.

→ 517 → 2839–2840 → 524

Ustedes han oído que se dijo: *Amarás a tu prójimo y odiarás a tu enemigo*. Pero yo les digo: Amen a sus enemigos, rueguen por sus perseguidores; así serán hijos del Padre que está en el cielo, porque él hace salir su sol sobre malos y buenos, y hace caer la lluvia sobre justos e injustos.

MT 5,43-45

278 *¿Qué hace la Iglesia por la paz?*

En la práctica, la Iglesia ante todo *ora* por la paz. La oración, tal es la fe de los cristianos, tiene la fuerza para transformar el mundo. Además, la oración es una importante fuente del compromiso cristiano por la paz. En su mensaje la Iglesia no deja de fomentar la paz y de exhortar a los creyentes a practicarla. El día 1 de enero celebra la Iglesia la Jornada Mundial de la Paz, y procura en sus celebraciones (como la Jornada Mundial de la Juventud) crear un ambiente de paz y de amor. De este modo, la Iglesia quiere manifestar que cree en una civilización del amor y de la paz, y que esta civilización no es solo algo teórico, sino que es concretamente posible. Cuando los cristianos cumplen el Evangelio se convierten en el mayor movimiento del mundo a favor de la paz.

→ 519–520 → 763–764 → 123, 282

La mayor oración humana no pide la victoria, sino la paz.

DAG HAMMARSKJÖLD (1905-1961), segundo Secretario General de las Naciones Unidas, Premio Nobel de la Paz (concedido después de su muerte)

279 *¿Cómo interviene políticamente la Iglesia a favor de la paz?*

Especialmente en los 180 países en los que la Iglesia está representada diplomáticamente por la → SANTA SEDE (véase p. 258), hace todo lo posible para po-

Esta es la fe que ha informado la historia de ustedes y ha plasmado lo mejor de los valores de sus pueblos y tendrá que seguir animando, con todas las energías, el dinamismo de su futuro. Es esta la fe que revela la vocación de concordia y unidad que ha de desterrar los peligros de guerras en este continente de esperanza, en el que la Iglesia ha sido tan potente factor de integración.

JUAN PABLO II, Discurso Inaugural de Puebla 1979

ner paz y contribuir a su garantía. La Iglesia defiende los derechos humanos (como la libertad religiosa o la protección de la vida), insta al desarme y exige un desarrollo económico y social, para que se cree así el fundamento de una convivencia pacífica en la sociedad. La Santa Sede envía también representantes a las regiones en conflicto o asesora y media, entre bastidores, en situaciones críticas, como, por ejemplo, hizo el papa Juan XXIII entre John F. Kennedy (expresidente de los EE.UU.) y Nikita Kruschev (exjefe del gobierno y del partido de la URSS) durante la crisis de Cuba en 1961, o la Comunidad de San Egidio, que participó competentemente en el logro del tratado de paz en Mozambique, firmado en 1992, y con el que se puso fin a una atroz guerra civil que duró dieciséis años.

→ 444, 445

SANTA SEDE (del latín *Sancta Sedes*; Sede Apostólica). Término mediante el que la Iglesia católica actúa políticamente a través de la figura del Papa y de la curia como un sujeto de derecho internacional soberano, pero no gubernamental. Mantiene relaciones diplomáticas y tiene presencia en organizaciones no gubernamentales.

280 ¿Qué contacto tiene la Santa Sede con las organizaciones internacionales?

La Santa Sede es observador permanente en diferentes organizaciones internacionales, por ejemplo, en la Organización de las Naciones Unidas (ONU, desde 1964), en la Organización de Naciones Unidas para la Alimentación y la Agricultura (FAO, desde 1948), en la UNESCO (desde 1951), en la Organización Mundial del Comercio (OMC) y en el Consejo de Europa. Con la reforma de Naciones Unidas en 2004, los Estados miembros concedieron a la Santa Sede más derechos, como el de intervenir en los debates de la asamblea plenaria anual y el derecho a responder en los asuntos que le conciernen.

→ 444, 445

La Iglesia católica, universal por naturaleza, está siempre implicada directamente y participa en las grandes causas por las cuales el hombre actual sufre y espera. [...] Con su presencia activa en el destino del hombre en cada lugar de la tierra, la Santa Sede sabe que tiene en Ustedes, Señoras y Señores Embajadores, unos interlocutores altamente cualificados, porque es propio de la misión de los diplomáticos superar los confines y hacer converger a los pueblos y a sus gobiernos en una voluntad de activa concordia.

PAPA JUAN PABLO II, 10 de enero de 2005

281 ¿Por qué la Santa Sede es solamente «observador» en la ONU y no un miembro de pleno derecho?

La Santa Sede se ve en la obligación de mantener una neutralidad política absoluta. Una membresía plena la involucraría inmediatamente en asuntos políticos, militares y económicos. En muchas votaciones políticas, por ejemplo, en las problemáticas decisiones sobre las intervenciones militares, la Santa Sede debería abstenerse de votar y difícilmente podría ponerse a disposición de «buenos servicios» diplomáticos, como, por ejemplo, realizar tareas de mediación.

→ 444, 445

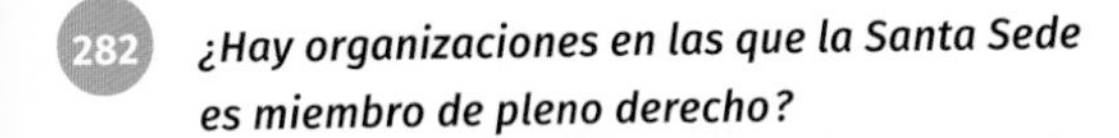

282 *¿Hay organizaciones en las que la Santa Sede es miembro de pleno derecho?*

Sí. Por ejemplo, en el Organismo Internacional de Energía Atómica (IAEA, siglas en inglés), la Organización para la Seguridad y la Cooperación en Europa (OSCE), la Organización para la Prohibición de Armas Químicas (OPAQ), la Unión Internacional de Telecomunicaciones (OIT) y el Alto Comisionado de las Naciones Unidas para los Refugiados (ACNUR).

→ 444

283 *¿Qué opina la Iglesia sobre las Naciones Unidas y su Carta?*

La Iglesia católica apoya la Carta de las Naciones Unidas. Esta organización surgió después de las experiencias de la II Guerra Mundial con el deber de evitar futuras guerras. La Carta de la ONU prohíbe básicamente resolver las confrontaciones entre los Estados recurriendo a la violencia, salvo en dos casos: la defensa legítima en caso de ataque y las medidas tomadas por el Consejo de Seguridad de la ONU en el marco de su responsabilidad para salvaguardar la paz.

→ 501 → 1930–1931 → 329

A través de las Naciones Unidas, los Estados han establecido objetivos universales que, aunque no coincidan con el bien común total de la familia humana, representan sin duda una parte fundamental de este mismo bien. Los principios fundacionales de la Organización –el deseo de la paz, la búsqueda de la justicia, el respeto de la dignidad de la persona, la cooperación y la asistencia humanitaria– expresan las justas aspiraciones del espíritu humano y constituyen los ideales que deberían estar subyacentes en las relaciones internacionales.

PAPA BENEDICTO XVI, Discurso en la Asamblea General de las Naciones Unidas, 2008

Que el Dios de la paz suscite en todos un auténtico deseo de diálogo y de reconciliación. La violencia no se vence con la violencia. ¡La violencia se vence con la paz!

PAPA FRANCISCO, 20 de julio de 2014

> La guerra es una masacre entre gentes que no se conocen, para provecho de gentes que sí se conocen pero que no se masacran.
>
> **PAUL VALÉRY** (1871-1945), escritor francés

> Cada palabra que sale de la boca de Hitler es mentira: Cuando dice paz, quiere decir guerra, y cuando de la forma más sacrílega invoca el nombre del Todopoderoso, en realidad invoca al poder del mal, al ángel caído, a Satanás.
>
> Octavilla IV del grupo de resistencia de Múnich «Rosa blanca» contra Hitler (julio de 1942)

284 *¿Cómo se producen la guerra y la violencia?*

Muchas guerras se producen por el odio permanente entre pueblos, por ideologías o por la avidez de determinadas personas o grupos de hacerse con el poder y la riqueza. La guerra y la violencia, sin embargo, son un medio al que recurren las personas también por desesperación, por ejemplo, cuando no tienen voz en la política, cuando sufren hambre, pobreza, opresión u otras injusticias. En los lugares donde unos pocos ricos viven a costa de muchos pobres, esta desigualdad provoca a menudo brotes de violencia.

→ 494 → 2302–2303 → 396

285 *¿Qué opina la Iglesia de la guerra?*

La guerra es el peor fracaso de la paz y el que más graves consecuencias tiene. La Iglesia reprueba siem-

> Quien predica la guerra es un predicador del diablo.
>
> **PROVERBIO**

> Dichosísimo aquel que corriendo por entre los escollos de la guerra, de la política y de las desgracias públicas, preserva su honor intacto.
>
> **SIMÓN BOLÍVAR** (1783-1830), militar y político venezolano

pre por eso la «*inhumanidad de la guerra*» (GS 77, también en CIC 2307-2317). Nunca puede ser la guerra un medio adecuado para resolver los problemas que surjan entre las naciones, puesto que daña terriblemente a todos los implicados y solo provoca conflictos nuevos y aún más complejos. La guerra es siempre una «derrota de la humanidad» (papa Juan Pablo II, Discurso al Cuerpo Diplomático, 13 de marzo de 2003).

→ 497 → 2307–2309 → 398–399

¿Qué estrategias de prevención existen para evitar la guerra y la violencia?

La lucha por la paz no puede nunca reducirse solamente al desarme y a la represión violenta de los conflictos. La causa de la violencia es a menudo la mentira y casi siempre la injusticia. Las estructuras injustas llevan constantemente a la explotación y al sufrimiento. La falta de participación y el recorte de la libertad se manifiestan en una oposición violenta. Por eso solo puede evitarse la guerra de forma permanente donde surgen sociedades libres, en las que dominan las relaciones justas y todas las personas tienen una perspectiva de desarrollo. También la ayuda útil al desarrollo evita la guerra.

→ 498 → 2317 → 397

El desarrollo es el nuevo nombre de la paz.

PAPA PABLO VI, PP 76

Las «estructuras de pecado», y los pecados que conducen a ellas, se oponen con igual radicalidad *a la paz* y al *desarrollo,* pues el desarrollo, según la conocida expresión de la encíclica de Pablo VI, es «el nuevo nombre de la paz». De esta manera, la solidaridad que proponemos es un *camino hacia la paz* y *hacia el desarrollo.*

PAPA JUAN PABLO II, SRS 39

¿Qué sucede cuando los actores políticos no pueden procurar la paz por su propia fuerza?

Evidentemente, en la doctrina social católica se sabe que los Estados no disponen a menudo de los medios adecuados para defenderse eficazmente por sí mismos y para conservar la paz. Por ello, además de con la ayuda al desarrollo, la Iglesia se compromete con organizaciones regionales e internacionales para promover la paz y generar confianza entre los pueblos. A menudo se manifiesta como una gran suerte que la Iglesia católica tenga una estructura internacional y

Al amor le faltan líderes, y a los líderes les falta amor.

SHAKIRA, cantautora colombiana

La humanidad debe poner fin a la guerra, o la guerra pondrá fin a la humanidad.

JOHN F. KENNEDY

> La paz no es la ausencia de violencia, sino la presencia de la justicia.
>
> **ARAM I** (1947), Catholicós de la Iglesia Apostólica armenia, 2001

> Nunca jamás los unos contra los otros. [...] ¡Nunca jamás guerra! ¡Nunca jamás guerra!
>
> **PAPA PABLO VI,** Discurso a la Asamblea General de las Naciones Unidas, 4 de octubre de 1965

no pueda ser acaparada por las naciones. De este modo, posee la libertad para emitir juicios independientes y para alentar a los cristianos que viven en regímenes injustos.

→ **498, 499** → **2308** → **398**

288 *¿Cómo deben ser las sanciones en caso de conflicto o de peligro de guerra?*

Las sanciones de la comunidad internacional son un medio útil contra los Estados que reprimen a partes de su propia población o ponen en peligro la convivencia pacífica de los pueblos. Los objetivos de estas medidas deben formularse de forma totalmente clara. Las sanciones tienen que ser verificadas por los órganos competentes de la comunidad internacional, que deben evaluar objetivamente su efectividad y sus consecuencias prácticas para la población civil. Su objetivo es allanar el camino para las negociaciones y el diálogo; sin embargo, las sanciones no deben usarse nunca para castigar directamente a toda una población. Así, por ejemplo, el embargo económico debe tener una limitación temporal y no puede justificarse cuando resulta

> Mientras exista el riesgo de guerra y falte una autoridad internacional competente y provista de medios eficaces, una vez agotados todos los recursos pacíficos de la diplomacia, no se podrá negar el derecho de legítima defensa a los gobiernos.
>
> **CONCILIO VATICANO II,** GS 79

> La violencia comienza cuando termina la palabra.
>
> **HANNAH ARENDT**

> Cuanto atenta contra la vida –homicidios de cualquier clase, genocidios–, [...] todas estas prácticas y otras parecidas son en sí mismas infamantes, degradan la civilización humana, deshonran más a sus autores que a sus víctimas y son totalmente contrarias al honor debido al Creador.
>
> **CONCILIO VATICANO II,** GS 27

evidente que todos sufren de manera indiscriminada sus consecuencias.

→ 507

> Ojo por ojo, y el mundo se quedará ciego.
>
> **MAHATMA GANDHI**

289 *¿Qué hacemos si, pese a todo, se produce una guerra?*

Las guerras de conquista y de agresión son inmorales en sí mismas. Cuando estalla una guerra, los responsables del Estado atacado tienen el derecho y el deber de organizar su defensa también con la fuerza de las armas. Los Estados tienen derecho a tener fuerzas armadas y a poseer armamento para proteger a su población de ataques externos. Asimismo, los cristianos pueden ser soldados, en la medida en que las fuerzas de seguridad sirvan a la seguridad y la libertad de un país y estén al servicio de la protección de la paz. Es un crimen utilizar a los niños y los jóvenes como soldados. Su utilización en las fuerzas armadas, de cualquier forma que sea, debe detenerse, y los «niños soldados» usados hasta ahora han de integrarse de nuevo en la sociedad.

→ 500, 502–503, 512 → 2308 → 398

> La paz es un bien preciado pero precario que debemos cuidar, educar y promover todos en nuestro continente. Como sabemos, la paz no se reduce a la ausencia de guerras ni a la exclusión de armas nucleares en nuestro espacio común, logros ya significativos, sino a la generación de una «cultura de paz» que sea fruto de un desarrollo sustentable, equitativo y respetuoso de la creación.
>
> **APARECIDA,** 542

> Si bien en algunos países se han logrado acuerdos de paz, superando así conflictos de vieja data, en otros continúa la lucha armada con todas sus secuelas [...] sin avizorar soluciones a corto plazo. La influencia del narconegocio en estos grupos dificulta aún más las posibles soluciones.
>
> **APARECIDA**, 81

> No hay nada que la guerra haya logrado que no podríamos haber logrado de *mejor* forma *sin ella*.
>
> **HAVELOCK ELLIS** (1859-1939), reformador social británico

> Los estereotipos del enemigo no son, ciertamente, la causa de una guerra, pero le facilitan el camino.
>
> **MAX FRISCH** (1911-1991), escritor suizo

> La gran Cartago llevó a cabo tres guerras. Aún era poderosa después de la primera; todavía habitable tras la segunda. Después de la tercera, no se la puedo encontrar más.
>
> **BERTOLT BRECHT** (1898-1956), dramaturgo alemán

290 *¿En qué condiciones puede hablarse de una «guerra de defensa»?*

La defensa con armamento está justificada solamente bajo unas pocas y estrictas condiciones. Si se cumplen, tienen que decidir las correspondientes instituciones a las que se ha confiado la defensa del bien común. Son cuatro los criterios que tienen una importante relevancia al respecto:

1. El daño causado por el agresor debe ser constatable, grave y duradero.
2. No hay otros medios para impedir o deshacer el daño provocado. Deben agotarse todas las posibilidades de resolver el conflicto pacíficamente.
3. Las consecuencias del uso de las armas para la defensa no pueden ser más graves que los daños producidos por el agresor. Las espantosas consecuencias que se siguen del uso de armas de destrucción masiva deben tenerse especialmente en cuenta en este punto.
4. La defensa debe contar con la oportunidad realista de lograr el éxito.

→ **500** → **2309** → **399**

291 *En el caso de una guerra de defensa ¿debe tener unos límites el uso de la violencia?*

Aun cuando la autodefensa con la fuerza de las armas está justificada, no deben usarse todos los medios ar-

mamentísticos para contraatacar al agresor. En todas las circunstancias deben observarse los principios tradicionales de la necesidad y de la proporcionalidad. Esto significa que en el caso de la defensa contra una agresión injustificada solamente debe recurrirse a la violencia que sea necesaria para conseguir el objetivo de la autoprotección.

→ 501 → 2313–2314 → 398

> La guerra es mala porque hace más hombres malos que los que mata.
>
> **IMMANUEL KANT**, *Sobre la paz perpetua*

> Si la ley te convierte en brazo de la injusticia, quebranta entonces la ley.
>
> **HENRY DAVID THOREAU** (1817-1862), escritor, poeta y filósofo estadounidense

292 *¿Qué normas deben cumplir los soldados en la guerra?*

> Nunca actúes en contra de tu conciencia, aun cuando el Estado lo exija.
>
> **HEINRICH HEINE** (1797-1856), poeta alemán

Los soldados están obligados a negarse a cumplir órdenes que atenten contra el derecho de los pueblos. Por ejemplo, nunca debe un soldado participar en el fusilamiento masivo de la población civil o de prisioneros de guerra, aunque se lo ordenen sus superiores. En estos casos no puede justificarse diciendo que solo ha cumplido las órdenes dadas. El soldado es responsable de sus actos.

→ 503 → 2312 → 380

293 *¿Qué ocurre con las → VÍCTIMAS DE LA GUERRA?*

Las víctimas inocentes que no pueden defenderse contra un ataque deben ser protegidas bajo cualquier circunstancia. Esta protección concierne especialmente a la población civil. Las partes que inician la guerra son también responsables de los refugiados y de las minorías nacionales, étnicas, religiosas o lingüísticas. El intento de eliminar a grupos de población enteros mediante genocidios o «limpiezas étnicas» es un crimen contra Dios y contra la humanidad.

→ 504–506 → 2314 → 379

! VÍCTIMAS DE LA GUERRA

Según el informe publicado por ACNUR a finales de 2013, *Tendencias globales*, hay más de 51,2 millones de personas en situación de refugiadas o desplazadas, seis millones más que el año anterior. El número total de los refugiados se divide en tres grupos: 16,7 millones de personas tuvieron que abandonar su país, 33,3 millones tuvieron que desplazarse dentro de sus países y 1,2 millones pidieron asilo en diferentes partes del mundo. De cada dos refugiados uno era un niño. En el verano de 2015 estaban en esta situación más de 60 millones de personas. La tendencia sigue en aumento.

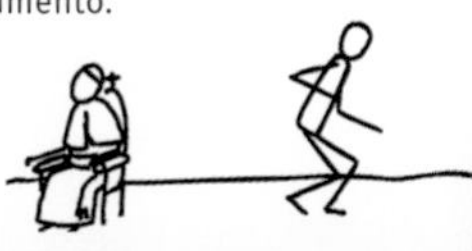

No podrá lograrse una integración real entre las naciones de América Latina, sin un conocimiento profundo del otro, de su cultura y de su visión de mundo. Romper los prejuicios entre naciones, comprender nuestra historia y acercar nuestras culturas, conocerse en suma, es un camino inescapable hacia la integración.

CARLOS D. MESA GISBERT (1953), expresidente de Bolivia

294 *¿Qué debe hacerse cuando existe la amenaza de un genocidio?*

La comunidad internacional tiene el deber moral de intervenir a favor de los grupos que vean amenazada su supervivencia o conculcados de forma masiva sus derechos fundamentales. Este tipo de intervenciones debe atenerse estrictamente al derecho internacional y cumplir con el principio de igualdad entre los Estados. En esta perspectiva, la Iglesia apoya al Tribunal Penal Internacional, que debe castigar a los responsables de actos especialmente graves: genocidios, crímenes contra la humanidad, crímenes de guerra y el crimen de la guerra ofensiva.

→ 506 → 2317

¿Debe prohibirse el comercio de armas?

La Iglesia persigue el objetivo de un «desarme general, equilibrado y controlado» (papa Juan Pablo II, 14 de octubre de 1985), ya que el enorme aumento mundial de armas constituye una considerable amenaza para la estabilidad y la paz. El principio de suficiencia, según el cual cada Estado debe poseer solamente los medios estrictamente necesarios para su legítima defensa, debe ser observado tanto por los Estados que compran armas como por aquellos que las fabrican o las proporcionan. No se pueden justificar moralmente ni la acumulación desmesurada de armas ni el comercio generalizado con ellas. También el comercio de las conocidas como armas ligeras debe ser rigurosamente controlado por los Estados.

→ 508, 511 → 2315–2316

Ante todo, hay que dar a la Paz otras armas que no sean las destinadas a matar y a exterminar a la humanidad. Son necesarias, sobre todo, las armas morales, que den fuerza y prestigio al derecho internacional; primeramente, la de observar los pactos.

PAPA PABLO VI, Mensaje para la Jornada Mundial de la Paz, 1976

Una América integrada ha sido un sueño histórico, un sueño del pasado, que palpita fervorosamente en el corazón de cada Latinoamericano, un sueño Bolivariano. Una América unida es la llave de nuestro progreso y destino; una fórmula de ejecución ineludible para nuestras presentes generaciones del siglo veintiuno. Es un proceso social sutil de carácter irreversible.

CÉSAR N. GRIJALVA H., abogado nicaragüense

¿Cuándo se permiten las armas de destrucción masiva?

Nunca y en ninguna circunstancia. La Iglesia rechaza expresamente no solo la denominada «lógica de la intimidación», sino también, y, sobre todo, las armas de destrucción masiva y su utilización, y aboga por su eliminación y prohibición. La aniquilación indiscriminada de ciudades, países y pueblos mediante las armas de destrucción masiva –biológicas, químicas o nucleares– constituye un grave crimen contra Dios y contra el ser humano. Quien posea este tipo de armas está obligado a deshacerse de ellas.

→ 508–509 → 2314

En una guerra nuclear no habría vencedores, sino solo víctimas.

PAPA BENEDICTO XVI, Mensaje para la Jornada Mundial de la Paz, 2006

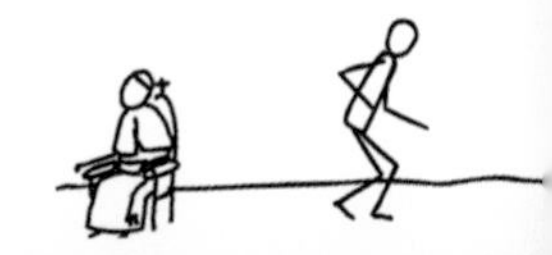

Desobedeciendo a la voluntad claramente expresada por los gobiernos y los pueblos de poner definitivamente fin al uso de un arma tan perversa, se han seguido colocando otras minas en lugares ya limpiados. Gérmenes de guerra se difunden también por la proliferación masiva e incontrolada de armas ligeras que, al parecer, circulan libremente de un área de conflicto a otra, sembrando violencia a lo largo de su recorrido. Corresponde a los gobiernos adoptar medidas apropiadas para el control de la producción, la venta, la importación y la exportación de estos instrumentos de muerte.

PAPA JUAN PABLO II, Mensaje para la Jornada Mundial de la Paz, 1999

297 *¿Hay armas que no pueden usarse bajo ningún concepto?*

La Iglesia exige la prohibición de armas que produzcan efectos excesivamente traumáticos y que golpean de forma indiscriminada a cualquiera, como, por ejemplo, las minas antipersona, que siguen ocasionando daños incluso mucho tiempo después del cese de hostilidades. La comunidad internacional debe implicarse en la limpieza de los campos minados.

→ 510 → 2316

298 *¿Pueden recurrir los oprimidos a medios externos?*

El terrorismo debe condenarse duramente. Afecta frecuentemente a víctimas inocentes arbitrariamente elegidas. Los terroristas dan muestras de un cínico menosprecio de la vida humana; sus acciones no pueden justificarse en modo alguno. El terrorismo siembra odio, derramamiento de sangre, muerte, y

> Existe [...] un derecho a defenderse del terrorismo.
>
> **PAPA JUAN PABLO II,** Mensaje para la Jornada Mundial de la Paz, 2002

«La violencia no es ni cristiana ni evangélica». El cristiano es pacífico y no se ruboriza de ello. No es simplemente pacifista, porque es capaz de combatir. Pero prefiere la paz a la guerra. Sabe que «los cambios bruscos o violentos de las estructuras serían falaces, ineficaces en sí mismos».

MEDELLÍN, Sobre la Paz

el deseo de represalia y de venganza. Los blancos de los ataques terroristas son, en general, los espacios de la vida diaria, y no tienen ningún objetivo militar, a diferencia de lo que sucede en una guerra declarada.

→ 513 → 2297 → 392

299 *¿Qué cabe decir sobre el terrorismo de inspiración religiosa?*

Ninguna religión puede admitir el terrorismo, ni mucho menos predicarlo. Es una enorme blasfemia que los terroristas hablen en nombre de Dios y en su nombre asesinen a personas inocentes. Asimismo, no puede llamarse «mártir» a quien muere en la realización de un acto terrorista. El mártir cristiano (= testigo) afirma la verdad de su fe, y en caso necesario da la vida por ella, pero de ningún modo destruye la vida de otras personas. La Iglesia católica pide a todos los grupos y comunidades religiosas que se distancien claramente del terrorismo de inspiración religiosa, y les ofrece también colaborar conjuntamente para eliminar las causas del terrorismo y hacer posible la amistad entre los pueblos.

→ 515 → 2297–2298 → 392

Pretender imponer a otros con la violencia lo que se considera como la verdad, significa violar la dignidad del ser humano y, en definitiva, ultrajar a Dios, del cual es imagen.

PAPA JUAN PABLO II, Mensaje para la Jornada Mundial de la Paz, 2002

Este es un punto que se ha de reafirmar con claridad: nunca es aceptable una guerra *en nombre de Dios*. Cuando una cierta concepción de Dios da origen a hechos criminales, es señal de que dicha concepción se ha convertido ya en ideología.

PAPA BENEDICTO XVI, Mensaje para la Jornada Mundial de la Paz, 2007

300 *¿Cómo se puede luchar de forma efectiva contra el terrorismo?*

La lucha contra el terrorismo comienza cuando se lucha contra sus posibles causas. Así pues, deben crearse las condiciones en las que no pueda en modo alguno iniciarse o desarrollarse la agresión incontrolable. Al mismo tiempo, no puede llevarse a

cabo el derecho a protegerse del terrorismo sin un marco moral y jurídico. La cooperación internacional contra las actividades terroristas no debe agotarse en la imposición de sanciones legales, sino que también tiene que prestar atención a sus móviles.

→ 513, 514 → 2297 → 392

Creo que mejorar las condiciones de vida de los pobres es una mejor estrategia que invertir dinero en armas. La lucha contra el terrorismo no puede ganarse con intervenciones militares.

MUHAMMAD YUNUS

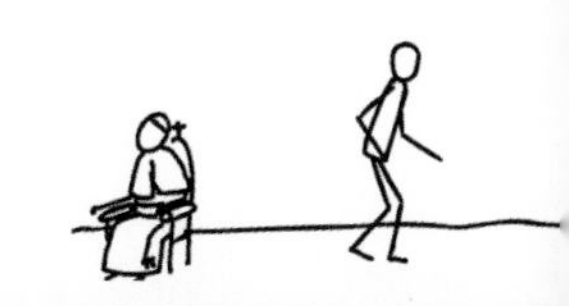

EXCURSO

LA LIBERTAD DE INVESTIGACIÓN Y SU POSIBLE MAL USO

La Iglesia no pretende detener el admirable progreso de las ciencias. Al contrario, se alegra e incluso disfruta reconociendo el enorme potencial que Dios ha dado a la mente humana. [...] Pero, en ocasiones, algunos científicos van más allá del objeto formal de su disciplina y se extralimitan con afirmaciones o conclusiones que exceden el campo de la propia ciencia. En ese caso, no es la razón lo que se propone, sino una determinada ideología que cierra el camino a un diálogo auténtico, pacífico y fructífero.

PAPA FRANCISCO, EG 243

301 *¿Qué máximas éticas reconocen actualmente en general las ciencias naturales?*

Son cuatro los principios universalmente aceptados: 1. *Universalidad*: el deseo de generalizar mediante una argumentación estándar que pueda verificarse; 2. *Comunitarismo*: el derecho a la participación de todos en los resultados de la ciencia; 3. *Desinterés*: desprendimiento de todo interés privado por parte del investigador; 4. *Escepticismo*: la disposición a poner en cuestión permanente los propios resultados.

302 *¿Se puede producir un mal uso de los resultados científicos?*

Desde la época del estallido de la bomba atómica sabemos que la ciencia no es un espacio exento de responsabilidad ética. Actualmente se discute sobre el tema especialmente en el ámbito de la «bioseguridad». ¿Cómo debería abordarse la investigación que quiere contribuir al avance de la medicina o a otros importantes objetivos sociales, pero que al mismo tiempo puede ser mal usada por bioterroristas u otros delincuentes? De hecho, algunos resultados científicos en las ciencias de la vida pueden aplicarse no solo para el provecho de los individuos y de la sociedad, sino también, al usarse maliciosamente, pueden también provocar efectos perjudiciales.

→ 509 → 2293–2294

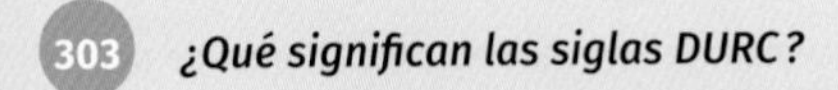

303 *¿Qué significan las siglas DURC?*

La investigación sobre los aspectos relevantes de la bioseguridad (Dual Use Research of Concern, siglas DURC en inglés) presenta trabajos que han revelado que hay conocimientos, productos o tecnologías que pueden ser directamente mal utilizados por terceros, para perjudicar la vida o la salud de los seres humanos, el medio ambiente o bien otros bienes jurídicos.

304 *¿Qué puede hacerse para luchar contra terroristas que, por ejemplo, quieran usar agentes sintéticos como armas?*

Ante todo debe formarse una conciencia universal de que la «libertad de investigación» necesita insertarse en un ordenamiento jurídico vigente. Los mismos científicos necesitan también un código ético; no basta con que se ocupen solamente de la parte técnica de su trabajo. Además, se necesitan reglas y controles a nivel internacional. La investigación no está ya limitada al ámbito nacional. Actualmente es una irresponsabilidad no preocuparse por elaborar estrategias preventivas de riesgos.

La técnica separada de la ética difícilmente será capaz de autolimitar su poder.

PAPA FRANCISCO, LS 136

La investigación científica lleva al conocimiento de verdades siempre nuevas sobre el hombre y sobre el cosmos. [...] El verdadero bien de la humanidad, accesible en la fe, abre el horizonte en el que se debe mover su camino de descubrimiento. Por lo tanto hay que alentar, por ejemplo, las investigaciones puestas al servicio de la vida y orientadas a vencer las enfermedades. Son importantes también las indagaciones dirigidas a descubrir los secretos de nuestro planeta y del universo, sabiendo que el hombre está en el vértice de la creación, no para explotarla insensatamente, sino para custodiarla y hacerla habitable. De tal forma la fe, vivida realmente, no entra en conflicto con la ciencia; más bien coopera con ella ofreciendo criterios de base para que promueva el bien de todos, pidiéndole que renuncie solo a los intentos que –oponiéndose al proyecto originario de Dios– pueden producir efectos que se vuelvan contra el hombre mismo.

PAPA BENEDICTO XVI,
21 de noviembre de 2012

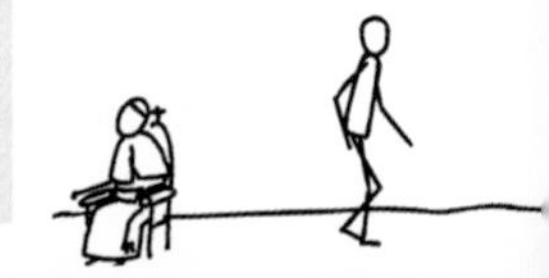

Documentos más importantes de la Iglesia

LA PAZ

Pacem in Terris

Reflexionar sobre la paz partiendo de la naturaleza del ser humano

Una opinión equivocada induce con frecuencia a muchos al error de pensar que las relaciones de los individuos con sus respectivas comunidades políticas pueden regularse por las mismas leyes que rigen las fuerzas y los elementos irracionales del universo, siendo así que tales leyes son de otro género y hay que buscarlas solamente allí donde las ha grabado el Creador de todo, esto es, en la naturaleza del hombre.

Papa Juan XXIII, Encíclica *Pacem in Terris* (1963), 6

Pacem in Terris

La obligación del desarme

La razón que suele darse para justificar tales preparativos militares es que hoy día la paz, así dicen, no puede garantizarse si no se apoya en una paridad de armamentos. Por lo cual, tan pronto como en alguna parte se produce un aumento del poderío militar, se provoca en otras una desenfrenada competencia para aumentar también las fuerzas armadas. Y si una nación cuenta con armas atómicas, las demás procuran dotarse del mismo armamento, con igual poder destructivo. [...] Aunque el poderío monstruoso de los actuales medios militares disuada hoy a los hombres de emprender una guerra, siempre se puede, sin embargo, temer que los experimentos atómicos realizados con fines bélicos, si no cesan, pongan en grave peligro toda clase de vida en nuestro planeta. Por lo cual la justicia, la recta razón y el sentido de la dignidad humana exigen urgentemente que cese ya la carrera de armamentos; que, de un lado y de otro, las naciones que los poseen los reduzcan simultáneamente; que se prohíban las armas atómicas; que, por último, todos los pueblos, en virtud de un acuerdo, lleguen a un desarme simultáneo, controlado por mutuas y eficaces garantías. [...] Todos deben, sin embargo, convencerse de que ni el cese en la carrera de armamentos, ni la reducción de las armas, ni, lo que es fundamental, el desarme general son posibles si este desarme no es absolutamente completo y llega hasta las mismas conciencias; es decir, si no se esfuerzan todos por colaborar cordial y sinceramente en eliminar de los corazones el temor y la angustiosa perspectiva de la guerra.

Papa Juan XXIII, Encíclica *Pacem in Terris* (1963), 110-113

Pacem in Terris

El derecho a la autoderminación de las naciones

Ninguna nación tiene derecho a oprimir injustamente a otras o a interponerse de forma indebida en sus asuntos. Por el contrario, es indispensable que todas presten ayuda a las demás, a fin de que estas últimas

adquieran una conciencia cada vez mayor de sus propios deberes, acometan nuevas y útiles empresas y actúen como protagonistas de su propio desarrollo en todos los sectores.
Papa Juan XXIII, Encíclica *Pacem in Terris* (1963), 120

Sollicitudo Rei Socialis

El absurdo del comercio de armas

Si la producción de armas es un grave desorden que reina en el mundo actual respecto a las verdaderas necesidades de los hombres y al uso de los medios adecuados para satisfacerlas, no lo es menos el *comercio de las mismas.* Más aún, a propósito de esto, es preciso añadir que el *juicio moral es todavía más severo.* Como se sabe, se trata de un comercio sin fronteras capaz de sobrepasar incluso las de los bloques. Supera la división entre Oriente y Occidente y, sobre todo, la que hay entre Norte y Sur, llegando hasta los *diversos componentes* de la parte meridional del mundo. Nos hallamos así ante un fenómeno extraño: mientras las ayudas económicas y los planes de desarrollo tropiezan con el obstáculo de barreras ideológicas insuperables, arancelarias y de mercado, *las armas* de cualquier procedencia circulan con libertad casi absoluta en las diversas partes del mundo.
Papa Juan Pablo II, Encíclica *Sollicitudo Rei Socialis* (1987), 24

Evangelii Gaudium

No puede haber paz sin justicia

Hoy en muchas partes se reclama mayor seguridad. Pero hasta que no se reviertan la exclusión y la inequidad dentro de una sociedad y entre los distintos pueblos será imposible erradicar la violencia. Se acusa de la violencia a los pobres y a los pueblos pobres pero, sin igualdad de oportunidades, las diversas formas de agresión y de guerra encontrarán un caldo de cultivo que tarde o temprano provocará su explosión. Cuando la sociedad –local, nacional o mundial– abandona en la periferia una parte de sí misma, no habrá programas políticos ni recursos policiales o de inteligencia que puedan asegurar indefinidamente la tranquilidad. Esto no sucede solamente porque la inequidad provoca la reacción violenta de los excluidos del sistema, sino porque el sistema social y económico es injusto en su raíz. Así como el bien tiende a comunicarse, el mal consentido, que es la injusticia, tiende a expandir su potencia dañina y a socavar silenciosamente las bases de cualquier sistema político y social por más sólido que parezca. Si cada acción tiene consecuencias, un mal enquistado en las estructuras de una sociedad tiene siempre un potencial de disolución y de muerte. Es el mal cristalizado en estructuras sociales injustas, a partir del cual no puede esperarse un futuro mejor.
Papa Francisco, Encíclica *Evangelii Gaudium* (2013), 59

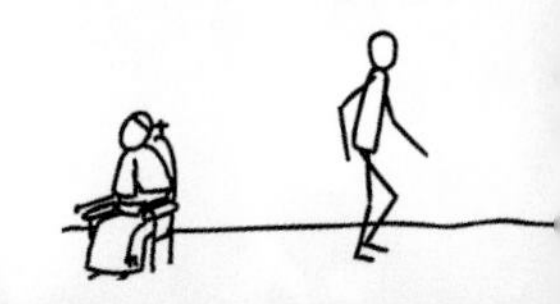

HOOT

PREGUNTAS
305–328

El compromiso personal y comunitario

PRACTICAR LA CARIDAD

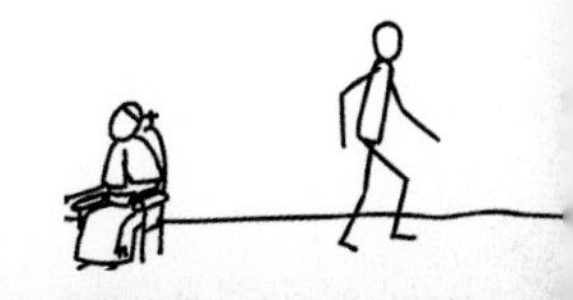

Porque tuve hambre,
y ustedes
me dieron de comer;
tuve sed,
y me dieron de beber;
estaba de paso,
y me alojaron;
desnudo, y me vistieron;
enfermo, y me visitaron;
preso, y me vinieron a ver.

MT 25,35-36

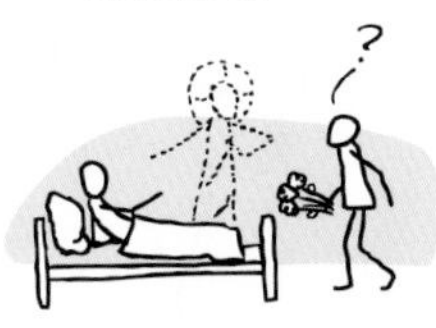

305 *¿Ser cristiano es un asunto privado?*

Nadie puede ser cristiano solo para su provecho personal. Acercarse a Jesús, buscar su amistad, seguirle, significa también confesarle públicamente, hablar de él y recibir una misión de parte de él. «Ustedes son la luz del mundo. No se puede ocultar una ciudad situada en la cima de una montaña. Y no se enciende una lámpara para esconderla dentro de un tiesto, sino que se la pone sobre el candelero para que ilumine a todos los que están en la casa» (Mt 5,14-15). *Todos nosotros*, por nuestro bautismo y confirmación, aun cuando no hallamos recibido expresamente una misión como sacerdote, diácono, catequista y profesor de religión, somos «embajadores» y «testigos» del Evangelio. «Vayan por todo el mundo», nos exhorta Jesús, «y anuncien la Buena Noticia a toda la creación» (Mc 16,15),

Evidentemente ustedes son una carta que Cristo escribió [...], no con tinta, sino con el Espíritu del Dios viviente, no en tablas de piedra, sino de carne, es decir, en los corazones.

2 COR 3,3

Los siete dones del Espíritu Santo: sabiduría, inteligencia, consejo, fortaleza, ciencia, piedad y temor de Dios.

Composición realizada a partir de diversos pasajes del Antiguo y del Nuevo Testamento y «... hagan que todos los pueblos sean mis discípulos, bautizándolos en el nombre del Padre, del Hijo y del Espíritu Santo» (Mt 28,19). Dios nos envía los siete dones del Espíritu Santo para proclamar de palabra y obra el reino de Dios (no a nosotros).

71 763–769, 774–776, 780 123

306 ¿Por qué debe comprometerse socialmente un cristiano?

«Dios es amor» (1 Jn 4,8) y el «amor es la vía maestra de la doctrina social de la Iglesia» (papa Benedicto XVI, CV 2). Pero ser cristiano es más que aceptar unos determinados valores e ideas. En el centro del ser cristiano está el encuentro con la persona de Cristo. El modo más inmediato de ser cristianos es buscarle en el «más pequeño» de los hombres (Mt 25,40), seguirle e incluso imitarle (Tomás de Kempis). Jesús tenía un sentido incondicional de la justicia; estaba lleno de amor afectuoso por los niños, los pobres y los enfermos. Jesús respetaba la libertad y la dignidad de los pecadores y de los marginados sociales. Jesús mismo es la → AGENDA social de la Iglesia. La doctrina social católica no es sino el desarrollo sistemático de lo que en Jesucristo se nos ha dado en plenitud: el ser humano que se redescubre en su dignidad original (persona), el que es liberado de la codicia y del pecado para ponerse al servicio del prójimo (solidaridad), el que tiene en cuenta «la prosperidad del país» (Jr 29,7) (bien común), y por eso una sociedad en la que puedan desarrollarse libremente los grupos y las comunidades en paz y justicia (subsidiaridad), tal es la gran visión.

555 91 11

307 ¿Cómo se comportaría Jesús hoy día? ¿Cómo sabemos qué debemos hacer?

Con su doctrina social la Iglesia no nos da un libro de recetas del que podríamos sacar detalladamente

Santidad: Dejar que Dios guíe mi vida.

MADRE TERESA

No me puedo imaginar el amor sin una necesidad, una necesidad imperiosa de conformidad, de semejanza, y, más que todo, de compartir todas las penas, todas las dificultades, todas las durezas de la vida. Ser rico, sentirme cómodo, vivir tranquilamente de mis posesiones, cuando Tú (Jesús) fuiste pobre y viviste en apuros, cuando tú tuviste una vida de trabajo penosa y dura, yo, Dios mío, no puedo con eso; así no puedo amar.

BEATO CARLOS DE FOUCAULD

AGENDA
del latín, lo que hay que hacer.

Las revoluciones de la historia han cambiado los sistemas políticos, económicos, pero ninguna de ellas ha modificado verdaderamente el corazón del hombre. La verdadera revolución, la que transforma radicalmente la vida, la realizó Jesucristo a través de su Resurrección: la Cruz y la Resurrección. Y Benedicto XVI decía, de esta revolución, que «es la mutación más →

cómo cumplir la voluntad de Dios en nuestros conflictos actuales y en los cambios sociales. No obstante, la voz interior de nuestra conciencia nos proporciona buenos argumentos para tomar decisiones responsables –¡pues tenemos que tomar decisiones!–. Pero la conciencia también puede errar, si está estropeada, usando términos de Immanuel Kant. Desde la perspectiva cristiana, sin embargo, poseemos esencialmente la capacidad de diferenciar el bien del mal. La conciencia se forma teniendo en cuenta los mandamientos de Dios y las necesidades de nuestro tiempo. En caso contrario, se convierte en pretexto para todas las maldades que podamos imaginar.

→ **81–86** → **1776–1779, 1783ss**
→ **291, 295, 297, 397–398**

308 *¿Cómo funciona la convivencia cristiana?*

Cuando el «poder» ocupa el centro de las sociedades, estas se estructuran según el derecho del más fuerte. Pero esto no es cristiano, pues la convivencia se convierte en una exclusiva lucha por la supervivencia.

Cuando se sitúa el «trabajo» en la cúspide de la convivencia social, el ser humano termina convirtiéndose inmediatamente en un engranaje sin sentido y en un esclavo. Dios tampoco quiere que nuestra aspiración máxima derive del «azar» o la «suerte». La vida se parecería a una lotería que siempre les toca solamente a las personas equivocadas, y nosotros seguiríamos nuestros instintos y pulsiones y nos impondríamos todo tipo de presiones para evitar lo peor. La doctrina social católica afirma que el plan maestro de Dios para la convivencia social se llama *caridad/amor social*. Viviendo de cara a un Dios personal, que nos *qui-*

→ grande de la historia de la humanidad». Pensemos en esto: es la mayor mutación de la historia de la humanidad, es una verdadera revolución y nosotros somos revolucionarias y revolucionarios de esta revolución, porque nosotros vamos por este camino de la mayor mutación de la historia de la humanidad. Un cristiano, si no es revolucionario, en este tiempo, ¡no es cristiano!

PAPA FRANCISCO, 17 de junio de 2013

Ustedes saben que aquellos a quienes se considera gobernantes dominan a las naciones como si fueran sus dueños, y los poderosos les hacen sentir su autoridad. Entre ustedes no debe suceder así. Al contrario, el que quiera ser grande, que se haga servidor de ustedes; y el que quiera ser el primero, que se haga servidor de todos. Porque el mismo Hijo del hombre no vino para ser servido, sino para servir y dar su vida en rescate por una multitud.

MC 10,42-45

Señor, tú me sondeas y me conoces, tú sabes si me siento o me levanto; de lejos percibes lo que pienso, te das cuenta si camino o si descanso, y todos mis pasos te son familiares.

SAL 139,1-3

> También el camino más largo comienza con el primer paso.
>
> **PROVERBIO CHINO**

so y que *quiere* algo con nosotros, nos vemos como hijos de un Padre común y como hermanos y hermanas. Cuando el agradecimiento, el sentido y la responsabilidad determinan nuestra vida individual y comunitaria, surge una cultura de respeto recíproco en la que son plausibles la confianza, el consuelo y la alegría de vivir. El amor social vence al espíritu de la despersonalización, crea cohesión emocional en la sociedad y hace posible una conciencia común que rebasa los límites de las creencias.

El amor es la mayor fuerza de transformación de la realidad, porque derriba los muros del egoísmo y colma las fosas que nos tienen alejados a unos de otros.

PAPA FRANCISCO, 17 de junio de 2013

→ 582–583 → 1889, 2212 → 321, 324

309 *¿Cuál es el primer paso que se da desde la fe para el compromiso social?*

No hay nada que motive más profundamente que el *amor*. Quien ama puede hacer grandes obras y recorrer extensas distancias. Por eso el primer paso consiste en construir una intensa relación personal con Jesús, desarrollar un amor cada vez más profundo a la Iglesia y llevar una vida social comprometida. Esto anima a no olvidar a los «más pequeños», por los que tanto amor sentía Jesús, y anima también a dar testimonio de la fe, incluso en un entorno que se muestra

¿Saben cuál es el mejor medio para evangelizar a los jóvenes? Otro joven. [...] No tengan miedo de ir y llevar a Cristo a cualquier ambiente, hasta las periferias existenciales, también a quien parece más lejano, más indiferente.

PAPA FRANCISCO a los jóvenes de la Jornada Mundial de la Juventud de Río, 2013

adverso a ella. Motiva también a llevar un estilo de vida alternativo, caracterizado por la hospitalidad, la reconciliación y la paz, y anima incluso a dar la vida en caso necesario, si la lucha por la verdad y la justicia así lo requiere.

326–327 1691–1698 348, 454

> Si Jesús me pide algo, entonces me abandono a él, me confío a él, me entrego a él sin reservas... No debemos controlar la acción de Dios. No debemos contar las etapas del viaje que él quiere que emprendamos. Aun cuando me sienta como barca a la deriva, debo abandonarme completamente a él.
>
> **MADRE TERESA**

310 *¿Por qué debo comprometerme explícitamente como «cristiano»?*

Muchos dicen que lo importante es ser una buena persona y que no es necesario añadir eso de «cristiano». Pero la historia nos enseña que el puro humanismo de corte ateo ha dejado a menudo en la estacada a los seres humanos. En ningún lugar se guarda mejor lo «humano» que en Dios. Quien cumple la voluntad de Dios defiende los verdaderos intereses de la persona, precisamente allí donde el ser humano es débil, necesita ayuda y aparentemente es «inútil». Aun cuando la Iglesia haya adulterado y traicionado a menudo la voluntad de Dios, él la convirtió en el lugar donde los hombres, con la ayuda divina, se hacen humanos. Cristo no vivió para sí, sino «para nosotros»; incluso llegó a morir por cada ser humano, y lo hizo por el motivo más social de todos: por amor. Por eso, en última instancia, un cristiano no puede comportarse asocialmente, pues perdería su nombre y su rostro.

> Actúa como Dios: ¡Sé humano!
>
> **FRANZ KAMPHAUS** (1932), obispo

> No se comienza a ser cristiano por una decisión ética o una gran idea, sino por el encuentro con un acontecimiento, con una Persona, que da un nuevo horizonte a la vida y, con ello, una orientación decisiva.
>
> **PAPA FRANCISCO,** EG 7

> El que no escatimó a su propio Hijo, sino que lo entregó por todos nosotros, ¿no nos concederá con él toda clase de favores?
>
> **ROM 8,32**

> La Biblia es para mí el libro. No veo cómo puede alguien vivir sin ella, sin que se empobrezca, ni cómo uno pueda ser fuerte sin esa substancia, ni dulce sin esa miel.
>
> **GABRIELA MISTRAL,** poetisa y diplomática chilena

6–7, 327 1816, 2044–2046 307

311 *¿En qué puedo apoyarme cuando me comprometo?*

Los cristianos, hermanas y hermanos animados por la misma esperanza, tienen su morada en la Iglesia. Y aun cuando sus fuerzas son limitadas, pueden recargarlas en la reserva de Dios. Los *sacramentos* los hacen fuertes y persistentes. La *Palabra de Dios* les concede perspectiva y les da alas. Que podemos fiarnos de la Palabra de Dios es algo que está garantizado por los testimonios de los primeros cristianos, muchos de los cuales llegaron a morir por confesar su fe. Si la resurrección de Jesús hubiera sido solamente una invención de los evangelistas, ciertamente no habrían estado dispuestos a ser injuriados o incluso a morir por la fe. Los relatos a veces contradictorios en los evangelios prueban precisamente que son testimonios dignos de crédito. De haber querido los evangelistas plantar en el mundo una ideología inventada, habrían eliminado las contradicciones.

→ **1, 18–19, 60** → **168, 748–750** → **24, 121–126**

Pero el Ángel del Señor volvió otra vez, lo tocó y le dijo: «¡Levántate, come, porque todavía te queda mucho por caminar!». Elías se levantó, comió y bebió, y fortalecido por ese alimento caminó cuarenta días y cuarenta noches hasta la montaña de Dios, el Horeb.

1 RE 19,7-8

312 *Los Estados sociales desarrollan una amplia cantidad de servicios sociales. ¿Para qué se necesita entonces el compromiso social de la Iglesia?*

El dinero solo no crea una humanidad según el Evangelio. Visitar a los enfermos, dar hospitalidad a los extranjeros, ocuparse de los encarcelados, etc., es algo que no puede delegarse exclusivamente en las instituciones públicas y en los especialistas profesionales. Las ayudas organizadas por el Estado son importantes. Pero a menudo son un pretexto para no tener que hacer nada más por los necesitados. Los compromisos eclesiales como las instituciones de caridad, los servicios sociales, los comedores sociales, las colectas de ropa, etc., ponen de relieve ante todo que se produce un encuentro personal entre los necesitados y los que ayudan, con la valiosa conciencia de que conjuntamente somos amados por Dios. ¡Este espíritu marca la diferencia!

→ **571–572** → **1889, 1892–1896** → **446–447**

El amor –*caritas*– siempre será necesario, incluso en la sociedad más justa. No hay orden estatal, por justo que sea, que haga superfluo el servicio del amor. Quien intenta desentenderse del amor se dispone a desentenderse del hombre en cuanto hombre. Siempre habrá sufrimiento que necesite consuelo y ayuda. Siempre habrá soledad. Siempre se darán también situaciones de necesidad material en las que es indispensable una ayuda que muestre un amor concreto al prójimo.

BENEDICTO XVI, *Deus Caritas est* 28b

Ustedes son la sal de la tierra. Pero si la sal pierde su sabor, ¿con qué se la volverá a salar? Ya no sirve para nada, sino para ser tirada y pisada por los hombres.

MT 5,13

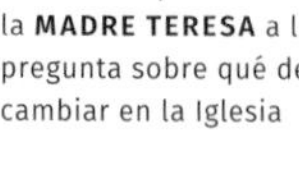

¡Usted y yo!

Respuesta de la **MADRE TERESA** a la pregunta sobre qué debe cambiar en la Iglesia

313 *¿Por qué debo comprometerme precisamente en la Iglesia?*

Fuera de la Iglesia hay muchas organizaciones excelentes que merecen que los cristianos cooperen con ellas. El papa Francisco pide precisamente a la Iglesia que no se mantenga encerrada en sí misma, sino que salga a las periferias, a las fronteras de la existencia humana, para prestar su servicio ante cualquier tipo de sufrimiento. Ahora bien, esto no debe llevar a que la Iglesia se desangre socialmente y pierda su fuerza para transformar la sociedad, porque algunos cristianos prefieran más comprometerse fuera de la Iglesia que actuar conjuntamente con sus hermanas y hermanos. Los pecados de los creyentes y las malas experiencias no son un motivo para retirarse de los proyectos sociales y caritativos de la Iglesia. Para ser exactos, no existe absolutamente «la Iglesia» cuando por ella se entiende una organización formada por benefactores (activos) y beneficiarios (pasivos). La Iglesia es un lugar de la presencia de Dios en el mundo, *un Cuerpo*, que está formado por todos bautizados, *un Pueblo* de pecadores y de santos. Todos somos «la Igle-

No son los sanos los que tienen necesidad del médico, sino los enfermos. Yo no he venido a llamar a los justos, sino a los pecadores.

MC 2,17

La Iglesia es mi madre. Debo mirar sus pecados y deficiencias como los pecados y las deficiencias de mi madre. Al pensar en ella, me acuerdo mucho más de las cosas buenas y bellas que ha hecho que de sus debilidades y faltas.

PAPA FRANCISCO,
15 de marzo de 2013

sia», que es también siempre lo que hacemos de ella sus miembros. Por eso cada católico debe comprometerse en y para la Iglesia, y encontrar su camino para configurar la sociedad con el espíritu del Evangelio. ¡Un cristiano solo no es cristiano! Es en comunidad como debemos ser la *sal de la tierra* y la *luz del mundo*.

→ 575–576 → 770-773, 781–782, 787–790, 823–829 → 121–128

314 *¿Para qué necesitan los cristianos socialmente comprometidos la asistencia espiritual?*

Es bueno que Jesús pensara ya en el Evangelio en los «pastores» que cuidan con todo su amor a quienes les han sido confiados, y que, en caso necesario, los sigan cuando se extravían y se pierden (Mt 18,12-13). Los laicos que se comprometen socialmente necesitan más aún escuchar al pastor de almas, contar con su apoyo, sus directrices y su consuelo, e incluso recibir diariamente los santos sacramentos. Hacerles partícipes del don de los sacramentos, especialmente de la eucaristía y de la penitencia, ayudarles en las situaciones críticas y en las decisiones vitales, es algo que forma parte esencial de las tareas de un verdadero pastor de almas. Un servicio apostólico al pueblo de Dios consiste también en conectar y fortalecer a los grupos de fe que se apoyan recíprocamente mediante la formación teológica y espiritual. Los jóvenes católicos y los que están aún en búsqueda necesitan además una sólida catequesis para poder informar seriamente sobre su fe, una tarea que es genuina de los obispos, los sacerdotes y de los pastores de almas.

→ 3, 577, 580 → 874, 896 → 248–259

El sacerdote no es simplemente alguien que detenta un oficio [...] hace lo que ningún ser humano puede hacer por sí mismo: pronunciar en nombre de Cristo la palabra de absolución de nuestros pecados, cambiando así, a partir de Dios, la situación de nuestra vida. Pronuncia sobre las ofrendas del pan y el vino las palabras de acción de gracias de Cristo, que son palabras de transustanciación, palabras que lo hacen presente a Él mismo, el Resucitado, su Cuerpo y su Sangre, transformando así los elementos del mundo; son palabras que abren el mundo a Dios y lo unen a Él. Por tanto, el sacerdocio no es un simple «oficio», sino un sacramento: Dios se vale de un hombre con sus limitaciones para estar, a través de él, presente entre los hombres y actuar en su favor. Esta audacia de Dios [...] que, aun conociendo nuestras debilidades, considera a los hombres capaces de actuar y presentarse en su lugar, esta audacia de Dios es realmente la mayor grandeza que se oculta en la palabra «sacerdocio».

PAPA BENEDICTO XVI, Clausura del año sacerdotal, 2010

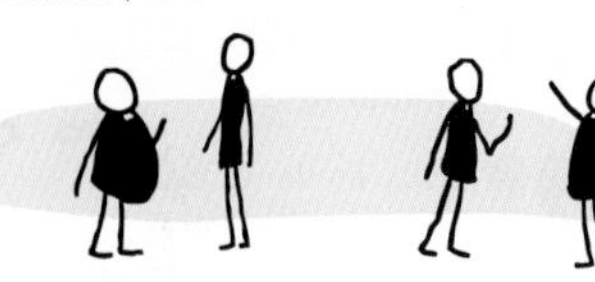

En 1973 decidimos tener una hora de adoración eucarística cada día. Tenemos mucho trabajo. Nuestras casas están llenas de pobres, enfermos y moribundos. Desde que hacemos la adoración cada día, se ha hecho más profundo nuestro amor a Jesús, se ha hecho más compasivo nuestro amor a los pobres, y el número de vocaciones se ha duplicado.

MADRE TERESA

315 ¿Qué tienen que aportar especialmente los cristianos a su prójimo?

Nada especial, sino a *alguien especial*: a Jesucristo. Los cristianos, que luchan por un mundo más humano en medio de la necesidad y del sufrimiento, no poseen los mejores planes sociales, ni las mejores ideas financieras, ni siquiera llevan un gran idealismo en su cartera. En última instancia, solo tienen un anuncio: *un único Dios que se ha hecho hombre*. Ninguna filosofía ni ninguna otra religión saben tanto del Todopoderoso. El Dios de Jesucristo nos conoce y nos comprende en nuestra humanidad. Muchas personas están actualmente solas y se sienten abandonadas en una sociedad anónima. Ni siquiera la Web 2.0, con todas sus redes sociales, puede sustituir lo personal. Se mantiene el anhelo de ser reconocidos personalmente tal y como somos, con nuestras virtudes y nuestros defectos. Nuestro mensaje cristiano afirma: cada ser humano es personalmente amado por Dios tal y como es. Es este un gran mensaje, precisamente para personas que están en crisis y se preguntan por el sentido y por el futuro.

→ 577 → 871–873, 898–913 → 138–139, 440

> Por él, hoy resplandece ante el mundo el maravilloso intercambio que nos salva, pues al revestirse tu Hijo de nuestra frágil condición, no solo confiere dignidad eterna a la naturaleza humana, sino que por esta unión admirable, nos hace a nosotros eternos.
>
> Prefacio III de Navidad

> Si nuestra religión es realmente la verdadera, si el Evangelio es fidedignamente la Palabra de Dios, entonces deberíamos creerlo y vivirlo, aun cuando lo hagamos completamente solos.
>
> **BEATO CARLOS DE FOUCAULD**

> Solo los peces muertos nadan con la corriente.
>
> **ANÓNIMO**

> Jesús, no tienes manos. Tienes solo nuestras manos para construir un mundo donde habite la justicia. Jesús, no tienes pies. Tienes solo nuestros pies para poner en marcha la libertad y el amor. Jesús, no tienes labios. Tienes nuestros labios para anunciar la Buena Noticia de los pobres. Jesús, no tienes medios. Tienes solo nuestra acción para lograr que todos los hombres y mujeres sean hermanos. Jesús, nosotros somos tu Evangelio, pues el único Evangelio que todo el mundo puede leer son nuestras vidas.
>
> **HERMANO ROGER SCHUTZ** (1915-2005), prior de la hermandad ecuménica de Taizé y Madre Teresa, *Etonnement de l'amour* (1977)

316 ¿Qué puedo hacer para no vivir mi compromiso de forma solitaria?

El que se decide por una vida *con Jesús* y *en la Iglesia* corre en muchos países el peligro de adentrarse en un camino de incomprensión y soledad. Los conceptos materialistas y hedonistas embaucan al mundo y conducen a muchos a

una vida de apariencias y de satisfacciones superficiales. Por ello hace falta una «Iglesia en pequeño»: grupos pequeños, iglesias domésticas, encuentros de oración, pequeñas células, círculos bíblicos, comunidades espirituales, grupos de estudio, etc. Los jóvenes cristianos pueden fortalecerse recíprocamente en su fe en el seno de comunidades vinculantes formadas

Porque donde hay dos o tres reunidos en mi Nombre, yo estoy presente en medio de ellos.

MT 18,20

por pocas personas y mediante la amistad. Pueden orar en comunidad, buscar la voluntad de Dios, formar comunidades juveniles para aprender, conocer la doctrina de la Iglesia y pasar juntos el tiempo libre. Donde aún no existan estos grupos, deberían crearse absolutamente, aun cuando al principio estén formados por dos o tres miembros. Es importante que estos grupos se integren en la comunidad parroquial del lugar, celebrando, por ejemplo, con ella la sagrada eucaristía de forma habitual.

→ **576** → **1877–1882** → **122, 211, 321**

Biblia, libro mío [...] tu desnudez asusta a los hipócritas y tu pureza es odiosa a los libertinos.

GABRIELA MISTRAL, poetisa y diplomática chilena

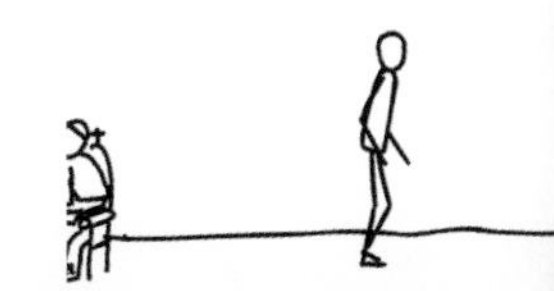

> Lo que no entendamos aún en la Palabra de Dios podemos dejarlo de lado provisionalmente. Pero nos alegramos de todo corazón en aquel que es luz y claridad.
>
> **SAN AGUSTÍN**

> Estudien el catecismo con pasión y perseverancia. Sacrifiquen su tiempo para ello. Estúdienlo en el silencio de su habitación, léanlo de dos en dos; si son amigos, formen grupos y redes de estudio, intercambien ideas por Internet. En cualquier caso, permanezcan en diálogo sobre su fe. Ustedes deben conocer lo que creen; deben conocer su fe con la misma precisión con la que un especialista de informática conoce el sistema operativo de un ordenador.
>
> **PAPA BENEDICTO XVI,** prefacio del YOUCAT

317 *¿Dónde encuentro la brújula para mi compromiso?*

Ningún libro es más importante para los cristianos que la SAGRADA ESCRITURA. «Leer la Sagrada Escritura», dice Francisco de Asís, «significa pedir consejo a Cristo». Además de la Sagrada Escritura, la Iglesia católica se nutre también de la Sagrada Tradición, de la fe viva de la Iglesia inspirada por el fuego del Espíritu Santo. Esta fe, acrecentada y profundizada durante dos mil años, encuentra su reflejo actual en el CATECISMO DE LA IGLESIA CATÓLICA. En él se encuentra recogido todo cuanto un cristiano debe saber sobre el contenido y la forma necesaria de su fe. El que quiera comprometerse socialmente encuentra los conocimientos fundamentales de la Iglesia en las encíclicas sociales desde el papa León XIII. Un resumen conciso de todas ellas es el COMPENDIO DE LA DOCTRINA SOCIAL DE LA IGLESIA. El YOUCAT se publicó para que los jóvenes tuvieran un fácil acceso al Catecismo. Y el DOCAT se ha escrito para que la doctrina social de la Iglesia se divulgue ampliamente entre los jóvenes.

→ 580–583 → 2419–2425 → 438–440

318 *¿Puede la Iglesia cambiar su doctrina para adaptarse al espíritu de la época?*

Las verdades de fe no pueden cambiarse. No son el resultado de las mayorías y existen independientemente de su grado de aprobación actual. La Iglesia no puede cambiar nunca su CREDO; tampoco puede alterar el número ni el contenido de los SACRAMENTOS, ni ampliar o reducir los DIEZ MANDAMIENTOS. No puede modificar la forma originaria de su LITURGIA y de la ORACIÓN. No obstante, la Iglesia pecaría contra el Espíritu Santo si no ampliara sus sensores con respecto a los «signos de los tiempos», con los que Dios nos habla también hoy. Los conocimientos conseguidos con ellos pueden conducir a profundizar y desarrollar la doctrina de la fe eclesial; pero nunca pueden sustituirse con controversias los conocimientos seguros de la Iglesia (dogmas). Precisamente en su doctrina social la Iglesia depende de adaptar cada vez mejor su extraordinario instrumental a los desafíos de los cambios sociales, políticos y económicos.

→ 72–75 → 185–197, 1084–1098, 2052–2074
→ 13, 25–28, 143, 344–349

” Los gozos y las esperanzas, las tristezas y las angustias de los hombres de nuestro tiempo, sobre todo de los pobres y de cuantos sufren, son a la vez gozos y esperanzas, tristezas y angustias de los discípulos de Cristo. [...] Para cumplir esta misión es deber permanente de la Iglesia escrutar a fondo los signos de la época e interpretarlos a la luz del Evangelio, de forma que, acomodándose a cada generación, pueda la Iglesia responder a los perennes interrogantes de la humanidad sobre el sentido de la vida presente y de la vida futura y sobre la mutua relación de ambas.

CONCILIO VATICANO II, GS 1,4

La misión de la Iglesia no puede prescindir de laicos, que, sacando fuerzas de la Palabra de Dios, de los sacramentos y de la oración, vivan la fe en el corazón de la familia, de la escuela, de la empresa, del movimiento popular, del sindicato, del partido y aun del gobierno, dando testimonio de la alegría del Evangelio.

PAPA FRANCISCO, 19 de mayo de 2014

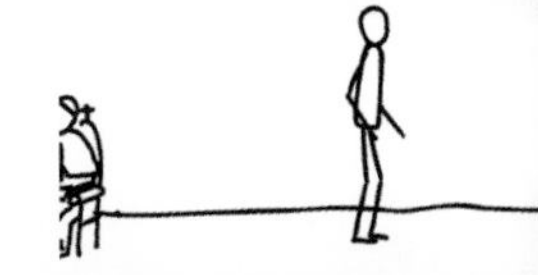

” Solo quie
puede pr
fuego en

SAN AGUSTÍN

arde
pagar el
os demás.

”Estoy muy convencido, y, en consecuencia, soy crítico del sistema parlamentarista formado por partidos políticos. Soy partidario de un sistema en el que los representantes del pueblo sean elegidos con independencia de su pertenencia a un partido. De este modo, asumirían como responsabilidad personal la situación de las regiones y de los sectores, y podrían ser destituidos si han hecho mal su trabajo. Apruebo y respeto las asociaciones comerciales, las uniones de cooperativas, los pactos territoriales, las organizaciones educativas y profesionales, pero no entiendo la naturaleza de los partidos políticos.

ALEXANDER SOLZHENITSYN (1918-2008), escritor e historiador ruso, Premio Nobel de Literatura

Me gusta recordar lo que san Francisco de Asís decía a sus frailes: «Prediquen siempre el Evangelio y, si fuese necesario, también con las palabras».

PAPA FRANCISCO, 27 de septiembre de 2013

”La pregunta final que quisiera dejarles es: cuando la utopía cae en el desencanto, ¿cuál es nuestro aporte? La utopía de un joven entusiasta, hoy día está resbalando hacia el desencanto. Jóvenes desencantados a los cuales hay que darles fe y esperanza.

PAPA FRANCISCO, a los miembros de la Pontificia Comisión para América Latina, 28 de febrero de 2014

319 *¿Puedo comprometerme en un partido político, aunque sus posiciones no estén siempre de acuerdo con la doctrina cristiana?*

Sí. Como católicos tenemos la tarea de transformar la sociedad en una «civilización del amor». Al comprometernos en los partidos, tenemos el medio para mostrarnos solidarios con los débiles. Servimos al bien común cuando en el trabajo del partido resaltamos la primacía de la persona y tenemos en cuenta las estructuras sociales subsidiarias. Los partidos proporcionan programas y para llevarlos a cabo necesitan mayorías. Ahora bien, dado que el programa cristiano está a menudo vinculado a posiciones incómodas, apenas existen partidos en los que se vea plenamente reflejada la doctrina cristiana. Esto implica que los católicos participemos con responsabilidad para fortalecer las posiciones respectivas y lograr que estas sean mayoritarias. El presupuesto de un compromiso responsable es conocer exhaustivamente qué piensa el partido de la inviolable dignidad humana, de los derechos humanos, de la persona y de la protección de la vida, como también sobre la posición jurídica de la Iglesia en nuestra sociedad, sobre cómo se determina su posición en las diversas Constituciones nacionales. Los cristianos católicos no han perdido nada en aquellos partidos que exaltan la violencia, o en cuyos programas se encuentra el odio social, la demagogia, la lucha racial o de clases.

→ 573–574 → 2442 → 440

¿Debo comprometerme en asociaciones y organizaciones que no sean cristianas?

Sí. Los cristianos no pueden recluirse en un gueto donde todos piensan lo mismo. Un buen futbolista que juegue bien, que actúe dignamente como persona y que dentro de su equipo se reconozca cristiano, estará dando un testimonio igual de iluminador que el de un sindicalista de quien todos saben que lucha por la justicia por motivos cristianos. Existen, sin embargo, tres presupuestos para este compromiso: no puedo participar en aquellas actividades que estén en contra de la dignidad de mi vocación cristiana (exceso de alcohol, rituales violentos, libertinaje sexual, etc.), que me impidan expresar mi fe y que se malinterprete mi intervención con fines ideológicos. Hay que andar con cuidado en los casos en los que objetivos bien vistos socialmente, bajo el silenciamiento de lo cristiano, no sean sino el brazo derecho de intereses ideológicos. Las fuerzas no cristianas se aprovechan rápidamente de los cristianos de buena voluntad.

→ **71–72, 83–84, 327, 571–574** → **2442** → **440**

321 *¿Existen profesiones o compromisos sociales que sean incompatibles con nuestra fe?*

Sí, hay ámbitos profesionales y empleos que están claramente en contradicción con la antropología cristiana y con los mínimos morales de la Iglesia. En el seguimiento de Cristo deben estar los cristianos dispuestos a asumir perjuicios profesionales, aunque se encuentren bajo una dura presión económica. Es imposible ser cristiano y trabajar en el ámbito del aborto o de la eutanasia. Tienen prohibido la prostitución, el proxenetismo, la producción y la distribución de pornografía, tan categóricamente como la participación directa o indirecta en el tráfico de drogas, en la trata de personas y en otras actividades perjudiciales, extorsionadoras y degradantes. Cada vez con más frecuencia se encuentran los cristianos en bancos y entidades financieras que les presionan a vender productos fraudulentos a sus clientes. Los periodistas deben decidir en conciencia hasta qué punto pueden participar en determinadas prácticas del periodismo sensacionalista sin perder su identidad de cristianos. Pertenecer a Jesús significa negarse rotundamente a determinadas acciones: colaborar profesional, financiera, económica o políticamente con organizaciones criminales (como la mafia, las maras, etc.), con Esta-

Aquellos que en su vida siguen esta senda del mal, como son los mafiosos, no están en comunión con Dios: están excomulgados [...]. Cuando la adoración del Señor es sustituida por la adoración del dinero, se abre el camino al pecado, al interés personal y al abuso.

PAPA FRANCISCO en Calabria en 2014

Ánimo, vayan adelante, hagan ruido. Donde están los jóvenes debe haber ruido. [...] ¡Vayan adelante! En la vida habrá siempre personas que les harán propuestas para frenar, para bloquear su camino. [...] ¡No! Vayan a contracorriente respecto a esta civilización que nos está haciendo tanto daño. ¿Entendido, esto? Ir a contracorriente; y esto significa hacer ruido, ir adelante, pero con los valores de la belleza, de la bondad y de la verdad. Esto quería decirles [...] ¡jóvenes alegres!

PAPA FRANCISCO,
28 de agosto de 2013

Nada hay más difícil ni más exigente que estar en franca oposición a la propia época y decir con voz alta: No.

KURT TUCHOLSKY
(1880-1935), escritor alemán

dos con sistemas jurídicos injustos o con empresas que destruyen la creación, vulneran la dignidad humana (salarios por debajo del mínimo existencia, condiciones laborales sin seguro de enfermedad, trabajo infantil), acosan y persiguen a la Iglesia, producen armas de exterminio para lucrarse y persiguen los réditos más que el espíritu de Dios.

→ **193, 332** → **1939–1942** → **440**

322 *¿Deben los cristianos participar en manifestaciones públicas?*

Evidentemente que deben salir a la calle y con más frecuencia que hasta ahora, y también no solo para defender sus propios intereses. Siempre que el poder reprima a la justicia, los cristianos deben encontrarse en la primera fila de los manifestantes. Dice el papa Francisco: «Ustedes los jóvenes tienen que pisar la calle... ¡Les ruego que no dejen que sean otros los protagonistas del cambio! ¡A ustedes les pertenece el futuro!» (27 de julio de 2013, Jornada Mundial de la Juventud en Río de Janeiro). Los cristianos deben manifestarse (conjuntamente con otros) rebelándose contra el odio y la violencia, contra unas condiciones laborales humillantes, contra la negación de un salario justo, contra la destrucción de los medios de subsistencia de la naturaleza

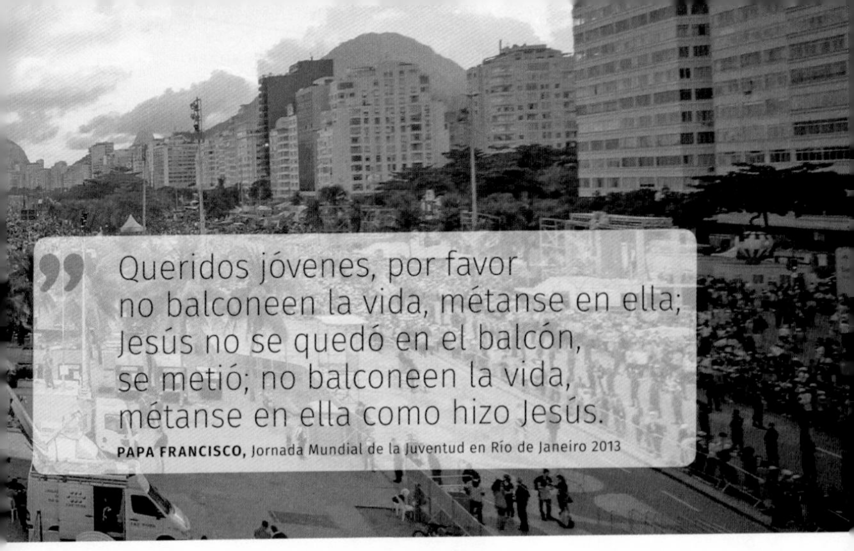

o contra la opresión de las minorías. Los cristianos, que a menudo quieren ser buenos ciudadanos, se han servido de los instrumentos de la protesta pública menos que los grupos políticos de izquierda. Pero deben aprender que para crear conciencia política deben salir a las calles, también para defender la protección de la vida desde la concepción hasta la muerte natural. Dado que el cristianismo es la religión mundial con un mayor número de fieles perseguidos, deben los cristianos protestar a favor de los derechos de aquellos otros cristianos que son discriminados y reprimidos, a favor de la defensa de la protección del domingo y en contra de las difamaciones sobre la Iglesia.

Queridos jóvenes, por favor
no balconeen la vida, métanse en ella;
Jesús no se quedó en el balcón,
se metió; no balconeen la vida,
métanse en ella como hizo Jesús.
PAPA FRANCISCO, Jornada Mundial de la Juventud en Río de Janeiro 2013

 71–72, 284–286 → 1932, 2185–2188 → 332, 365–366

323 ¿Qué significado tienen los encuentros juveniles nacionales e internacionales?

Las peregrinaciones, los campamentos juveniles, los festivales de oración y las Jornadas Mundiales de la Juventud logran reunir con cierta periodicidad a jóvenes católicos que viven en lugares lejanos entre sí. En algunos países estos acontecimientos son poderosas manifestaciones de una cultura juvenil cristiana. En otros países aportan experiencias entusiastas y consoladoras a los jóvenes católicos que viven diaria-

Yo sé que ustedes quieren ser buena tierra, cristianos en serio, no cristianos a medio tiempo, no cristianos «almidonados» con la nariz así [empinada] que parecen cristianos y en el fondo no hacen nada. No cristianos de fachada. Esos cristianos que son pura facha, sino cristianos auténticos. Sé que ustedes no quieren vivir en la ilusión de una libertad chirle que se deja arrastrar por la moda y las conveniencias del momento. Sé que ustedes apuntan a lo alto, a decisiones definitivas que den pleno sentido. ¿Es así, o me equivoco? ¿Es así?

PAPA FRANCISCO, en la Jornada Mundial de la Juventud, 2013

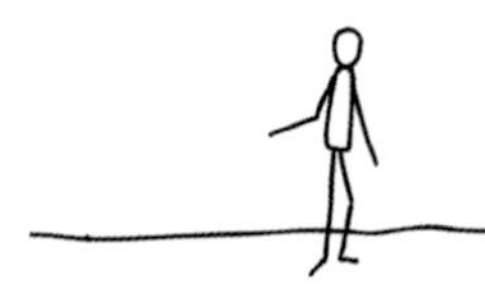

Si el Bautismo es una verdadera entrada en la santidad de Dios por medio de la inserción en Cristo y la inhabitación de su Espíritu, sería un contrasentido contentarse con una vida mediocre, vivida según una ética minimalista y una religiosidad superficial.

PAPA JUAN PABLO II, carta apostólica *Novo millenio ineunte* 31

mente aislados con su fe y se sienten solos. Especialmente las Jornadas Mundiales de la Juventud han servido para que crezca «un sentimiento católico», un orgullo de pertenecer a este *nuevo Pueblo de Dios*, que ha ido extendiéndose por todos los pueblos de la tierra desde la época de los apóstoles. Por ello, los jóvenes católicos cuentan no pocas veces que una Jornada Mundial de la Juventud determinada o un festival de oración fue el impulso que les llevó a tomar una decisión radical en su vida: «¡Desde ahora mi vida pertenece a Dios!». Evidentemente, no todo el que ha

La Iglesia es una señora anciana con muchas arrugas. Pero es mi madre. Y a una madre no se la insulta.

KARL RAHNER (1904-1984), teólogo alemán

Sueño con una opción misionera capaz de transformarlo todo, para que las costumbres, los estilos, los horarios, el lenguaje y toda estructura eclesial se convierta en un cauce adecuado para la evangelización del mundo actual más que para la autopreservación.

PAPA FRANCISCO, EG 27

participado en una Jornada Mundial se convierte inmediatamente en un católico creyente, y tampoco se realiza en este contexto una labor de evangelización para quienes no lo son. Pero esta experiencia sí que puede ser el comienzo de una gran historia de vida *con Dios*, por el solo hecho de poder compartir el sentimiento comunitario eucarístico del domingo con tan enorme cantidad de creyentes o de personas que aún buscan.

→ **97–99, 285, 423, 520** → **2178–2179**

324 *¿Puede un católico criticar a la Iglesia públicamente?*

Está justificada aquella crítica que surge del amor y que quiere ayudar a la Iglesia en su proceso de conversión. Catalina de Siena, Francisco de Asís, Bernardo de Claraval y los papas Benedicto XVI y Francisco han actuado así. Cuanto más se identifica uno con la Iglesia y más incondicionalmente se sigue a Jesús, con más intensidad puede recordarle el Evangelio a la Iglesia y a sus ministros. Quien critica a sacerdotes y obispos, debe tener siempre en cuenta que ellos se encuentran bajo la promesa de Jesús: «El que los escucha a ustedes, me escucha a mí» (Lc 10,16). Al mismo tiempo, también rige para ellos la palabra del profeta: «¡Ay de los pastores que pierden y dispersan el rebaño de mi pastizal!» (Jr 23,1). El católico creyente que apoya los principios fundamentales de la Iglesia puede, no obstante, confrontarse críticamente con posiciones individuales. Las críticas constructivas son bien recibidas si se fundan en la objetividad y concuerdan con los valores esenciales y los principios de la doctrina católica. La Iglesia se mantiene viva gracias a las personas que luchan por ella desde su más profunda simpatía con su verdadera constitución y auténticas posiciones.

→ **117** → **790–796** → **127**

325 *¿Cuándo traiciona el compromiso eclesial sus propios fundamentos?*

Una y otra vez sucede que grupos, comunidades e instituciones eclesiales abandonan su unidad con la Iglesia

> Los Obispos, que por institución divina son los sucesores de los Apóstoles, en virtud del Espíritu Santo que se les ha dado, son constituidos como Pastores en la Iglesia para que también ellos sean maestros de la doctrina, sacerdotes del culto sagrado y ministros para el gobierno.
>
> Código de Derecho Canónico, 375

> Las personas prefieren echarse a perder con halagos que mejorar con la crítica.
>
> **GEORGE BERNARD SHAW**

> Queridos míos, no crean a cualquiera que se considere inspirado: pongan a prueba su inspiración, para ver si procede de Dios, porque han aparecido en el mundo muchos falsos profetas. En esto reconocerán al que está inspirado por Dios: todo el que confiesa a Jesucristo manifestado en la carne, procede de Dios.
>
> **1 JN 4,1-2**

> Hermana peregrina de los Pobres de Yahvé, Profetisa de los pobres libertados, Madre del Tercer Mundo, Madre de todos los hombres de este mundo único porque eres la Madre de Dios hecho hombre. Con todos los que creen en Cristo y con todos aquellos que de algún modo buscan su Reino, te llamamos a ti, Madre, para que le hables por todos nosotros.
> Pídele a él, que se hizo Pobre para comunicarnos las riquezas de su Amor, que su Iglesia se despoje, sin subterfugios, de toda otra riqueza.
> A él, que murió en la Cruz para salvar a los hombres, pídele que nosotros, sus discípulos, sepamos vivir y morir por la total liberación de nuestros hermanos...
> Pídele que nos devore el hambre y la sed de aquella Justicia que despoja y redime. A él, que derribó el muro de la separación, pídele que todos los que llevamos el sello de su Nombre busquemos de hecho, por encima de todo lo que divide, aquella unidad reclamada por él mismo en testamento, y que solo es posible en la libertad de los hijos de Dios.
>
> **PEDRO CASALDÁLIGA,**
> obispo y poeta en Brasil
> «Nuestra Señora del Tercer Mundo»

común, porque piensan que están actuando o decidiendo de forma diferente a ella en cuestiones concretas. Con mucha frecuencia el distanciamiento se fundamenta en la necesidad de llevar a cabo una acción profética anticipadora, por ejemplo, recurrir a las armas en regímenes sociales injustos, oponerse a los mandamientos de la Iglesia o celebrar ilícitamente la sagrada eucaristía con cristianos de otras confesiones. Efectivamente, la Iglesia necesita profetas que le ayuden a abrirse a lo nuevo. Sin ellos la Iglesia habría perdido la cuestión obrera y no habría experimentado en su seno la necesidad de la libertad de prensa. Pero en todo momento debe verificarse con precisión si el «valor profético» sirve realmente a la Iglesia o si surge de la testarudez o de querer saber más que nadie, de la desobediencia y del deseo de dividir.

→ 460 → 166, 168, 176–184

¿Cómo puede fortalecerse el compromiso social mediante el ecumenismo?

Precisamente la vida social ofrece muchas posibilidades para la colaboración ecuménica. El compromiso común por la democracia, los derechos humanos, la paz y la justicia social pueden ayudar a fundamentar y fortalecer aquella confianza entre cristianos de diferentes confesiones, que es necesaria también para superar la separación en otros campos y para volver a encontrar la unidad en la verdad del Evangelio.

→ 135, 159 → 820–822 → 131

¿Cómo puede fortalecerse el compromiso social mediante la cooperación interreligiosa?

Está claro que los creyentes de las diferentes religiones deberían concentrar sus fuerzas para el bienestar de la humanidad y comprometerse por la justicia y la paz, como también por la conservación de la creación.

El espíritu con el que debe desarrollarse ha sido descrito por el papa Francisco del siguiente modo: «Nosotros no imponemos nada a nadie, no tenemos estrategias insidiosas para conseguir creyentes, sino que damos testimonio con alegría y sencillez de lo que creemos y de lo que somos. En efecto, un encuentro en el que uno dejara de lado aquello en lo que cree y actuara como si prescindiera de lo que es más valioso para él, no sería, ciertamente, una relación auténtica». El compromiso interreligioso es también posible. Los cristianos deben acercarse a los creyentes de otras religiones con amor y confianza, pero tienen que tener cuidado con mantener clara su fe, pues con palabras a veces iguales pueden expresarse ideas completamente diferentes sobre Dios. Se trata del peligro del sincretismo. Con los grupos radicales, que luchan contra la Iglesia y con la *sharia* quieren construir un Estado teocrático, es impensable llegar a un compromiso conjunto.

→ 12 → 817–822, 841–848 → 130, 136

Podemos hacer mucho por el bien de quien es más pobre, débil o sufre, para fomentar la justicia, promover la reconciliación y construir la paz. Pero, sobre todo, debemos mantener viva en el mundo la sed de lo absoluto, sin permitir que prevalezca una visión de la persona humana unidimensional, según la cual el hombre se reduce a aquello que produce y a aquello que consume. Esta es una de las insidias más peligrosas para nuestro tiempo.

PAPA FRANCISCO, 20 de marzo de 2013, ante los representantes de diversas religiones

328 *¿Cómo puede darse una convivencia pacífica entre cristianos y musulmanes?*

En muchos países los cristianos están siendo actualmente perseguidos por musulmanes radicales. No pocos cristianos sucumben al peligro de demonizar a toda la comunidad religiosa musulmana excluyéndola y rechazando toda forma de cooperación. Olvidan que hay también musulmanes que condenan la violencia con todo el corazón, y olvidan también una exigencia fundamental de Jesús, a saber, el amor, que no excluye ni siquiera al enemigo. Donde conviven cristianos y musulmanes deberían esforzarse todos por crear un ambiente de buena vecindad y cultivar relaciones personales. Los cristianos deben distinguirse por dar los primeros pasos y ofrecer signos sorprendentes de hospitalidad y confianza.

→ 515–517, 537 → 841 → 136

Para sostener el diálogo con el Islam es indispensable la adecuada formación de los interlocutores, no solo para que estén sólida y gozosamente radicados en su propia identidad, sino para que sean capaces de reconocer los valores de los demás, de comprender las inquietudes que subyacen a sus reclamos y de sacar a luz las convicciones comunes.

PAPA FRANCISCO, EG 253

Documentos más importantes de la Iglesia

PRACTICAD LA CARIDAD

Centesimus Annus

El peligro de la exclusión

Los que no logran ir al compás de los tiempos pueden quedar fácilmente marginados, y junto con ellos, lo son también los ancianos, los jóvenes incapaces de inserirse en la vida social y, en general, las personas más débiles y el llamado Cuarto Mundo. La situación de la mujer en estas condiciones no es nada fácil.

Papa Juan Pablo II, Encíclica *Centesimus Annus* (1991), 33

Centesimus Annus

El lenguaje de las obras

Hoy más que nunca, la Iglesia es consciente de que su mensaje social se hará creíble por el *testimonio de las obras,* antes que por su coherencia y lógica interna. De esta conciencia deriva también su opción preferencial por los pobres, la cual nunca es exclusiva ni discriminatoria de otros grupos. Se trata, en efecto, de una opción que no vale solamente para la pobreza material, pues es sabido que, especialmente en la sociedad moderna, se hallan muchas formas de pobreza no solo económica, sino también cultural y religiosa. El amor de la Iglesia por los pobres, que es determinante y pertenece a su constante tradición, la impulsa a dirigirse al mundo en el cual, no obstante el progreso técnico-económico, la pobreza amenaza con alcanzar formas gigantescas.

Papa Juan Pablo II, Encíclica *Centesimus Annus* (1991), 57

Evangelium Vitae

Dar un hogar a la vida

Son todavía muchos los *esposos* que, con generosa responsabilidad, saben acoger a los hijos como «el don más excelente del matrimonio». No faltan *familias* que, además de su servicio cotidiano a la vida, acogen a niños abandonados, a muchachos y jóvenes en dificultad, a personas minusválidas, a ancianos solos. No pocos *centros de ayuda a la vida,* o instituciones análogas, están promovidos por personas y grupos que, con admirable dedicación y sacrificio, ofrecen un apoyo moral y material a madres en dificultad, tentadas de recurrir al aborto. También surgen y se difunden *grupos de voluntarios* dedicados a dar hospitalidad a quienes no tienen familia, se encuentran en condiciones de particular penuria o tienen necesidad de hallar un ambiente educativo que les ayude a superar comportamientos destructivos y a recuperar el sentido de la vida.

Papa Juan Pablo II, Encíclica *Evangelium Vitae* (1995), 26

Caritas in Veritate

Amor y verdad

En el contexto social y cultural actual, en el que está difundida la tendencia a relativizar lo verdadero, vivir la caridad en la verdad lleva a comprender que la adhesión a los valores del cristianismo no es solo un elemento útil, sino indispensable para la construcción de una buena sociedad y un verdadero desarrollo humano integral. Un cristianismo de caridad sin verdad se puede confundir fácilmente con una reserva de buenos sentimientos, provechosos para la convivencia social, pero marginales. De este modo, en el mundo no habría un verdadero y propio lugar para Dios. Sin la verdad, la caridad es relegada a un ámbito de relaciones reducido y privado. Queda excluida de los proyectos y procesos para construir un desarrollo humano de alcance universal, en el diálogo entre saberes y operatividad.

Papa Benedicto XVI, Encíclica *Caritas in Veritate* (2009), 4

Caritas in Veritate

Definición de «caritas»

La caridad es amor recibido y ofrecido. [...] Los hombres, destinatarios del amor de Dios, se convierten en sujetos de caridad, llamados a hacerse ellos mismos instrumentos de la gracia para difundir la caridad de Dios y para tejer redes de caridad. La doctrina social de la Iglesia responde a esta dinámica de caridad recibida y ofrecida. Es *«caritas in veritate in re sociali»*, anuncio de la verdad del amor de Cristo en la sociedad. Dicha doctrina es servicio de la caridad, pero en la verdad. La verdad preserva y expresa la fuerza liberadora de la caridad en los acontecimientos siempre nuevos de la historia. Es al mismo tiempo verdad de la fe y de la razón, en la distinción y la sinergia a la vez de los dos ámbitos cognitivos. El desarrollo, el bienestar social, una solución adecuada de los graves problemas socioeconómicos que afligen a la humanidad, necesitan esta verdad. Y necesitan aún más que se estime y dé testimonio de esta verdad. Sin verdad, sin confianza y amor por lo verdadero, no hay conciencia y responsabilidad social, y la actuación social se deja a merced de intereses privados y de lógicas de poder, con efectos disgregadores sobre la sociedad, tanto más en una sociedad en vías de globalización, en momentos difíciles como los actuales.

Papa Benedicto XVI, Encíclica *Caritas in Veritate* (2009), 5

Caritas in Veritate

El amor crea comunidad

Al ser un don recibido por todos, la caridad en la verdad es una fuerza que funda la comunidad, unifica a los hombres de manera que no haya barreras o confines. La comunidad humana puede ser organizada por nosotros mismos, pero nunca podrá ser solo con sus propias fuerzas una comunidad plenamente fraterna ni aspirar a superar las fronteras, o convertirse en una comunidad universal. La unidad del género humano, la comunión fraterna más allá de toda división, nace de la palabra de Dios-Amor que nos convoca. Al afrontar esta cuestión decisiva, hemos de precisar, por un lado, que la lógica del don no excluye la justicia ni se yuxtapone a ella como un añadido externo en un segundo momento y, por otro, que el desarrollo económico, social y político necesita, si quiere ser auténticamente humano, dar espacio al *principio de gratuidad* como expresión de fraternidad.

Papa Benedicto XVI, Encíclica *Caritas in Veritate* (2009), 34

Evangelii Gaudium

Exigencia de todos

En virtud del Bautismo recibido, cada miembro del Pueblo de Dios se ha convertido en discípulo misionero (cf. Mt 28,19). Cada uno de los bautizados, cualquiera que sea su función en la Iglesia y el grado de ilustración de su fe, es un agente evangelizador, y sería inadecuado pensar en un esquema de evangelización llevado adelante por actores calificados donde el resto del pueblo fiel sea solo receptivo de sus acciones. La nueva evangelización debe implicar un nuevo protagonismo de cada uno de los bautizados. Esta convicción se convierte en un llamado dirigido a cada cristiano, para que nadie postergue su compromiso con la evangelización, pues si uno de verdad ha hecho una experiencia del amor de Dios que lo salva, no necesita mucho tiempo de preparación para salir a anunciarlo, no puede esperar que le den muchos cursos o largas instrucciones. Todo cristiano es misionero en la medida en que se ha encontrado con el amor de Dios en Cristo Jesús; ya no decimos que somos «discípulos» y «misioneros», sino que somos siempre «discípulos misioneros».

Papa Francisco, Exhortación apostólica *Evangelii Gaudium* (2013), 120

Evangelii Gaudium

¡Comparte lo que te ayuda a vivir!

Por supuesto que todos estamos llamados a crecer como evangelizadores. Procuramos al mismo tiempo una mejor formación, una profundización de nuestro amor y un testimonio más claro del Evangelio. En ese sentido, todos tenemos que dejar que los demás nos evangelicen constantemente; pero eso no significa que debamos postergar la misión evangelizadora, sino que encontremos el modo de comunicar a Jesús que corresponda a la situación en que nos hallemos. En cualquier caso, todos somos llamados a ofrecer a los demás el testimonio explícito del amor salvífico del Señor, que más allá de nuestras imperfecciones nos ofrece su cercanía, su Palabra, su fuerza, y le da un sentido a nuestra vida. Tu corazón sabe que no es lo mismo la vida sin Él; entonces eso que has descubierto, eso que te ayuda a vivir y que te da una esperanza, eso es lo que necesitas comunicar a los otros.

Papa Francisco, Exhortación apostólica *Evangelii Gaudium* (2013), 121

Evangelii Gaudium

Ser discípulo

Ser discípulo es tener la disposición permanente de llevar a otros el amor de Jesús y eso se produce espontáneamente en cualquier lugar: en la calle, en la plaza, en el trabajo, en un camino.

Papa Francisco, Exhortación apostólica *Evangelii Gaudium* (2013), 127

Evangelii Gaudium

¡Hacerse misioneros!

La comunidad evangelizadora experimenta que el Señor tomó la iniciativa, la ha primereado en el amor (cf. 1 Jn 4,10); y, por eso, ella sabe adelantarse, tomar la iniciativa sin miedo, salir al encuentro, buscar a los lejanos y llegar a los cruces de los caminos para invitar a los excluidos. Vive un deseo inagotable de brindar misericordia, fruto de haber experimentado la infinita misericordia del Padre y su fuerza difusiva. ¡Atrevámonos un poco más a primerear! Como consecuencia, la Iglesia sabe «involucrarse». Jesús lavó los pies a sus discípulos. El Señor se involucra e involucra a los suyos, poniéndose de rodillas ante los demás para lavarlos. Pero luego dice a los discípulos: «Ustedes serán felices si hacen esto» (Jn 13,17). La comunidad evangelizadora se mete con obras y gestos en la vida cotidiana de los demás, achica distancias, se abaja hasta la humillación si es necesario, y asume la vida humana, tocando la carne sufriente de Cristo en el pueblo. Los evangelizadores tienen así «olor a oveja» y estas escuchan su voz. Luego, la comunidad evangelizadora se dispone a «acompañar». Acompaña a la humanidad en todos sus procesos, por más duros y prolongados que sean. Sabe de esperas largas y de aguante apostólico. La evangelización tiene mucho de paciencia, y evita maltratar límites. Fiel al don del Señor, también sabe «fructificar». La comunidad evangelizadora siempre está atenta a los frutos, porque el Señor la quiere fecunda. Cuida el trigo y no pierde la paz por la cizaña. El sembrador, cuando ve despuntar la cizaña en medio del trigo, no tiene reacciones quejosas ni alarmistas. Encuentra la manera de que la Palabra se encarne en una situación concreta y dé frutos de vida nueva, aunque en apariencia sean imperfectos o inacabados. El discípulo sabe dar la vida entera y jugarla hasta el martirio como testimonio de Jesucristo, pero su sueño no es llenarse de enemigos, sino que la Palabra sea acogida y manifieste su potencia liberadora y renovadora. Por último, la comunidad evangelizadora gozosa siempre sabe «festejar». Celebra y festeja cada pequeña victoria, cada paso adelante en la evangelización. [...] Sueño con una opción misionera capaz de transformarlo todo, para que las costumbres, los estilos, los horarios, el lenguaje y toda estructura eclesial se convierta en un cauce adecuado para la evangelización del mundo actual más que para la autopreservación. La reforma de estructuras que exige la conversión pastoral solo puede entenderse en este sentido: procurar que todas ellas se vuelvan más misioneras, que la pastoral ordinaria en todas sus instancias sea más expansiva y abierta, que coloque a los agentes pastorales en constante actitud de salida y favorezca así la respuesta positiva de todos aquellos a quienes Jesús convoca a su amistad.

Papa Francisco, Exhortación apostólica *Evangelii Gaudium* (2013), 24, 27

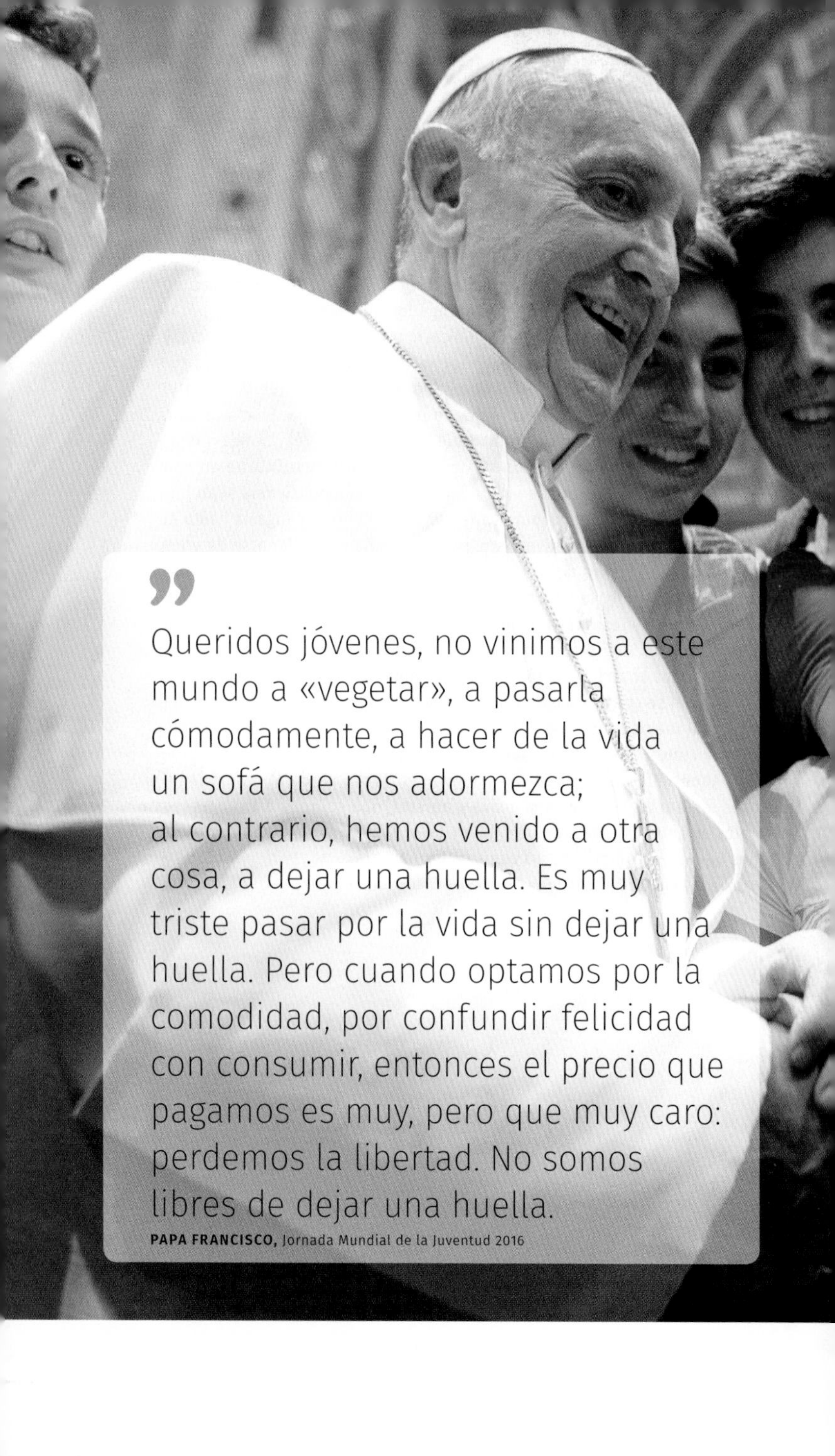
”
Queridos jóvenes, no vinimos a este mundo a «vegetar», a pasarla cómodamente, a hacer de la vida un sofá que nos adormezca; al contrario, hemos venido a otra cosa, a dejar una huella. Es muy triste pasar por la vida sin dejar una huella. Pero cuando optamos por la comodidad, por confundir felicidad con consumir, entonces el precio que pagamos es muy, pero que muy caro: perdemos la libertad. No somos libres de dejar una huella.
PAPA FRANCISCO, Jornada Mundial de la Juventud 2016

Índice de nombres

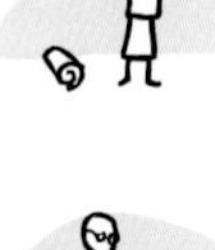

Índice de pasajes bíblicos

Índice de materias

Abreviaturas

CA *Centesimus Annus*, encíclica del papa Juan Pablo II (1991)
CCE *Catecismo de la Iglesia Católica*
CDSI *Compendio de la Doctrina Social de la Iglesia*
CiV *Caritas in Veritate*, encíclica del papa Benedicto XVI (2009)
DH *Dignitatis Humanae*, declaración del Concilio Vaticano II
EG *Evangelii Gaudium*, exhortación apostólica del papa Francisco (2013)
EV *Evangelium Vitae*, encíclica del papa Juan Pablo II (1995)
GS *Gaudium et Spes*, constitución pastoral sobre la Iglesia en el mundo actual del Concilio Vaticano II (1965)
LE *Laborem Exercens*, encíclica del papa Juan Pablo II (1981)
LG *Lumen Gentium*, constitución dogmática sobre la Iglesia del Concilio Vaticano II (1964)
LS *Laudato si'*, encíclica del papa Francisco (2015)
MM *Mater et Magistra*, encíclica del papa Juan XXIII (1961)
OA *Octogesima Adveniens*, exhortación apostólica del papa Pablo VI (1971)
PP *Populorum Progressio*, encíclica del papa Pablo VI (1967)
PT *Pacem in Terris*, encíclica del papa Juan XXIII (1963)
QA *Quadragesimo Anno*, encíclica del papa Pío XI (1931)
RH *Redemptor Hominis*, encíclica del papa Juan Pablo II (1979)
RN *Rerum Novarum*, encíclica del papa León XIII (1891)
SRS *Sollicitudo Rei Socialis*, encíclica del papa Juan Pablo II (1987)

Referencias de las fotografías

Archivo EVD 215; Cynthia Abou Zeid 61, 75, 143; Jörg P. Anders/bpk 140; Felipe Belloni 17; Martine Boutros 205; Richard Bruneau 221; Charles Constantine 246; Carmo Cordovil 259; Francisco Eugênio 14; Stefan Fitzek 222; Miriam Fricke 105; Elie Habib 23; iStock.com/AleksandarNakic 37; iStock.com/andresr 114; iStock.com/andresr 232; iStock.com/jopurnalturk 224; iStock.com/Lalocracio 188-189; iStock.com/liuser 176-177; iStock.com/Lord_Kuernyus 107; iStock.com/Nikada 98; iStock.com/piccaya 171; iStock.com/SteveAllenPhoto 236; iStock.com/tirc83 151; iStock.com/vlad_karavaev 118; iStock.com/wundervisuals 120-121; iStock.com/Yozayo 178; Marina Jorge 125; Jesus My Joy 64; Martin Karski (www.martinkarski.de) 139; Richard Lagos 90, 134, 212-213; Jeronimo Lauricio 58, 69, 245, 250, 285; Emilie Leclerc 98, 147; Stefan Leimer 203; Alexander von Lengerke 49, 130, 138, 160-161, 291; LWL Medienzentrum für Westfalen 36; Frank May/picture-alliance 270; Alex Lima Mazullo 101, 103, 208, 242-243, 262-263, 292-293; Niamh McGirr 282; Noble j Nooruparayil 46, 74; Vanessa Nossol 274; Kerstin Otto 288-289; Lica Pires 32, 81; Dario Pizzano 76; Jorge O. Ramírez Carreón 35; Stefano Rellandini/Reuters 10; Sandra Ribeiro Neto 42-43; Lukas Schlichtebrede 126; Benjamin Scofield 250; Patrick Sfeir 228-229; Francesco Sforza/Osservatore romano 302-303; Hari Seldon 156; Luc Serafin 50, 83, 149, 191; Olha Soroka 95; Leandro Carlos Souza Santos 108; Thinkstock 192; Stocktrek images/Thinkstock 266; Mykola Vepryk 72-73, 184; Brit Werner 138-139, 294; Akl Yazbeck 18-19.
Imágenes libres de derechos:
Trocaire from Ireland (Kibera17) 217, Christian Wolf (www.c-wdesign.de) 201; Creative Common-Lizenz by-sa-3.0 (http://creativecommons.org/licenses/bysa/3.0): 4028mdk09 167, Nationaal Archief, Den Haag, Rijksfotoarchief: Fotocollectie Algemeen Nederlands Fotopersbureau (ANEFO), 1945-1989 - negatiefstroken zwart/wit, nummer toegang 2.24.01.05, bestanddeelnummer 922-2301 253; Staff Sgt. Marc Lane (https://www.dvidshub.net/image/190261) 63.
Primera guarda: superior izquierda: https://commons.wikimedia.org/wiki/File%3AFriedrich_Witte_Fabrik. jpg; inferior izquierda: https://commons.wikimedia.org/wiki/File%3A1849_%E2%80%9EDrehen_zu_Beginn%E2%80%9C_am_Beispiel_der_Maschinenbauanstalt_Maffei..jpg; inferior derecha: https://commons.wikimedia.org/wiki/File%3ABild_Maschinenhalle_Escher_Wyss_1875.jpg.
Segunda guarda: superior izquierda: https://commons.wikimedia.org/wiki/File%3AJunghans_02.jpg; inferior izquierda: https://commons.wikimedia.org/wiki/File%3AHartmann_Maschinenhalle_1868_(01).jpg; superior derecha: https://commons.wikimedia.org/wiki/File%3AStEG-Fabrik_Werkhalle.jpg; inferior derecha: https://commons.wikimedia.org/wiki/File%3ABASF_Werk_Ludwigshafen_1881.JPG

Agradecimientos

La Fundación YOUCAT agradece a los diferentes autores y editores que han colaborado gratuitamente en la realización de este proyecto.
También da las gracias a la KKV (Asociación Católica para la Economía y la Administración) y a su presidente, Bernd-M. Wehner, por haber estimulado y haber contribuido económicamente al encuentro de jóvenes para discutir el texto del DOCAT.
De igual modo, la Fundación YOUCAT agradece a la sede central de la Academia Católica de Ciencias Sociales, en Mönchengladbach, su ayuda en la redacción de los textos.
Estamos agradecidos a todos los jóvenes fotógrafos y fotógrafas que han participado en el concurso mundial de fotografía, y pueden sentirse felices ahora de estar representados con «su» imagen en el DOCAT.
Damos las gracias especialmente a nuestros jóvenes críticos: Laurin Büld, Paul Cremer, Lorena Helfrich, Nathalie Keifler, Judith Klaiber, Benno Klee, Daniel Lui, Stephan Peiffer, Lars Schäfers, Jan Schiefelbein, Maria Schipp, Marcel Urban (bajo la dirección de Barbara Müller, Nils Baer, Marco Bonacker, Alexander von Lengerke, Bernhard Meuser). Habéis ayudado maravillosamente –como propios representantes de los jóvenes del mundo– a responder a la llamada del papa Francisco y a apropiaros de la doctrina social.

Y-BIBLIA

LATINOAMÉRICA

Tienen ustedes
en sus manos algo divino:
¡un libro como fuego!
Un libro a través
del que habla Dios.

PAPA FRANCISCO

Biblia joven de la Iglesia católica

LATINOAMÉRICA

432 pp. – 15 x 23 cm
encuadernación semiflexible
978-84-9073-310-3